AU JOUR LE JOUR

Danielle Steel

AU JOUR LE JOUR

Roman

Traduit de l'anglais (Etats-Unis)
par Eveline Charlès

Titre original : *One Day at a Time*

Retrouvez Danielle Steel sur son blog :
http://pressesdelacite.com/blogs/danielle-steel/

A mes merveilleux enfants,
Beatrix, Trevor, Todd, Nick, Sam,
Victoria, Vanessa, Maxx et Zara,
qui sont l'Espoir, l'Amour et la Joie
de ma vie.

Avec tout mon amour.
Maman/d.s.

Quoi qu'il arrive, soit arrivé ou arrivera, je crois toujours en l'amour, qu'il corresponde aux normes habituelles ou qu'il s'en écarte, qu'il soit ordinaire ou extraordinaire. Ne perdez jamais Espoir.

d. s.

1

Par une belle journée de juin, Coco Barrington regardait le soleil se lever sur San Francisco depuis sa terrasse de Bolinas. Elle contemplait la traînée orange et rose qui s'étirait dans le ciel, allongée sur une chaise longue achetée dans un vide-grenier, tout en dégustant une tasse de thé chinois. Une vieille statue en bois, représentant Quan Yin, était posée non loin d'elle. Quan Yin était la déesse de la Compassion, et Coco tenait énormément à cet objet. Sous le regard bienveillant de la déesse, la jeune femme profitait des rayons dorés du soleil levant qui l'enveloppaient, allumant des reflets cuivrés dans ses cheveux auburn qui lui arrivaient presque à la taille. Elle portait une vieille chemise de nuit en flanelle, dont les cœurs imprimés étaient en grande partie délavés, et était pieds nus. La maison où elle vivait était construite sur pilotis et donnait sur l'océan et sur une étroite bande de plage. Coco était heureuse d'être là. Elle avait vingt-huit ans et habitait ce petit village de bord de mer, situé à moins d'une heure de San Francisco, depuis quatre ans.

Le nom de « maison » était légèrement exagéré. C'était plutôt une maisonnette. Aux yeux de sa mère et de sa sœur, c'était même une cabane, et ni l'une ni l'autre ne comprenaient pourquoi Coco s'entêtait à y vivre et même semblait s'y plaire. Pour elles, ce logis était un vrai cauchemar. Sa mère avait tout essayé pour tenter de

11

faire revenir Coco à ce qu'elle appelait « la civilisation », mais la jeune femme ne considérait pas la vie que menait sa mère et la façon dont elle avait été élevée comme civilisées. Selon elle, tout n'y était que mensonge. Que ce soit les gens, leur mode de vie, leurs objectifs, leurs maisons ou les visages liftés de toutes les femmes qu'elle connaissait à Los Angeles, tout lui paraissait artificiel. L'existence qu'elle menait à Bolinas était simple, sans complication et vraie, comme elle l'était elle-même. Elle détestait les faux-semblants. Non pas que sa mère dissimulât sa véritable personnalité, d'ailleurs. Extrêmement raffinée, elle était seulement attentive à maintenir une certaine image d'elle-même. Depuis trente ans, la mère de Coco écrivait des romans à succès. Ses récits n'étaient pas mensongers, ils manquaient simplement de profondeur, ce qui ne l'empêchait pas d'avoir un public fidèle. Elle écrivait sous le pseudonyme de Florence Flowers, qui était le nom de jeune fille de sa propre mère, et jouissait d'une immense notoriété. Agée de soixante-deux ans, elle avait vécu elle-même un véritable conte de fées avec son mari, Bernard « Buzz » Barrington, l'agent artistique le plus important de Los Angeles, jusqu'à ce qu'il meure subitement d'une crise cardiaque quatre ans auparavant. Buzz avait seize ans de plus qu'elle. Ensemble, ils avaient eu deux filles, Jane et Coco. Buzz avait été quelqu'un d'extrêmement influent et avait protégé sa femme pendant les trente-six ans qu'avait duré leur union. Il l'avait toujours encouragée et avait su guider sa carrière. Coco s'était toujours demandé si sa mère aurait connu un tel succès sans l'aide de son père. Florence, elle, ne s'était jamais posé cette question. Pas un instant elle n'avait mis en doute la qualité de son travail. Mais elle ne se remettait jamais en cause et avait des idées sur tout. Elle ne cachait pas que Coco la décevait énormément et n'hésitait pas à la traiter de marginale, de hippie et même de barjo.

Jane ressemblait à sa mère. Sa carrière était tout aussi brillante et elle n'avait pas la moindre indulgence envers sa sœur, tout en l'aimant beaucoup. Elle traitait Coco de ratée et faisait remarquer à sa cadette qu'elle aurait pu réussir sa vie si jusqu'à présent elle n'avait pas gâché toutes ses chances. Elle lui rappelait néanmoins qu'il n'était pas trop tard pour changer, mais que, tant qu'elle resterait à Bolinas, son existence serait un véritable désastre.

Coco ne voyait pas les choses de la même manière. Elle subvenait elle-même à ses besoins, menait la vie qui lui convenait et ne se droguait pas, même s'il lui était arrivé de fumer un joint en compagnie de ses amis lorsqu'elle était à l'université. Elle n'était pas une charge pour sa famille, n'avait pas de dettes, n'avait jamais été enceinte et n'était jamais allée en prison. Elle-même ne ressentait pas le besoin de critiquer le mode de vie de sa sœur. Elle ne disait pas non plus à sa mère qu'elle se couvrait de ridicule en s'habillant comme une minette et que la peau de son visage était trop tirée par son dernier lifting. Coco souhaitait seulement être elle-même et gérer sa vie comme elle l'entendait. L'existence luxueuse de Bel-Air ne lui avait jamais convenu. Petite, elle détestait être cataloguée comme étant la fille de deux célébrités et, plus récemment, comme la petite sœur d'une personnalité connue. Elle s'était vraiment insurgée après Princeton, qu'elle avait quitté avec les honneurs. Elle avait alors entamé des études de droit à Stanford et les avait abandonnées un an plus tard. Depuis, trois années s'étaient écoulées.

C'était son père qui avait voulu qu'elle fasse du droit. Il souhaitait qu'elle travaille avec lui et il était persuadé que, pour réussir dans le métier d'agent artistique, mieux valait avoir un bon bagage dans le domaine juridique. Malheureusement, représenter des auteurs de best-sellers, des scénaristes ou des acteurs de cinéma n'attirait absolument pas Coco, même si c'était la passion

13

de son père. Lorsqu'elle était enfant, toutes les célébrités d'Hollywood venaient chez eux, mais elle n'envisageait pas de continuer à les fréquenter, comme son père l'avait fait toute sa vie. Secrètement, elle pensait qu'à force de représenter ces gens trop gâtés, déraisonnables et insatiables pendant près de cinquante ans, le stress avait fini par le tuer. Aussi, pour elle, exercer cette profession équivalait quasiment à une condamnation à mort.

Son père était mort lors de sa première année d'études. Elle avait tenu un an de plus, avant de laisser tomber le droit. Sa mère avait été catastrophée qu'elle arrête ses études et lui en voulait toujours. Elle l'accusait de vivre comme une clocharde dans sa cabane de Bolinas. Elle n'était venue qu'une seule fois, et depuis, elle ne cessait de fulminer. Après avoir quitté l'université, Coco avait décidé de s'installer tout près de San Francisco. Elle s'y plaisait davantage qu'à Los Angeles. Sa sœur y vivait depuis des années, tout en se rendant fréquemment à Los Angeles pour son travail. Le fait que ses deux filles aient fui Los Angeles contrariait toujours leur mère, bien qu'elle vît souvent Jane. En revanche, Coco lui rendait rarement visite.

La sœur de Coco avait trente-neuf ans et était l'une des plus importantes productrices de films d'Hollywood. Sa réussite était époustouflante et elle avait battu les records du box-office à onze reprises. Cet extraordinaire succès rabaissait encore Coco dans l'estime de ses proches. Sa mère lui répétait sans cesse combien leur père aurait été fier de Jane, puis elle éclatait en sanglots à l'idée que sa fille cadette gâchait sa vie. Elle avait toujours utilisé les larmes pour obtenir ce qu'elle voulait de son mari. Buzz passait tout à son épouse et adorait ses filles. Parfois, Coco se disait que, s'il avait été là, elle lui aurait expliqué ses choix, mais en vérité, elle savait qu'elle n'y serait pas parvenue. Il ne l'aurait pas mieux comprise que sa mère et sa sœur : son mode de vie l'aurait à la fois déconcerté et déçu. Lorsqu'elle avait entrepris des études de droit, il en avait été ravi et avait cru que cette décision mettait un point final aux idées révolutionnaires qu'elle affichait jusque-là. Selon lui, on avait le droit d'être généreux, de se préoccuper du sort de la planète et de son prochain, mais il ne fallait pas aller trop loin. Tant qu'elle était au lycée, il l'avait laissée faire, persuadé que les études de droit la remettraient sur le bon chemin. C'est ce qu'il avait assuré à sa mère. Ce n'était apparemment pas le cas, puisqu'elle les avait abandonnées.

Son père lui avait laissé un héritage plus que suffisant pour vivre, mais Coco n'y avait jamais touché, préférant ne dépenser que ce qu'elle gagnait elle-même. Elle était généreuse et faisait souvent des dons en faveur de causes importantes à ses yeux, comme l'écologie, la préservation d'espèces animales en danger ou l'aide aux enfants du tiers-monde. Sa sœur la traitait de « grande sentimentale ». Sa mère et sa sœur disposaient de toute une panoplie de qualificatifs peu flatteurs à son égard, tous blessants. Coco admettait facilement qu'elle était sentimentale. C'était d'ailleurs pour cette raison qu'elle aimait tant la statue de Quan Yin. Elle se sentait en parfaite harmonie avec la déesse de la Compassion. Coco était foncièrement honnête, elle avait bon cœur et son amour des autres était sans limites. A ses yeux, ce n'était pas un crime, ni même un défaut.

Jane aussi avait causé du souci à ses parents. A dix-sept ans, lorsqu'elle était en terminale, elle leur avait annoncé qu'elle était homosexuelle. Agée de six ans à l'époque, Coco n'avait pas eu conscience de l'effet que cela avait eu sur son père et sa mère. Jane avait ensuite milité pour défendre les droits des lesbiennes à l'université de Californie, où elle faisait des études de cinéma. Elle avait brisé le cœur de sa mère lorsqu'elle avait refusé d'aller au bal des débutantes. Elle aurait préféré mourir plutôt que de s'y rendre, avait-elle affirmé. Mais,

15

en dépit de ses préférences sexuelles et de son militantisme, elle avait les mêmes objectifs que ses parents. Son père lui avait pardonné dès qu'elle lui avait exposé ses désirs de gloire. Et, lorsqu'elle les avait réalisés, tout s'était arrangé entre eux. Depuis dix ans, Jane vivait avec une célèbre scénariste, une jeune femme charmante qui avait beaucoup de talent. Elles s'étaient installées à San Francisco, où la communauté homosexuelle était importante. Dans le monde entier, leurs films étaient connus et appréciés. Jane avait été nominée quatre fois aux Oscars, mais n'en avait encore remporté aucun. Sa mère ne voyait plus aucune objection à ce qu'Elizabeth et Jane vivent ensemble. C'est sur Coco que se reportaient toutes ses récriminations et celles de Jane. Toutes deux lui reprochaient ses choix ridicules, sa vie de hippie, son indifférence affichée envers tout ce qui était important à leurs yeux.

Pour finir, elles reprochaient aussi à Coco d'avoir suivi l'exemple de celui avec qui elle vivait lorsqu'elle avait quitté la faculté de droit. Il s'appelait Ian White, était australien et incarnait tout ce que sa famille ne voulait pas pour elle. Il était intelligent, doué et bien élevé, ainsi que Jane l'avait admis, mais c'était un « raté », tout comme Coco. Après avoir abandonné ses études en Australie avant d'avoir obtenu ses diplômes, Ian s'était installé à San Francisco, où il avait ouvert une école de plongée et de surf. Il était brillant, tendre, drôle, gentil et adorait Coco. Ian était un diamant brut, un homme libre qui agissait à sa guise. Le jour où elle avait fait sa connaissance, Coco avait su qu'elle venait de rencontrer son âme sœur. Quand ils avaient emménagé ensemble au bout de deux mois, elle avait juste vingt-quatre ans. Ian était mort deux ans plus tard. Ces années avaient été les plus belles de la vie de Coco, aussi n'avait-elle aucun regret, sauf, bien sûr, qu'il fût parti. Il faisait du delta-plane lorsqu'une rafale de vent l'avait poussé contre les rochers et la chute l'avait tué. Il avait suffi d'un instant pour que tous leurs rêves s'effondrent. Ils avaient acheté ensemble leur petite maison de Bolinas, qui était restée à Coco après la disparition de Ian. Sa combinaison et son matériel de plongée s'y trouvaient encore. Coco avait vécu de durs moments pendant la première année qui avait suivi son décès. Au début, sa mère et sa sœur s'étaient montrées compatissantes, mais cela n'avait pas duré longtemps. Dans leur esprit, Coco devait se ressaisir, surmonter cette épreuve, commencer une nouvelle vie et mûrir. C'était ce qu'elle avait fait, mais pas comme sa mère et sa sœur l'entendaient, et elles considéraient cela comme une véritable injure.

Coco savait bien qu'elle devait faire son deuil et aller de l'avant. L'année précédente, elle avait eu quelques copains, mais aucun d'entre eux n'arrivait à la cheville de Ian. Elle n'en avait jamais rencontré un seul doté d'une telle joie de vivre, d'une telle énergie, d'une telle gentillesse et d'un tel charme. Il était difficile d'égaler Ian, pourtant elle espérait que quelqu'un se présenterait un jour. Simplement, jusqu'à maintenant ce n'était pas arrivé. Elle savait que Ian n'aurait pas voulu qu'elle reste seule. Mais elle n'était pas pressée. Coco était heureuse de vivre à Bolinas, de s'éveiller chaque matin et de découvrir ce que lui réservait cette nouvelle journée. Elle n'avait pas de plan de carrière. Elle n'avait pas besoin de devenir célèbre pour se prouver sa propre valeur. Elle ne voulait pas vivre dans une belle propriété de Bel-Air. Elle ne souhaitait que ce qu'elle avait eu avec Ian : du bonheur et des nuits d'amour. Et elle savait que leur souvenir la soutiendrait toute sa vie. Elle se moquait bien de savoir où la mèneraient ses prochains pas ou qui elle trouverait au bout du chemin. Chaque jour était en lui-même une bénédiction. Sa vie avec Ian avait été parfaite et avait correspondu à tout ce qu'elle désirait, et elle avait réussi, durant les deux dernières années, à retrouver la paix et à admettre qu'elle devait continuer sans lui. Bien qu'il lui manquât toujours, elle avait fini par accepter sa disparition. Elle n'était pas pressée de se marier, d'avoir des enfants ou de rencontrer un autre homme. A vingt-huit ans, rien de tout cela ne lui paraissait urgent. La seule chose qui lui importait était Bolinas.

Lorsqu'ils s'y étaient installés, la vie qu'on y menait leur avait semblé bizarre. C'était une drôle de petite communauté, dont les habitants avaient non seulement décidé de passer inaperçus, mais aussi de disparaître. Aucun panneau n'indiquait la direction de Bolinas ou ne signalait son existence. Il fallait le trouver par ses propres moyens. Au début, cette impression de vivre en dehors du temps les avait fait rire. Dans les années soixante, beaucoup de hippies y étaient arrivés et nombre d'entre eux étaient encore là avec, aujourd'hui, le visage ridé et les cheveux gris. Les seules boutiques du village étaient un magasin de vêtements où l'on pouvait se procurer des robes hawaïennes et des tissus en coton aux couleurs bigarrées, un restaurant rempli de surfeurs grisonnants, une épicerie qui vendait de la nourriture bio et un bazar qui vous proposait toutes sortes d'articles, tels que des pipes à eau de tailles, formes et couleurs variées. La plupart des maisons étaient construites sur pilotis, devant l'océan. Un bras de mer les séparait de Stinson Beach et des demeures luxueuses qui s'y trouvaient. A Bolinas, il y avait bien une rangée de belles maisons, mais la population était essentiellement constituée de marginaux, de vieux surfeurs et de gens qui avaient choisi de disparaître pour une raison quelconque. A sa façon, c'était une sorte d'élite, mais radicalement différente de celle dans laquelle Coco avait grandi et que Ian avait fuie en quittant l'Australie. Tous les deux étaient donc parfaitement assortis. Aujourd'hui, il était parti, mais elle avait choisi de rester et n'avait aucune intention de s'en aller, quoi que sa mère et sa sœur en disent. La psychothérapeute qu'elle avait vue après la mort de Ian et jusqu'à une date récente prétendait qu'à vingt-

18

huit ans elle n'avait pas terminé sa crise d'adolescence. C'était possible, mais cela lui convenait. Sa vie et l'endroit où elle habitait suffisaient à son bonheur. En tout cas, elle était certaine d'une chose : elle ne retournerait jamais à Los Angeles.

Quand le soleil se leva à l'horizon, la jeune femme rentra dans la maison pour boire une tasse de thé. Sallie, la chienne de Ian, sauta du lit pour sortir tranquillement de la maison. Elle remua un peu la queue, avant d'entamer sa promenade solitaire sur la plage. Extrêmement indépendante, elle assistait Coco dans son travail. Ian lui avait dit que les bergers australiens faisaient des secouristes géniaux, mais Sallie suivait son propre instinct. Son attachement à Coco obéissait à des règles qu'elle seule connaissait, tout comme sa conduite. Cependant, elle obéissait à la voix, ayant été impeccablement dressée par Ian. Elle surgit lorsque Coco se servit sa seconde tasse de thé tout en jetant un coup d'œil à sa montre. Il était un peu plus de 7 heures, c'est-à-dire le moment pour elle de prendre sa douche et de se rendre à son travail. Elle aimait bien traverser le pont du Golden Gate à 8 heures et être chez son premier client trente minutes plus tard. Les gens pour qui elle travaillait savaient qu'elle était toujours à l'heure. Son entreprise était toute petite, mais étonnamment rentable. On se disputait ses services depuis trois ans, après que Ian l'avait aidée à monter son affaire. Depuis sa mort, sa clientèle avait énormément augmenté, bien que Coco la limitât soigneusement. Elle appréciait de rentrer chez elle chaque jour à 16 heures, ce qui lui laissait le temps de faire une promenade sur la plage avec Sallie avant la tombée de la nuit.

Coco avait pour voisins d'un côté une aromathérapeute et de l'autre un acupuncteur qui exerçaient tous les deux à San Francisco. L'acupuncteur était marié à une institutrice et l'aromathérapeute vivait avec un pompier dont la caserne se trouvait à Stinson Beach. C'étaient des gens bien, simples et droits, qui travaillaient dur et s'aidaient mutuellement. Quand Ian était mort, ils avaient tous été incroyablement gentils avec elle. Elle était sortie une ou deux fois avec un collègue de l'institutrice, mais elle n'en était pas tombée amoureuse et ils étaient devenus amis. Ainsi qu'on pouvait s'y attendre, sa famille les considérait comme des hippies. Sa mère les traitait de bons à rien, ce qu'aucun d'entre eux n'était, même si elle les voyait ainsi. En fait, la plupart du temps Coco était seule et se contentait de sa propre compagnie.

A 7 h 30, après une bonne douche bien chaude, Coco se dirigea vers sa vieille camionnette. C'est Ian qui la lui avait dénichée et elle s'en servait chaque jour pour se rendre en ville. Le vieux véhicule cabossé correspondait exactement à ses besoins, malgré son kilométrage élevé. Il avait beau être très laid, il ne lui causait aucun problème. Même s'il ne restait pas grand-chose de la peinture qui avait autrefois recouvert la carrosserie, il était en bon état. Lorsque Ian vivait encore, ils faisaient ensemble des balades à moto dans les collines le weekend, ou de longues promenades en mer sur son bateau. Il lui avait appris à plonger. Depuis sa mort, elle n'avait pas utilisé la moto, toujours cachée sous une bâche, dans le garage. En revanche, elle avait vendu le bateau et fermé l'école de plongée, puisqu'il n'y avait plus personne pour s'en occuper. Coco en aurait été incapable et, de toute façon, elle avait sa propre entreprise à gérer.

Elle ouvrit la portière arrière de la camionnette, pour que Sallie puisse sauter sur la banquette, les yeux brillants d'excitation. Bien réveillée par sa promenade sur la plage, elle était prête à travailler. La jeune femme sourit à la grosse bête amicale, au pelage noir et blanc. Ceux qui ne connaissaient pas sa race la prenaient pour une chienne bâtarde, mais c'était un pur berger australien, au regard bleu et grave. Coco referma la portière, puis elle se glissa derrière le volant et adressa un signe de la main à son voisin qui venait de terminer son service à la caserne. Tous vivaient paisiblement, et presque personne ne songeait à fermer sa porte la nuit.

Elle se retrouva bientôt sur la route en zigzag, en haut de la falaise. Au loin, les immeubles miroitaient sous le soleil matinal. La journée promettait d'être belle, ce qui lui faciliterait la tâche. Comme elle l'avait prévu, elle traversa le pont à 8 heures. Elle arriverait à l'heure chez son premier client, ce qui, en fait, n'avait pas vraiment d'importance. De toute façon, il lui aurait pardonné d'être en retard, ce qui n'arrivait presque jamais. Elle n'était pas l'irresponsable que sa famille l'accusait d'être, elle était simplement différente.

Elle tourna dans Pacific Heights et s'engagea sur Divisadero. Elle allait arriver en haut, quand son téléphone portable sonna. C'était Jane.

— Où es-tu ? demanda-t-elle sèchement.

Elle s'exprimait toujours comme s'il y avait une urgence nationale ou que des terroristes attaquaient sa maison. Elle vivait dans un stress permanent qui tenait à sa profession et convenait parfaitement à sa personnalité. Elizabeth, sa compagne, était plus décontractée, et sous son influence Jane s'était considérablement adoucie. Coco aimait bien Liz. Agée de quarante-trois ans, cette dernière était aussi brillante et talentueuse que Jane, mais elle n'en faisait pas étalage. Liz avait fait de brillantes études à Harvard. Elle avait écrit un roman qui n'avait pas eu beaucoup de succès, puis était allée à Hollywood pour y devenir scénariste. Là, elle avait remporté deux oscars. Jane et elle avaient fait connaissance lors du tournage d'un film, dix ans auparavant, et ne s'étaient plus quittées. Leur union était solide, elles s'entendaient bien et se voyaient passer leur vie ensemble.

— Je suis sur Divisadero, pourquoi ? s'enquit Coco d'une voix lasse.

Elle détestait cette façon de s'adresser à elle. Jane ne lui demandait jamais comment elle allait et ne l'appelait qu'en cas de besoin. Elles avaient toujours eu ce type de relation. Jane considérait sa sœur comme sa subalterne. Coco avait d'ailleurs consacré à ce problème une grande partie de sa thérapie. Mais elle avait beau s'y efforcer, elle ne parvenait pas à changer. Sallie, qui s'était installée à l'avant, près de sa maîtresse, l'observait avec intérêt, comme si elle percevait la tension de Coco et se demandait quelle en était la raison.

— Bon. J'ai besoin de toi, fit Jane avec un soulagement teinté d'inquiétude.

Coco savait qu'Elizabeth et elle étaient sur le point d'aller à New York, pour le tournage d'un film qu'elles coproduisaient.

— Que veux-tu ?

La chienne pencha comiquement la tête de côté.

— Je suis très embêtée. La personne qui s'occupe de la maison en mon absence me fait faux bond et je pars dans une heure, s'écria Jane d'une voix vibrante de désespoir.

— Je croyais que tu ne partais que dans une semaine ?

Elle était tout près de chez sa sœur, qui habitait à quelques rues de là, dans une magnifique maison donnant sur la baie. Les plus belles demeures de San Francisco se trouvaient dans ce quartier. On ne pouvait nier que celle de Jane était l'une des plus fabuleuses, bien qu'elle ne corresponde pas au goût de Coco. Elle ne l'appréciait pas plus que Jane n'aimait la sienne. Les deux sœurs étaient aux antipodes l'une de l'autre.

— Il y a une grève des techniciens du son, sur le plateau. Liz est partie la nuit dernière et, moi, je dois y être ce soir pour rencontrer les représentants des syndicats, mais je n'ai personne pour s'occuper de Jack. La mère de ma gardienne vient de mourir, si bien qu'elle doit rester à Seattle et s'occuper de son père malade pour une durée indéterminée.

Coco fronça les sourcils, sentant où sa sœur voulait en venir. Ce n'était pas la première fois que cela arrivait.

Dès que quelque chose n'allait pas, Jane se servait d'elle comme d'une roue de secours. Estimant que Coco n'avait pas de vie, il était normal à ses yeux que sa sœur la dépanne. Et Coco, pour qui Jane représentait toujours la grande sœur, ne savait pas lui dire non. Jane, en revanche, n'avait aucune difficulté à dire non aux gens, ce qui était une des clés de sa réussite. En plus, elle profitait du fait que « non » était un mot qui ne faisait pas partie du vocabulaire de Coco pour abuser de cette faiblesse, chaque fois qu'elle en avait besoin.

— Je viendrai promener Jack, si tu veux, suggéra la jeune femme.

— Tu sais bien que cela ne marchera pas, répliqua Jane sur un ton contrarié. Il déprime, si personne ne rentre à la maison, le soir. Il rendra les voisins fous en aboyant toute la nuit. Sans compter que j'ai besoin de quelqu'un pour surveiller la maison.

— Tu veux que je le garde chez moi jusqu'à ton retour ?

— Non, répondit fermement Jane. J'ai besoin que tu habites à la maison.

« J'en ai besoin »... Coco avait entendu cette phrase dix millions de fois dans sa vie. Jamais : « Pourrais-tu me rendre ce service, s'il te plaît ? »

« J'ai besoin de toi. » C'était l'occasion rêvée de dire non. Coco ouvrit la bouche pour prononcer le mot fatidique, mais aucun son ne sortit. Elle jeta un coup d'œil à Sallie, qui semblait la fixer avec incrédulité.

— Ne me regarde pas comme ça, ordonna-t-elle à la chienne.

— Quoi ? A qui parles-tu ? demanda Jane.

— Cela n'a pas d'importance. Pourquoi ton chien ne peut-il pas venir chez moi ?

— Il n'aime pas bouger et veut coucher à la même place, affirma Jane.

Coco leva les yeux au ciel. Son premier client habitait tout près et elle ne voulait pas être en retard, mais quelque chose lui disait qu'elle allait l'être. Sa sœur exerçait sur elle un pouvoir quasi magnétique, une force à laquelle elle était incapable de résister.

— Moi aussi, j'aime bien dormir dans mon lit, rétorqua-t-elle le plus fermement possible.

Mais elle ne trompait personne, Jane moins que tout autre. Elizabeth et elle allaient être à New York pendant au moins cinq mois.

— Je n'ai pas l'intention de rester chez toi pendant cinq mois, poursuivit Coco d'une voix têtue.

Elle savait que la réalisation d'un film pouvait se prolonger et durer six ou sept mois.

— Très bien. Je trouverai quelqu'un d'autre, répliqua Jane d'un air désapprobateur.

Elle s'adressait à elle comme si elle était une petite fille récalcitrante. Coco avait beau se répéter qu'elle n'était plus une enfant, ce ton la blessait toujours.

— Mais je n'y arriverai pas avant de partir, enchaîna Jane. Il va falloir que je m'en occupe depuis New York. Je ne te demande pourtant pas la lune. Il y a pire que de vivre chez moi pendant six ou sept mois. Cela te ferait du bien et tu n'aurais plus à faire la navette entre Bolinas et San Francisco.

Les arguments étaient solides, mais n'intéressaient pas Coco. Elle détestait la maison de sa sœur. Elle était belle, impeccablement tenue, mais froide. On la voyait dans tous les magazines, pourtant Coco s'y était toujours sentie mal à l'aise. Il n'y avait aucun endroit confortable pour se pelotonner, le soir venu. Et tout était si propre et si net que Coco avait toujours peur de faire une bêtise. Elle ne savait pas tenir une maison comme sa sœur et Liz, que le désordre rendait folles. Coco, elle, aimait vivre dans une certaine bohème, à condition qu'elle reste raisonnable.

La jeune femme s'efforça de fixer des limites :

— Je veux bien t'aider pour quelques jours, une semaine, tout au plus. Mais trouve quelqu'un. Je n'ai pas envie de vivre chez toi pendant des mois, assura-t-elle résolument.

— D'accord. Mais dépanne-moi, s'il te plaît. Est-ce que tu peux passer prendre les clés tout de suite ? Il faut aussi que je te montre comment fonctionne l'alarme. Elle est un peu compliquée. Je ne voudrais pas que tu la déclenches sans le vouloir. Il faudra aussi que tu passes prendre les repas de Jack deux fois par semaine, le lundi et le jeudi, chez Cuisine Canine et que tu n'oublies pas le Dr Hajimoto, le vétérinaire. Jack doit avoir ses piqûres de rappel la semaine prochaine.

Résignée, Coco fit demi-tour.

— Heureusement que tu n'as pas d'enfants, constata-t-elle sèchement.

Elle allait être en retard, mais mieux valait en finir. De toute façon, sa sœur ferait une crise si elle n'obtempérait pas sur-le-champ. Leur bullmastiff était devenu un substitut d'enfant pour Liz et Jane. Il vivait mieux que la plupart des gens, avec ses repas spécialement préparés pour lui, son dresseur, le soigneur qui venait lui donner son bain à domicile et plus d'attentions que la plupart des parents n'en accordaient à leurs enfants.

Lorsqu'elle arriva, le taxi qui devait emmener Jane à l'aéroport était déjà là. Coco coupa le contact et sortit de la camionnette. Toujours installée à l'avant, Sallie regardait dehors avec intérêt. Pendant quelques jours, elle allait prendre du bon temps avec Jack. Le bullmastiff faisait trois fois sa taille et ils casseraient sans doute tout sur leur passage quand ils se poursuivraient à travers la maison. Peut-être Coco leur permettrait-elle de s'approcher de la piscine. La seule chose que Coco appréciait, chez Jane, c'était l'écran géant qui se trouvait dans sa chambre et sur lequel elle pouvait regarder ses films préférés. La pièce était immense et l'écran occupait un mur entier.

Dès qu'elle eut sonné à la porte d'entrée, Jane se précipita pour lui ouvrir, son téléphone portable collé à l'oreille. Elle était en train d'invectiver quelqu'un à propos des syndicats et raccrocha en voyant Coco. Les deux sœurs se ressemblaient de façon surprenante. Toutes les deux avaient la même silhouette longue et élancée et des traits fins. Adolescentes, elles avaient toutes les deux été mannequins. Ce qui les différenciait le plus, c'était que Jane était toute en angles. Elle avait de longs cheveux blonds réunis en queue de cheval, alors que la longue chevelure auburn de Coco flottait sur ses épaules. De plus, Coco avait des formes légèrement plus voluptueuses, et ses yeux souriants reflétaient une personnalité chaleureuse. Tout, en Jane, trahissait une tension permanente. Il y avait toujours eu un côté sec et brutal chez elle, même lorsqu'elle était enfant. Ses proches savaient pourtant que, malgré sa langue acérée, c'était quelqu'un de bien et qu'elle avait bon cœur.

Jane portait un jean et un tee-shirt noir, une veste en cuir, noire également, et des diamants aux oreilles. Coco était vêtue d'un tee-shirt blanc, d'un jean qui moulait ses longues jambes, et elle avait aux pieds les baskets qu'elle mettait pour travailler. Un vieux pull était noué autour de son cou et elle paraissait beaucoup plus jeune que Jane. L'élégance sophistiquée de cette dernière la vieillissait un peu, mais elles étaient toutes les deux d'une beauté saisissante et ressemblaient énormément à leur père. Leur mère était plus petite et plus ronde, et était blonde comme Jane. Coco avait hérité sa couleur cuivrée d'un lointain ancêtre, car les cheveux de Buzz Barrington étaient d'un noir de jais.

— Dieu merci, te voilà ! s'exclama Jane.

Son énorme bullmastiff jaillit derrière elle et posa ses pattes de devant sur les épaules de Coco. Il savait ce que son arrivée signifiait... Il pourrait quémander sa part pendant les repas, ce qui lui était normalement interdit, et aurait le droit de dormir dans le grand lit, ce que Jane ne lui aurait jamais permis. Bien qu'elle adorât son chien, elle se montrait ferme avec lui. Connaissant Coco, il lécha son visage, l'accueillant ainsi avec bien plus d'affection que Jane. La relation des deux sœurs était particulière. Malgré ses bonnes intentions et son affection pour Coco, Jane ne pouvait s'empêcher d'être cassante.

Elle tendit les clés à Coco, ainsi que le mode d'emploi de l'alarme. Elle réitéra ses instructions à propos du vétérinaire, du rappel de vaccin, des repas de Jack préparés par le traiteur, en même temps qu'une quinzaine d'autres précisions du même genre. Le tout fut débité à toute allure.

— Et surtout, appelle-nous, si Jack a un problème, conclut-elle.

Coco eut envie de lui demander : « Et si moi j'en ai un ? » Mais Jane n'aurait pas trouvé cela drôle.

— Bien, reprit cette dernière, nous tâcherons de revenir un week-end, pour que tu aies une pause, mais je ne sais pas quand nous pourrons quitter New York, si les syndicats nous mettent des bâtons dans les roues.

Elle semblait harassée rien que d'y penser. Coco savait qu'elle ne négligeait aucun détail et excellait dans tout ce qu'elle faisait.

— Une minute ! s'exclama la jeune femme, prise de vertige. Je ne te dépanne que pour quelques jours, nous sommes bien d'accord ? Une semaine au maximum. Il est hors de question que je reste pendant toute la durée de votre absence.

Elle voulait que les choses soient bien claires. Au lieu de se répandre en remerciements, sa sœur la foudroya du regard.

— Je sais, je sais. J'aurais pourtant cru que tu serais contente de vivre dans une vraie maison.

— C'est *ta* maison, lui fit remarquer Coco. A Bolinas, je suis chez moi.

— Mieux vaut ne pas entamer la discussion, répliqua Jane en lui lançant un regard éloquent.

A contrecœur, elle sourit à sa sœur.

— Merci de me tirer d'affaire, Coco. J'apprécie vraiment d'avoir une petite sœur aussi géniale.

Elle lui adressa l'un de ses rares sourires d'approbation, de ceux auxquels Coco n'avait jamais pu résister. Mais, pour les obtenir, il fallait se plier à ses quatre volontés.

Coco aurait bien voulu lui demander pourquoi elle était une petite sœur géniale. Parce qu'elle n'avait pas de vie privée ? Mais elle s'abstint de poser cette question et se contenta de hocher la tête tout en se détestant d'avoir montré si peu de fermeté. Comme toujours, elle avait cédé sans combattre. Qu'est-ce qui n'allait pas, chez elle ? Jane gagnait toujours. Elle serait toujours la grande sœur que Coco ne pouvait vaincre, à qui elle ne savait rien refuser et qui exerçait sur elle une influence plus forte encore que celle de leurs parents.

— Je ne voudrais pas être coincée ici trop longtemps, se borna-t-elle à dire.

— Je te tiens au courant, répondit Jane, évasive.

Sur ce, elle fonça dans la pièce voisine, pour répondre à deux appels téléphoniques, sur deux lignes différentes. Juste à cet instant, son téléphone portable se mit aussi à sonner.

— Encore merci ! lança-t-elle par-dessus son épaule.

Coco tapota la tête du chien en soupirant, puis elle regagna sa camionnette. Elle avait vingt minutes de retard...

— A plus tard, Jack, dit-elle doucement avant de refermer la porte.

Tout en s'éloignant, elle eut le sentiment déprimant que sa sœur allait l'obliger à rester chez elle pendant des mois. Elle ne la connaissait que trop bien !

Cinq minutes plus tard, elle arriva chez son premier client. Sortant un petit coffre verrouillé qu'elle laissait dans sa boîte à gants, elle pianota la combinaison, puis en sortit un trousseau de clés auquel était attachée une étiquette avec un numéro de code. Elle avait les clés de tous ses clients, qui lui faisaient entièrement confiance. La maison avec ses haies bien taillées était presque aussi imposante que celle de Jane. Coco ouvrit la porte de derrière, débrancha l'alarme, puis siffla longuement. Quelques secondes plus tard, un grand danois au pelage gris acier apparut, agitant frénétiquement la queue à sa vue.

— Salut, Henry ! Comment vas-tu, mon vieux ?

Elle fixa la laisse à son collier, remit l'alarme, ferma la porte et conduisit le chien jusqu'à la camionnette, où Sallie fut ravie d'accueillir son copain. Les deux amis lancèrent quelques aboiements pour se dire bonjour, après quoi ils se bousculèrent gentiment en s'installant sur la banquette arrière.

Coco s'arrêta devant quatre autres maisons pour prendre un doberman curieusement aimable, un rhodesian ridgeback, un lévrier d'Irlande et un dalmatien. Tous vivaient dans des demeures somptueuses. Elle commençait toujours par les gros chiens, qui avaient davantage besoin d'exercice. Elle les emmenait jusqu'à la plage, où ils pouvaient courir sur des kilomètres. Parfois, ils se contentaient du parc du Golden Gate. Si c'était nécessaire, Sallie l'aidait à les rassembler. Coco promenait les chiens de ses riches clients de Pacific Heights depuis trois ans. Elle n'avait jamais eu d'accident ni de mésaventure, n'avait jamais perdu un seul animal, et sa réputation était irréprochable. Même si sa famille considérait qu'elle perdait son temps et le bénéfice de ses études, ce métier lui permettait de vivre au grand air. De plus, elle adorait les animaux et gagnait convenablement sa vie. Elle ne comptait pas exercer cette activité jusqu'à la fin de ses jours, mais pour l'instant, elle lui convenait parfaitement.

Son téléphone portable sonna au moment où elle ramenait le dernier des gros chiens chez lui. Elle allait maintenant se charger des chiens de taille moyenne. Comme presque tous leurs maîtres les sortaient le matin avant de partir travailler, elle ne s'occupait des plus petits qu'en fin de matinée, avant le déjeuner. Elle faisait une dernière promenade avec les plus gros en milieu d'après-midi, puis elle rentrait chez elle.

— J'ai vérifié mon agenda, lui dit Jane. Jack ne doit avoir sa piqûre de rappel que dans deux semaines et non pas une, comme je te l'avais dit.

Parfois, Coco se demandait comment la tête de sa sœur n'explosait pas, tant elle l'encombrait de détails. Rien n'échappait à son attention, elle supervisait tout et tout le monde, y compris son chien.

La promenade sur la plage avait détendu la jeune femme, qui rassura gentiment sa sœur.

— Ne t'inquiète pas pour cela, on se débrouillera. Amuse-toi bien, à New York.

— Pas avec une grève à gérer !

Jane semblait sur le point de craquer, mais Coco savait que, dès qu'elle retrouverait Liz, elle se calmerait. Sa compagne avait le don de l'apaiser. Elles étaient parfaitement assorties et complémentaires.

— Essaie quand même d'en profiter et n'oublie pas de chercher quelqu'un pour me remplacer, lui rappela-t-elle.

— Je sais… Encore merci de me dépanner. C'est très important pour moi de savoir que la maison et Jack sont entre de bonnes mains.

Le ton était plus gentil que lorsqu'elles s'étaient croisées un peu plus tôt. Leurs relations étaient parfois étranges, mais elles n'en étaient pas moins sœurs.

Coco ne put s'empêcher de sourire.

— Merci.

Elle ignorait pourquoi l'approbation de sa sœur comptait tellement pour elle, et pourquoi ses humeurs l'affectaient autant. Un de ces jours, elle devrait se libérer de cette emprise et avoir le courage de lui dire non. Mais elle n'en était pas encore là.

Coco savait qu'aux yeux de sa mère et de sa sœur, son travail ne comptait pas. En comparaison de leur réussite en tant qu'auteur de best-sellers et productrice de cinéma, son métier leur faisait honte. Elle aurait aussi bien pu ne pas en avoir du tout. Si elle se référait aux valeurs familiales qu'on lui avait inculquées, promeneuse de chiens se situait tout en bas de l'échelle de la réussite sociale. Mais, qu'on l'approuve ou non, son existence était facile, simple et agréable. Et pour elle c'était tout à fait suffisant.

2

A 18 heures, la jeune femme reprit la direction de San Francisco. Elle était passée chez elle pour prendre des pulls, des jeans, une seconde paire de baskets, des sous-vêtements et une pile de ses DVD préférés, qu'elle comptait regarder sur l'écran géant de sa sœur. Son téléphone sonna de nouveau. C'était Jane, qui venait d'arriver dans l'appartement que Liz et elle avaient loué pour six mois.

— Je suis en route pour chez toi, la rassura Coco. Jack et moi allons dîner aux chandelles, pendant que Sallie regardera son émission favorite à la télé.

Elle ne put s'empêcher de penser qu'un peu plus de deux ans auparavant, Ian était là, qu'ils vivaient ensemble, se promenaient le soir sur la plage et pêchaient sur son bateau le week-end. Coco tenta en vain de chasser de son esprit ce temps où elle avait une vie et ne servait pas des petits plats au chien de sa sœur. Cette époque était révolue, il était inutile de se la remémorer.

Juste avant sa mort, Ian et elle projetaient de se marier. Ils souhaitaient organiser une cérémonie toute simple près de chez eux. Ensuite, ils auraient réuni tous leurs amis autour d'un barbecue. Elle n'en avait pas parlé à sa mère, qui aurait risqué de faire une attaque. Ils envisageaient de partir pour l'Australie, où ils auraient ouvert une école de plongée. Dans sa jeunesse, Ian avait été champion de surf. Ces souvenirs la remplissaient de nostalgie.

Alors que Jane et Coco discutaient, Liz prit le téléphone et remercia chaleureusement la jeune femme d'avoir accepté de s'occuper de la maison et de Jack. Elle se montrait bien plus gentille que Jane.

— Pas de problème, je suis contente de vous aider, mais il ne faudrait pas que cela dure trop longtemps.

— Je te promets que nous trouverons quelqu'un.

Liz paraissait sincèrement reconnaissante et, contrairement à Jane, elle n'estimait pas que la disponibilité de Coco allait de soi.

— Merci. Comment ça va à New York ?

— Ça ira mieux si nous réussissons à éviter la grève. A mon avis, nous parviendrons à trouver un compromis ce soir.

La voix de Liz vibrait d'espoir. Elle était foncièrement pacifiste, alors que Jane était une guerrière.

Coco leur souhaita bonne chance, juste au moment où elle s'arrêtait devant la maison. Parfois, elle leur enviait leur relation. Tous les couples mariés auraient dû s'entendre aussi bien qu'elles. Depuis toute petite, Coco savait que sa sœur était homosexuelle. Elle n'ignorait pas que certains s'en étonnaient, mais elle l'avait toujours accepté sans se poser de questions. La seule chose qui la gênait, chez Jane, c'était sa façon de faire pression sur son entourage pour obtenir ce qu'elle voulait. Liz semblait être la seule à pouvoir l'adoucir, même si elle n'y parvenait pas toujours. Leurs parents avaient toujours trop gâté Jane, ils l'avaient adulée parce que sa réussite comblait tous leurs espoirs, si bien qu'elle avait pris l'habitude qu'on satisfasse le moindre de ses désirs. Coco avait toujours eu le sentiment de vivre dans son ombre, de n'être que très moyenne. A cet égard, rien n'avait changé. Elle ne s'était débarrassée de cette impression que lorsqu'elle avait vécu avec Ian. Peut-être parce que, à cette époque, elle ne se souciait guère de ce que sa sœur pouvait penser. Ou parce que la présence de Ian la protégeait d'une façon mystérieuse. Elle avait adoré l'idée de partir pour l'Australie avec lui. Et maintenant, elle habitait chez Jane et gardait son chien. Mais comment sa sœur se serait-elle débrouillée si Ian avait encore été là et qu'elle avait eu une vie bien à elle ? Jane aurait dû trouver quelqu'un d'autre, au lieu de l'utiliser comme une sorte de Cendrillon lâchant tout pour lui venir en aide. La question était de savoir ce qu'elle éprouverait si elle parvenait à lui résister. Cela ferait-il d'elle une adulte, capable de se défendre ? Ou bien serait-elle encore la méchante petite fille que Jane l'accusait d'être lorsqu'elle était plus jeune et qu'elle refusait de lui obéir ? Il y avait là matière à s'interroger, mais Coco ne connaissait pas la réponse. Peut-être parce qu'elle ne le voulait pas. Il était plus facile de faire ce qu'on lui demandait, surtout depuis que Ian n'était plus là pour la protéger.

La jeune femme donna à manger aux deux chiens, avant d'allumer la télévision. Elle s'étendit sur le canapé blanc et posa ses pieds sur la table basse en laqué blanc. La moquette était blanche, elle aussi. Coco se rappelait vaguement qu'elle avait été fabriquée avec le poil d'un animal rare d'Amérique du Sud. Jane et Liz avaient fait appel à un célèbre architecte d'intérieur. La maison était superbe mais, pour y vivre, il fallait être bien coiffé, avoir les mains propres et porter des chaussures flambant neuves. Il semblait parfois à Coco qu'elle allait tout salir rien qu'en respirant et que sa sœur s'en apercevrait. C'était stressant et infiniment moins douillet et agréable que sa petite maison de Bolinas.

Elle se rendit dans la cuisine pour voir s'il y aurait quelque chose à grignoter. Comme elles étaient parties plus tôt que prévu, Liz et Jane n'avaient pas eu le temps de remplir le réfrigérateur. Elle n'y trouva qu'un cœur de laitue, deux citrons et une bouteille de vin blanc. Il y avait de l'huile d'olive et des pâtes dans un placard. Coco se servit un verre de vin, puis elle se prépara une assiette de pâtes et une salade. Pendant qu'elle cuisinait, les deux chiens se mirent à aboyer sans raison devant la fenêtre. Lorsqu'elle alla voir la cause de ce charivari, elle

34

vit deux ratons laveurs qui couraient dans le jardin. Pendant le quart d'heure qu'il leur fallut pour disparaître, Coco s'efforça de calmer les chiens. Quand le vacarme cessa, elle perçut une odeur de plastique brûlé dans la maison. Mais elle eut beau la parcourir de bas en haut, elle ne trouva rien. Son nez finit par la conduire dans la cuisine, où elle découvrit la cause du désastre. L'eau des pâtes s'était évaporée et il ne restait plus qu'une épaisse croûte brune dans le fond de la casserole, dont le manche avait fondu. C'était de là que provenait cette affreuse puanteur.

— Zut ! marmonna-t-elle.

Elle venait de mettre la casserole dans l'évier pour la remplir d'eau, quand l'alarme retentit. Le détecteur de fumée avait fait son office et, avant qu'elle ait le temps de prévenir l'agence de surveillance, deux camions de pompiers stoppaient devant la maison. Penaude, elle entreprit de leur expliquer ce qui s'était passé, pendant que les deux chiens aboyaient pour accueillir les nouveaux venus. C'est à cet instant que son téléphone sonna. C'était Jane.

— Que se passe-t-il ? L'agence vient de m'appeler. Il y a un incendie dans la maison ? la questionna-t-elle, angoissée.

Coco la fit attendre une minute pour remercier les pompiers qui partaient, puis elle referma la porte d'entrée. Elle allait devoir réinitialiser l'alarme et elle n'était pas certaine de savoir comment s'y prendre. Mais elle ne l'aurait avoué pour rien au monde à sa sœur.

— Ce n'est rien, lui dit-elle. J'ai fait brûler mes pâtes. Les chiens étaient devenus fous, parce qu'il y avait deux ratons laveurs dans le jardin, alors j'ai oublié la casserole sur le feu.

— Seigneur ! Tu aurais pu faire brûler la maison !

Il était plus de minuit à New York. La grève avait pu être évitée, mais Jane était épuisée.

— Je peux rentrer chez moi, si tu veux, suggéra Coco.

— Ce n'est pas grave. Tâche seulement de ne pas te tuer et de ne pas mettre le feu à la maison.

Elle rappela à Coco comment réinitialiser l'alarme et, une minute plus tard, la jeune femme mangeait sa salade, assise au bar de l'impeccable cuisine en granit noir. Elle avait faim, elle était fatiguée et elle aurait bien voulu être chez elle.

Elle mit le saladier dans le lave-vaisselle, jeta la casserole et éteignit les lumières. Elle monta ensuite l'escalier, les deux chiens sur les talons. Arrivée dans la chambre de sa sœur, elle remarqua qu'une feuille de laitue était restée collée à la semelle d'une de ses chaussures. Elle s'assit par terre, accablée. Comme chaque fois qu'elle venait dans cette maison, il lui semblait être un éléphant dans un magasin de porcelaine. Quand elle entrait dans l'univers de Jane, elle se sentait toujours stupide. Elle n'appartenait pas à ce monde. Finalement, elle se releva, ôta ses chaussures et s'effondra sur le lit. Aussitôt, les deux chiens l'y rejoignirent et Coco se mit à rire. Sa sœur l'aurait tuée, si elle l'avait su, mais elle n'était pas là pour le voir. Elle les laissa donc s'installer près d'elle, comme elle le faisait toujours.

Elle mit ensuite un DVD et regarda l'un de ses films préférés. La maison empestait encore le brûlé. Elle ne devrait pas oublier de remplacer la casserole... Sur cette dernière pensée, elle s'endormit au milieu du film et rêva de Ian, ainsi que de Bolinas. Le lendemain matin, dès qu'elle se réveilla, elle bondit hors du lit, prit sa douche et s'habilla pour se rendre chez son premier client. Elle passa devant la cuisine sans s'arrêter, préférant ne pas se faire de thé, et quitta la maison, toujours accompagnée des deux chiens. Par bonheur, sa sœur ne l'appela pas.

Après avoir accompli sa tournée habituelle et promené ses « clients » au Presidio, au parc du Golden Gate et à Crissy Field, elle rentra chez Jane dans l'après-midi et s'immergea aussitôt dans le jacuzzi. Plus tard, comme elle avait décidé de ne pas faire de cuisine, elle commanda des plats chinois. Elle avait terminé le rouleau de printemps et attaquait le bœuf épicé lorsque sa mère l'appela de Los Angeles. Jack se tenait près d'elle, les yeux au niveau de la table, bavant de convoitise. Sallie n'était pas loin non plus.

— Bonjour, maman, articula Coco, la bouche pleine. Comment vas-tu ?

— Très bien. Je suis surtout ravie que tu sois dans une maison convenable, plutôt qu'à Bolinas. Tu as vraiment de la chance que ta sœur te laisse habiter chez elle.

— Ma sœur a vraiment de la chance que j'accepte de veiller sur sa maison, en m'ayant prévenue cinq minutes avant de partir, ne put s'empêcher de répondre Coco.

Jack profita de l'inattention de Coco pour voler un rouleau de printemps sur la table et la jeune femme posa l'assiette par terre pendant qu'il le dévorait. Sa sœur l'aurait tuée pour cela aussi.

— Ne sois pas sotte, assura sa mère. Tu n'as rien d'autre à faire et c'est une aubaine pour toi. Cette maison est magnifique.

C'était indéniable, mais elle lui donnait l'impression de vivre dans un décor de théâtre.

— Tu devrais chercher un vrai travail, continua Florence, ainsi qu'un homme, et reprendre tes études de droit.

Coco avait déjà entendu ce discours. Sa mère et sa sœur avaient toujours mille conseils à lui donner concernant sa vie. En outre, elles avaient des avis très arrêtés sur ce qui était bien ou pas. Coco, bien sûr, était l'incarnation de ce qu'il ne fallait pas être.

— Dis-moi plutôt si tout va bien pour toi, maman.

Tout devenait plus facile quand sa mère parlait d'elle-même. C'était un sujet sur lequel elle était intarissable.

— Je viens de commencer un nouveau livre, lança-t-elle sur un ton enjoué. Le thème me plaît énormément. C'est l'histoire d'un général yankee et d'une femme du

37

Sud, pendant la guerre de Sécession. Ils tombent amoureux l'un de l'autre, puis ils sont séparés et le mari de l'héroïne meurt. Son esclave préféré l'aide à fuir et à gagner le Nord, pour rejoindre le général. Elle n'a plus un sou. De son côté, le général la cherche désespérément, mais en vain. Pour récompenser son esclave, elle l'aide à retrouver son épouse. Cela fait deux intrigues en une et c'est amusant à écrire.

Coco ne put s'empêcher de sourire. Toute sa vie, elle avait entendu ces histoires. Elle appréciait les romans de sa mère et elle était fière d'elle, quoique dans son enfance leur succès l'ait embarrassée. A l'époque, elle aurait souhaité avoir une mère ordinaire, qui confectionnait des biscuits et vous emmenait en voiture à la piscine. La sienne écrivait ou accordait des interviews. A sa naissance, sa mère était déjà une célébrité. Elle avait toujours envié les gens dont les parents étaient inconnus. Au fil des années, elle s'était résignée, mais elle continuait de rêver d'une mère au foyer.

— Cela va sûrement devenir un best-seller, affirmat-elle fièrement. Tu ne connais jamais l'échec, n'est-ce pas, maman ? ajouta-elle avec une sorte de nostalgie.

— Du moins, je m'y efforce, ma chérie. J'aime le doux parfum du succès, précisa-t-elle en riant.

Toute la famille aimait ce parfum. Pas seulement sa mère, mais aussi son père et Jane. Coco se demandait souvent à quoi aurait ressemblé sa vie si elle avait grandi parmi des gens « normaux », comme des médecins, des enseignants, ou si son père avait vendu des assurances. A Los Angeles, elle connaissait peu de monde issu de telles familles. Les parents de la plupart de ses amis étaient célèbres. Il s'agissait de producteurs, de réalisateurs, d'acteurs ou de directeurs de studios. Elle avait fait sa scolarité dans l'une des meilleures écoles de Los Angeles et presque tous les enfants avec lesquels elle avait grandi étaient célèbres, aujourd'hui. Tous étaient des battants comme sa sœur, sauf quelques-uns qui étaient morts. Soit ils avaient fait une overdose, soit ils avaient eu un accident de voiture parce qu'ils conduisaient en état d'ébriété, ou encore s'étaient suicidés. Ce genre de drames se produisait aussi dans les classes moyennes, mais il semblait plus fréquent chez les gens riches et célèbres. Ayant trop vite connu le succès, ils en payaient le prix fort. Il n'était jamais venu à l'esprit de ses parents qu'en grandissant elle refuserait d'entrer dans le jeu et préférerait claquer la porte. A leurs yeux, c'était absurde, et aux siens, tout à fait sensé.

— Maintenant que tu es en ville, suggéra sa mère d'une voix neutre, tu pourrais peut-être suivre quelques cours en attendant de reprendre tes études à Los Angeles.

Coco était habituée à ce genre de discours.

— Quel type de cours, maman ? répliqua-t-elle d'une voix tendue. De piano ? De guitare ? De macramé ? De cuisine ? D'art floral ? Ce que je fais me convient parfaitement.

— Tu seras un peu ridicule, à cinquante ans, quand tu promèneras des chiens, fit calmement remarquer sa mère. Tu n'es pas mariée, tu n'as pas d'enfants. Tu ne peux pas te contenter de laisser passer le temps jusqu'à la fin de ta vie. Tu as besoin de faire quelque chose de vraiment intéressant. Pourquoi pas des études artistiques ? Cela te plaisait, autrefois.

C'était pathétique. Pourquoi ne la laissait-on pas vivre comme elle l'entendait ? Et pourquoi avait-il fallu que Ian... ? Mais il était inutile de ressasser cela maintenant.

— Je n'ai ni ton talent ni celui de Jane, maman. Je serais incapable d'écrire des livres ou de faire des films. Peut-être aurai-je des enfants, un jour, mais pour l'instant, je gagne convenablement ma vie.

— Tu n'as pas besoin de gagner convenablement ta vie. Et tu ne peux pas compter sur des enfants pour te réaliser. Ils grandiront, puis ils s'en iront pour mener leur propre barque. Les enfants n'occupent le temps que temporairement et un mari peut vous quitter ou mourir.

Tu as besoin d'être quelqu'un par toi-même, Coco. Tu seras bien plus heureuse quand tu l'auras découvert.

— Je suis très heureuse comme je suis et c'est pour cette raison que j'habite ici. Je serais très malheureuse dans la jungle de Los Angeles.

Sa mère soupira. Elles n'arrivaient jamais à se comprendre. Elles ne le pouvaient ni ne le voulaient. C'était presque drôle de voir à quel point son métier donnait à sa mère et à sa sœur un sentiment d'insécurité qu'elle-même n'éprouvait pas. Parfois, elle s'en désolait pour elles.

Cependant, ces discussions avec sa mère la déprimaient. Elles lui donnaient l'impression qu'elle n'avait jamais répondu à ses attentes et ne le pourrait jamais. Aujourd'hui, elle en était moins affectée qu'autrefois, mais cela la contrariait encore. Après avoir raccroché, elle continua d'y penser, tout en mangeant un autre rouleau de printemps. A Bolinas, elle préparait des salades et du poisson frais achetés à l'épicerie locale. A San Francisco, elle était bien trop paresseuse pour se rendre au supermarché, et la cuisine super-équipée de sa sœur l'intimidait, parce qu'elle ressemblait à l'intérieur d'un vaisseau spatial. Elle pensait encore à sa mère lorsqu'elle monta dans la chambre et mit un DVD. Tout content, Jack grimpa sur le lit. Il s'installa près d'elle sans attendre d'y être invité et posa sa tête sur l'oreiller. Pendant ce temps, Sallie s'étendit à ses pieds avec un gémissement de plaisir. Bientôt, les deux chiens ronflaient comme des sonneurs, tandis que Coco, pelotonnée au milieu du lit, regardait sa comédie romantique préférée, interprétée par son actrice et son acteur préférés. Elle l'avait vue une demi-douzaine de fois, mais elle ne s'en lassait pas.

Quand le mot « fin » s'afficha sur l'écran, elle s'aperçut qu'elle avait reçu un SMS de Jane. Coco s'attendait à une nouvelle recommandation à propos du chien. Ces deux derniers jours, sa sœur lui avait envoyé plusieurs messages concernant la maison, le chien, le jardinier, l'alarme et la femme de ménage. Coco songea qu'elle cesserait de lui écrire dès qu'elle serait prise par son film. Mais cette fois, c'était différent. Il s'agissait d'une de leurs amies qui, apparemment, allait passer le weekend à la maison. L'espace d'un instant, Coco se dit qu'elle pourrait peut-être lui demander de veiller sur le chien, ce qui lui permettrait de rentrer chez elle. Mais elle avait le sentiment que Jane n'apprécierait pas qu'elle impose cette corvée à son invitée.

Le message disait seulement : « Notre camarade Leslie doit fuir son ex-petite amie, une psychotique meurtrière. Devrait arriver demain ou dimanche et rester quelques jours à la maison. Sait où trouver la seconde clé et connaît le code de l'alarme. Merci. Baisers. Jane et Lizzie. »

Coco ne se rappelait pas avoir entendu parler de Leslie parmi leurs relations. Elle se demanda si elles avaient fait sa connaissance à Los Angeles. En tout cas, elle avait l'air plus originale que la plupart de leurs amies. Intelligentes et créatives, ces dernières étaient en général âgées d'une cinquantaine d'années et constituaient un groupe plutôt discret. Tout comme Jane et Liz, elles vivaient le plus souvent en couples et n'étaient pas du genre à avoir des maîtresses psychotiques. Puisque cette malheureuse Leslie avait le code d'alarme et la clé, Coco n'avait pas à s'en préoccuper. Elle se passa un autre film et s'endormit vers 3 heures du matin. Le lendemain, elle n'avait que deux chiens à sortir aux alentours de midi, aussi pouvait-elle s'offrir le luxe d'une grasse matinée.

Elle se réveilla vers 10 heures. Dehors, il faisait beau et, lorsqu'elle regarda par la fenêtre, elle vit de nombreux voiliers qui se rassemblaient pour une régate. Cette vue lui rappela combien elle aurait aimé se trouver à Bolinas. Elle envisagea d'emmener les chiens faire une longue promenade là-bas et d'en profiter pour prendre son courrier.

Elle s'étira paresseusement et fit sortir les chiens dans le jardin, laissant la porte ouverte pour leur permettre de rentrer. Elle alla ensuite dans la cuisine pour se préparer quelque chose à manger. N'ayant pas encore eu le temps de faire les courses, elle hésitait entre les restes de son repas asiatique et les gaufres surgelées qu'elle avait aperçues dans le congélateur, lorsqu'elle vit qu'elle avait oublié de ranger les plats chinois et que la boîte traînait dans l'évier. Elle déposa donc deux gaufres dans le micro-ondes et sortit le sirop d'érable du réfrigérateur. Elle se retournait pour le poser sur la table lorsqu'elle constata que Jack, les deux pattes posées sur le rebord de l'évier, était en train d'engloutir les restes. Il en avait déjà dévoré la moitié et elle pressentait que cette nourriture épicée n'allait pas lui faire de bien. Elle le chassa et il émit quelques aboiements mécontents, avant de s'asseoir sur son derrière pour la regarder manger. Près de lui, Sallie braquait sur sa maîtresse des yeux remplis d'espoir.

— Vous êtes vraiment des goinfres, tous les deux ! s'écria-t-elle.

Ses longs cheveux auburn tombaient librement sur ses épaules, et elle portait sa chemise de nuit préférée, celle avec les petits cœurs. Elle était en chaussettes de laine, car, la nuit, elle avait toujours froid aux pieds. Tandis qu'elle mordait dans ses gaufres, sous le regard intéressé des chiens, on aurait dit une petite fille.

— Mmmm... les taquina-t-elle.

Elle se mit à rire en voyant Jack tourner la tête de droite à gauche.

— Quoi ? Tu n'en as pas eu assez avec les plats chinois ? Tu vas être malade, si tu continues.

Après avoir terminé ses gaufres, elle décida de remettre le sirop d'érable dans le réfrigérateur. Quelques gouttes avaient coulé le long du flacon et elle pensa qu'elle devrait les essuyer. C'était probablement ce que

Jane aurait fait, mais sa sœur n'était pas là pour sur-veiller ses faits et gestes. En outre, elle voulait prendre une douche avant de promener les deux chiens de ses clients. Elle était juste devant le réfrigérateur quand l'odeur du sirop d'érable allécha Jack, qui bondit comme un fou et fit tomber le flacon de ses mains. Celui-ci se brisa sur le sol et, avant qu'elle puisse l'en empêcher, Jack se mit à laper le sirop au milieu des débris de verre. Elle tenta de l'éloigner, tandis que Sallie, retrouvant ses instincts de chien de berger, tournait autour d'eux et aboyait furieusement. Coco avait saisi le collier de Jack et le tirait vers la porte, lorsqu'elle glissa dans le sirop et tomba par terre, se retrouvant assise dans une mare de sucre. Par bonheur, aucun éclat de verre ne l'avait blessée. Jack aboyait frénétiquement, comme s'il lui reprochait de contrarier son envie de sirop, alors qu'elle voulait seulement lui éviter d'avaler du verre. Sa chemise de nuit et ses chaussettes étaient collantes et pleines de sirop. Elle avait même réussi à s'en mettre dans les che-veux. Les deux chiens aboyaient et Coco riait tout en tentant de se relever et de repousser le bullmastiff, lorsqu'elle s'aperçut qu'un homme se tenait dans la pièce et les observait. Dans leur excitation, les chiens non plus ne l'avaient pas remarqué. Apparemment effrayé par les aboiements, l'homme recula, tandis que Coco leur intimait l'ordre de se taire. Il semblait qu'une tornade s'était abattue dans la cuisine.

L'inconnu fixait Coco avec perplexité.

— Qu'est-ce que vous faites ici ? lui demanda-t-elle, légèrement agressive.

Vêtu d'un jean, d'un pull à col roulé et d'une veste en cuir, il ne ressemblait pas à un voleur, mais elle ne comprenait pas comment il avait pu s'introduire dans la maison.

Debout au milieu du sirop d'érable, elle le regardait. Il s'efforçait de conserver son sérieux après ce qu'il venait de voir. Avec ses longs cheveux en bataille, sa chemise de nuit et ses chaussettes collantes, ses bras autour de cet énorme chien et le berger australien leur tournant autour en aboyant, elle lui faisait penser à une dompteuse de lions. Le sirop d'érable brillait dans ses cheveux, et il ne put s'empêcher de la trouver ravissante. Elle semblait avoir dix-huit ans.

— Vous étiez en train de faire une bataille ? lui demanda-t-il, une lueur malicieuse dans les yeux. Je suis désolé de l'avoir manquée. J'adore ça ! Il se trouve que je suis une sorte de réfugié, invité à passer quelques jours dans cette maison.

Tout en parlant, il lui montra la clé pour lui prouver que ses intentions étaient honnêtes. Coco le regarda, stupéfaite. Ce n'était pas possible… Sa sœur l'avait prévenue qu'une femme allait venir, pas un homme ! Avait-elle invité quelqu'un d'autre ? En un éclair, tous les éléments qu'elle avait enregistrés inconsciemment se mirent en place. Cet accent britannique… Elle faillit hurler. Elle devait rêver. Elle avait regardé ses films deux soirs de suite sur l'écran géant de sa sœur.

— Oh, non… Oh, mon Dieu… ça ne peut pas être vous !

Mais les pièces du puzzle s'ajustaient parfaitement. Leslie n'était pas le prénom d'une femme. C'était celui de Leslie Baxter, la star anglaise de cinéma, mondialement connue, la coqueluche de toutes les femmes. Comment sa sœur avait-elle pu oublier de préciser ce détail ? Elle devint rouge comme une pivoine, sous le regard amusé de l'acteur. Lorsqu'il souriait, ses yeux pétillaient, exactement comme à l'écran. Elle avait vu ses films des milliers de fois et maintenant, il était là.

— Je crains que ce ne soit bien moi, s'excusa-t-il en regardant autour de lui. Nous devrions peut-être faire un peu de rangement ? ajouta-t-il.

Incapable de prononcer le moindre mot, elle se contenta de hocher la tête, avant de lever de nouveau les yeux vers lui.

— Vous pensez que vous pourriez sortir les chiens ? demanda-t-elle en lui montrant la porte du jardin. Pendant ce temps, je pourrais tout nettoyer.

— Je voudrais bien, dit-il d'un air penaud, mais j'ai peur des chiens. Je préférerais que vous vous en occupiez, pendant que je partirais à la recherche d'un mange-poussière.

La suggestion la fit rire, autant que le mot qu'il avait employé. Ian appelait leur aspirateur un « mange-poussière », lui aussi. Leslie Baxter semblait ignorer qu'aucun appareil n'aspirerait du sirop d'érable.

— Si vous voulez ! lui répondit-elle.

Elle ordonna aux deux chiens de la suivre, ce qu'ils firent en grondant. Lorsqu'ils passèrent près de Leslie, ce dernier s'écarta prestement. Une minute plus tard, Coco revint sans eux. Elle ramassa les débris de verre avec une pelle et retira ses chaussettes, afin de ne plus glisser. Par miracle, ni elle ni les chiens n'avaient été blessés. Aidée de Leslie, elle éponge a ensuite le sirop avec des torchons, qui paraissaient tout neufs. Dans l'action, Leslie salit un peu ses belles chaussures en daim. Quant à Coco, elle en avait partout, si bien qu'il avait du mal à ne pas rire. Tandis qu'ils s'affairaient, la pile de torchons sales et collants grimpait.

— Je suppose que vous n'êtes pas la femme de ménage ? s'enquit-il sur le ton de la conversation. Vous êtes une amie de Jane et de Lizzie ?

Lorsqu'il avait parlé à Jane, elle ne lui avait pas dit que quelqu'un se trouvait chez elle. Manifestement, cette jeune femme n'était pas une voleuse. C'était peut-être Boucle d'Or, comme dans le conte des Trois Ours ? Ou alors, une intruse qui avait décidé de passer la nuit dans la maison et de prendre un bon petit déjeuner avant de tout saccager.

Tout en l'aidant, il remarqua qu'elle avait réussi à mettre encore davantage de sirop dans ses cheveux. Il était pourtant impossible de ne pas remarquer sa beauté, songea-t-il en réprimant un fou rire. Sa vieille chemise de nuit fanée collait à son corps de façon très intéressante.

— Je m'occupe de leur chien, expliqua-t-elle. Jane m'a envoyé un SMS précisant que leur « camarade » Leslie arrivait. Elle ne m'a jamais précisé qu'il s'agissait de vous. Je pensais que cette Leslie était une de leurs amies homosexuelles qui fuyait une ex-maîtresse psychotique et meurtrière.

Coco s'interrompit, un peu gênée à l'idée d'avoir trop parlé. Elle remarqua alors le méchant bleu sur la joue de l'acteur.

— Navrée… Je n'aurais pas dû dire cela… Je m'attendais à ce que vous soyez une femme.

En l'observant plus attentivement, Coco constata qu'il avait un peu de sirop dans les cheveux, lui aussi. Il avait les cheveux d'un brun foncé presque noir, et des yeux étonnamment bleus. Lui-même avait déjà remarqué que ceux de Coco étaient verts.

— Et moi, je ne m'attendais pas du tout à tomber sur vous, avoua-t-il. Mais vous avez à moitié raison en ce qui me concerne. J'ai bien échappé à une ex-petite amie, meurtrière et psychotique. En revanche, je ne suis pas l'une des amies lesbiennes de Jane et Lizzie.

De nouveau, il semblait s'excuser. Soudain, il la fixa bizarrement et la question jaillit sans qu'il puisse la retenir.

— Et vous ?

— Vous voulez savoir si je fuis un ex-petit ami qui en veut à ma vie ? Non, je vous l'ai dit, je suis là pour m'occuper du chien… Oh ! Non, non, je ne suis pas une de leurs amies homosexuelles. Je suis la sœur de Jane.

Dès qu'elle l'eut dit, la ressemblance des deux sœurs lui sauta aux yeux. Leurs styles étaient tellement différents qu'il ne s'en était pas aperçu. Par ailleurs, le spectacle qu'elle lui avait offert l'avait pour le moins décontenancé. Et les chiens l'avaient surpris. Il ne s'attendait pas à un tel accueil quand Jane lui avait offert de se réfugier dans sa maison vide. Ce n'était pas ainsi qu'il aurait défini le mot « vide »...

— Comment avez-vous réussi à ce qu'elle vous confie sa maison et son chien ?

Ils avaient presque terminé le nettoyage, mais le sol était aussi collant que si on l'avait enduit de glu.

— Je suis le vilain petit canard de la famille, expliqua-t-elle avec un sourire timide.

Il se mit à rire. Elle était si jeune et si jolie qu'il avait du mal à ne pas fixer son corps moulé par la chemise de nuit poisseuse.

— Et qu'avez-vous fait pour mériter ce titre ? Vous vous êtes enivrée ? Vous avez eu une collection de mauvais garçons comme petits amis ? Vous avez abandonné vos études ?

A la voir, on aurait pu la prendre pour une lycéenne, mais il devinait que ce n'était pas le cas.

— Pire que tout cela ! J'ai renoncé à poursuivre mes études de droit, ce qui est un péché capital. Et pour comble, je gagne ma vie en promenant des chiens et j'habite presque sur la plage. Ma mère et ma sœur me considèrent comme une hippie, une barjo, une ratée.

Soudain, sous le regard amical de Leslie, tous ces qualificatifs ne semblaient plus aussi affreux à Coco. C'était plutôt drôle, finalement.

— Cela ne me paraît pas si abominable que cela, répondit celui-ci. Je trouve les études de droit très ennuyeuses. Et vous êtes très courageuse d'exercer un tel métier. J'étais un vilain petit canard, moi aussi. J'ai quitté l'université pour m'inscrire dans une école d'art dramatique et mon père m'en a énormément voulu. Il ne m'a pardonné que lorsqu'il s'est aperçu que je gagnais beaucoup plus d'argent que si j'avais été banquier. Un peu de patience et vous verrez qu'on vous laissera tranquille. Vous devriez peut-être écrire un livre dans lequel vous dévoileriez tous les secrets de votre famille, ou bien vendre des photos compromettantes.

Le chantage peut se révéler utile, parfois. Et je ne vois pas ce qu'il y a de mal à habiter devant une plage. Des gens très respectables paient une fortune pour s'offrir des maisons à Malibu et on les envie même. A mes yeux, vous ne me semblez pas être un canard boiteux.

— Je le suis pour ma mère et ma sœur.

— Quand vous portez cette... chose, dit-il en désignant la chemise de nuit, vous pourriez peut-être être une hippie.

Coco prit alors conscience de sa tenue et à quel point elle révélait ses formes.

— Vous devriez peut-être vous changer et enfiler vos vêtements de travail, suggéra-t-il. Pendant ce temps, je vais bien trouver quelque chose pour nettoyer cette substance collante.

Sur ces mots, il entreprit de fouiller les placards et finit par découvrir ce qu'il cherchait. Coco l'observait en souriant. Il avait le sens de l'humour et paraissait presque timide lorsqu'il la regardait. Il ne se comportait pas comme les stars de cinéma qu'elle connaissait.

— Vous voulez manger quelque chose ? lui demanda-t-elle gentiment.

— Volontiers, à condition qu'il n'y ait pas besoin d'ajouter du sirop, répliqua-t-il en riant. J'ai l'impression qu'il n'y en a plus ! Au fait, quel était le menu du petit déjeuner ?

— Des gaufres, dit-elle en quittant la cuisine.

— Je suis navré d'avoir manqué ça.

— Il y a de la laitue dans le réfrigérateur, si ça vous dit.

— Je crois que je vais attendre, déclara-t-il en riant. J'irai chercher quelque chose à me mettre sous la dent plus tard. Et j'en profiterai pour acheter du sirop d'érable.

— Merci.

Tandis qu'il remplissait un seau d'eau, elle monta se changer, laissant des empreintes collantes derrière elle. Elle revint un peu plus tard, vêtue d'un tee-shirt et d'un jean, les cheveux encore humides après la douche. Leslie avait préparé du café, mais elle refusa la tasse qu'il lui proposait.

— Je ne bois que du thé, expliqua-t-elle.

— Je n'en ai pas trouvé.

L'air soudain fatigué, il s'assit devant la table. Coco se rendit compte qu'il avait dû vivre de durs moments, ces deux derniers jours. Le bleu qu'il avait sur la joue semblait récent.

— Il ne reste plus rien. Je ferai quelques courses en rentrant du travail. Le samedi, je n'ai que deux chiens à promener.

Il paraissait aussi fasciné que si elle avait été charmeuse de serpents.

— Vous n'avez jamais été mordue ? demanda-t-il.

— Une fois en deux ans, par un minuscule chihuahua complètement cinglé. Les gros chiens sont toujours très gentils.

— Pendant que j'y pense... Comment vous appelez-vous ? Vous connaissez mon nom, mais j'ignore le vôtre, puisque votre sœur a oublié de nous présenter.

— Ma mère nous a donné les prénoms de ses écrivains préférés. Ma sœur a été appelée Jane, comme Jane Austen, et moi Colette, comme l'auteure française. Mais pour tout le monde, je suis Coco.

Sur ce, elle lui tendit la main, qu'il serra avec un sourire amusé. Cette fille était vraiment adorable !

— Je trouve que Colette vous va très bien, remarqua-t-il.

— J'adore vos films, murmura-t-elle.

Aussitôt, elle se sentit stupide. Elle avait pourtant rencontré des centaines de célébrités dans sa vie. Et la plupart étaient des acteurs ou des stars importantes. Mais parce qu'elle avait si souvent regardé ses films et qu'elle les aimait tant, elle se sentait toute bizarre, assise en face de lui, dans la cuisine de sa sœur. Il était son acteur préféré, celui pour qui elle craquait depuis des années. Si elle le lui avait avoué, il l'aurait certainement trouvée idiote. Mais maintenant qu'ils allaient cohabiter dans la maison de sa sœur, ce n'était plus la même chose. Elle devait le considérer comme un être réel, au lieu de le contempler bouche bée, comme à l'écran.

— C'est très gentil à vous, répondit-il. Certains sont bons, d'autres horriblement mauvais. Je ne les regarde jamais, c'est trop embarrassant. Je déteste me voir et le plus souvent je me trouve ridicule.

— Signe que vous êtes un grand acteur, affirma-t-elle avec conviction. C'est ce que disait mon père. Ceux qui se trouvent merveilleux ne le sont jamais. Par exemple, Laurence Olivier n'aimait pas son jeu.

Il lui jeta un coup d'œil gêné, tout en buvant son café. Il tombait de fatigue. A cause de son ex, il n'avait pas dormi depuis plusieurs nuits et il mourait d'envie de se coucher, mais il ne voulait pas se montrer grossier envers la jeune femme.

— C'est rassurant. Vous le connaissiez ?

— C'était un ami de mon père.

Connaissant Jane, il savait qui étaient leurs parents. Et il voyait pourquoi sa mère et sa sœur lui en voulaient de faire ce métier et de vivre sur une plage, tout en comprenant pourquoi elle appréciait cette existence. Ce ne devait pas être facile de s'opposer à elles. Il aimait beaucoup Jane, mais il avait conscience que c'était une femme de pouvoir. Cette fille aux cheveux auburn et aux yeux verts semblait différente. Elle était visiblement beaucoup plus douce. Il le voyait dans ses yeux et à ses manières.

Réalisant qu'il était épuisé, Coco lui proposa de lui montrer sa chambre et il lui en fut reconnaissant. Elle le conduisit dans la chambre d'amis, au deuxième étage. Elle savait que Liz y dormait parfois, lorsqu'elle devait travailler tard sur des scénarios. C'était une belle grande pièce, donnant sur la baie, mais tout ce que Leslie voyait pour l'heure, c'était le lit qui semblait l'aspirer. Il confia à Coco qu'il souhaitait seulement prendre une douche et dormir.

— Je vais faire des courses, car vous aurez certainement faim en vous réveillant, lui dit-elle.

— Merci. A tout à l'heure, alors.

Après lui avoir fait un signe de la main, elle dévala l'escalier. Laissant les chiens à la maison, elle se précipita dehors et grimpa dans sa vieille camionnette. Il la regarda démarrer par la fenêtre et sourit. Quelle drôle de fille, si belle et si naturelle ! Après le cauchemar qu'il venait de vivre, cette rencontre était pour lui une véritable bouffée d'air frais.

3

Coco passa prendre le caniche nain et le pékinois qu'elle promenait le samedi. Après cela, elle alla au supermarché et acheta tout ce dont Leslie et elle pourraient avoir besoin. Seule, elle se contentait de salades et de plats achetés chez le traiteur. Mais elle se sentait obligée de faire un effort pour l'invité de sa sœur. C'était certainement ce que Jane attendait d'elle. Et cela lui était d'autant plus facile que Leslie Baxter semblait très sympathique. Elle avait encore du mal à réaliser qu'ils allaient vivre sous le même toit et regrettait que sa sœur ne l'ait pas prévenue autrement que par un vague « notre camarade Leslie ». Comment aurait-elle pu deviner qu'il s'agissait de Leslie Baxter ? En tout cas, il mettrait un peu d'animation dans la maison durant les quelques jours qu'il y passerait. Le seul point noir était qu'en raison de sa phobie des chiens elle ne pourrait pas lui confier Jack pour passer le week-end à Bolinas, comme elle l'avait espéré.

Il était 15 heures lorsqu'elle revint avec les courses, le journal et quelques magazines. Elle se sentait soudain tenue de jouer la maîtresse de maison, au lieu de se contenter d'être la gardienne. Sur ce plan, elle reconnaissait qu'elle avait fait très fort, entre le sirop d'érable et les morceaux de verre dispersés un peu partout. La gentillesse dont Leslie avait fait preuve et l'aide qu'il lui avait apportée pour tout nettoyer l'avaient impressionnée.

La maison était étrangement silencieuse. Elle supposa qu'il dormait encore et que les chiens en faisaient autant quelque part. Elle rangea donc tranquillement ses achats dans la cuisine et sursauta lorsqu'il l'y rejoignit, vêtu d'un tee-shirt blanc et d'un jean, ses très élégants et très britanniques mocassins en daim aux pieds. Ian, lui, ne portait que des baskets ou des tongs. Il n'avait besoin de rien d'autre. Il n'aimait que les activités de plein air et elle avait partagé ce goût avec lui. Ce n'était pas comme sa mère, qui ne mettait que des talons d'au moins douze centimètres. Chaque année, ils semblaient même un peu plus hauts.

— Vous êtes déjà réveillé ? s'étonna-t-elle en lui adressant un sourire.

— En fait, je ne me suis pas couché, avoua-t-il avec embarras.

— Comment cela ?

— Quelqu'un m'avait précédé dans le lit.

Il lui fit signe de le suivre et elle monta l'escalier derrière lui, un peu inquiète. Jane avait-elle invité quelqu'un d'autre sans la prévenir ? Mais elle éclata de rire en franchissant le seuil de la chambre... Jack occupait tout le lit. Il s'était installé pendant que Leslie prenait sa douche. La tête sur l'oreiller, il ronflait bruyamment. Apparemment, Sallie n'était pas là.

— Je n'ai pas voulu discuter avec lui, expliqua Leslie. Par curiosité, j'ai jeté un coup d'œil dans votre chambre, et j'ai vu que l'autre chien y dormait.

— C'est ma chienne, répondit Coco. Celui-ci appartient à ma sœur et il s'appelle Jack. Elle ne lui permet pas de monter sur les lits. Il ne se le permet que quand je suis ici. Il me connaît bien.

Elle tapota le gros chien pour le réveiller et le poussa hors du lit. Mécontent d'avoir été ainsi arraché au sommeil, il rejoignit Sallie dans la chambre de Coco.

— Désolée, s'excusa-t-elle, vous devez être épuisé.

— J'ai un peu somnolé sur le canapé, mais je dois avouer que je me sentirais mieux dans un lit. La nuit dernière, j'ai dormi dans ma voiture, et la précédente, je m'étais réfugié chez un ami. Elle est complètement timbrée, ajouta-t-il en touchant sa joue. Et elle a une sacrée force. Elle ne se fait pas doubler, dans les films d'action.

Grâce aux tabloïds, Coco savait qui était son ex, mais elle trouva fort délicat de sa part de ne pas la nommer.

— Il y a six mois, continua-t-il, j'ai mis ma maison en location pour un an, puisque je m'installais avec elle. Dès que j'aurai repris mes affaires, je chercherai un appartement. Je ne m'étais jamais trouvé embringué dans une histoire aussi loufoque. C'est la première fois qu'une femme me frappe, précisa-t-il d'un air penaud. Elle a même failli me tuer en me lançant son sèche-cheveux à la tête. Mais quand elle m'a menacé avec une arme, j'ai préféré m'en aller. On ne discute pas avec une psychopathe qui braque un revolver sur vous.

Il paraissait encore un peu secoué, mais il sourit.

— Pourquoi était-elle si en colère ? demanda Coco.

Elle trouvait tout cela bien plus excitant que sa propre vie. Elle n'avait jamais connu ce type de situation et ne l'avait même jamais imaginé. Ian était l'homme le plus doux de la terre. Leurs rares disputes avaient été brèves et n'avaient pas prêté à conséquence. Et, avant lui, les liaisons qu'elle avait eues s'étaient terminées sans heurts. Mais son père lui avait souvent raconté ce qui était arrivé à certains de ses clients célèbres poursuivis par des fous.

— Je ne m'en souviens plus bien, répondit Leslie. Elle voulait savoir avec lesquelles de mes partenaires j'étais sorti. Ensuite, j'ai eu beau lui jurer que cela n'arriverait plus, elle a fait une crise de jalousie. Elle n'arrêtait pas de dire que j'allais la tromper avec celle avec qui je joue dans mon prochain film et ça l'a rendue complètement folle. En plus, le fait qu'elle soit portée sur la boisson n'a pas arrangé les choses. Elle m'a même menacé de mort. Je sais qu'elle en est capable et je suis parti.

— Vous devriez peut-être rester plus longtemps qu'un week-end, suggéra Coco.

Le récit de Leslie correspondait bien à tout ce qu'elle détestait à Hollywood. Elle n'aurait pas pu vivre de cette façon. Le prix de la célébrité était trop élevé.

— Les armes et l'alcool ne font pas bon ménage, remarqua-t-elle.

Il était d'accord avec elle, mais, pour l'instant, il ignorait encore ce qu'il allait faire. Il avait appelé Jane pour lui en parler, car elle connaissait son ex, avec qui elle avait travaillé. Il voulait savoir ce qu'elle en pensait et si elle la considérait comme dangereuse. Jane lui avait conseillé de partir et de venir se cacher chez elle, à San Francisco, car son ex était encore plus redoutable qu'il ne l'imaginait. Il avait suivi ses conseils, parce qu'il ne voulait pas risquer de se trouver nez à nez avec elle et il savait qu'il ne pourrait pas l'éviter s'il restait à Los Angeles.

— Cela ne m'était jamais arrivé, lui expliqua-t-il. Mes histoires d'amour se sont toujours très bien terminées. Je suis resté ami avec toutes mes ex et aucune d'entre elles n'a jamais voulu me tuer.

Il semblait encore avoir du mal à y croire.

— Avez-vous prévenu la police ? lui demanda-t-elle.

— Je ne peux pas. Si je le faisais, j'aurais toute la presse à scandale sur le dos.

— Je me souviens qu'une fois, l'une des clientes de mon père, qui était complètement cinglée, l'a menacé de mort. Il a aussitôt prévenu la police, qui a immédiatement envoyé des agents pour le protéger, lui raconta Coco. J'étais petite, à l'époque, et je mourais de peur que cette actrice ne le tue. J'en ai fait des cauchemars pendant des années.

— Oui, mais elle n'était sans doute pas son ex-petite amie. C'est le genre d'affaires dont la presse raffole. Je ne veux pas être impliqué dans ce genre de scandale, ni le déclencher. Comme je ne tournerai pas avant octobre, je vais m'éclipser et me faire oublier pendant quelques mois à New York.

— Elle vous y retrouvera probablement. Vous savez, ma sœur et Liz ne reviendront pas avant cinq ou six mois. Vous pouvez rester ici, si vous voulez. Elle finira peut-être par se calmer.

— Cela m'étonnerait. Mais peut-être jettera-t-elle son dévolu sur quelqu'un d'autre. En attendant, je me ferai très discret, et elle ne se doutera jamais que je suis ici. Elle ignore que Jane possède une maison à San Francisco. Elle et moi avons toujours rencontré votre sœur à Los Angeles.

— Vous êtes donc en sécurité, ici. Et maintenant que Jack a quitté votre lit, vous devriez dormir un peu, lui conseilla-t-elle gentiment.

Il semblait avoir été très ébranlé par cette histoire, qui était vraiment déplaisante.

Leslie la remercia de son attention et disparut dans sa chambre. Coco gagna alors la sienne et referma la porte derrière elle. Les deux chiens dormaient sur son lit. Elle alluma la télévision, en prenant soin de baisser le son. Elle somnola un peu et, vers 20 heures, elle descendit dans la cuisine. Elle prit des sushis dans le réfrigérateur et se prépara une salade. Elle mangeait en lisant le journal quand Leslie la rejoignit. Malgré son air ensommeillé, il semblait plus reposé. Le calme régnait dans la maison, l'ambiance était paisible, on était samedi soir, et ni l'un ni l'autre n'avaient de projets pour la soirée.

— Vous en voulez ? lui demanda-t-elle en lui montrant les sushis.

Il accepta et elle se leva pour ouvrir le réfrigérateur. Il bondit aussitôt.

— Je vous en prie, ne vous occupez pas de moi ! Je ne veux pas m'imposer. Merci d'avoir fait les courses, mais la prochaine fois, c'est moi qui m'en chargerai.

On aurait dit deux colocataires bien décidés à ce que tout se passe au mieux. Leslie prit des sushis, tandis qu'elle mettait son couvert et refaisait de la salade.

— De quelle région d'Angleterre venez-vous ? lui demanda-t-elle pendant le dîner.

Assis dans un coin, Jack les observait avec intérêt. Sallie, qui avait reniflé l'odeur du poisson, était retournée se coucher.

— Je suis né dans une petite ville, tout près de Londres, mais je n'ai visité la capitale pour la première fois qu'à l'âge de douze ans. Mon père était facteur et ma mère infirmière, et j'ai eu une enfance sans problèmes. Quand je leur ai annoncé que je voulais être acteur, ils ont été horrifiés. Mon père voulait que je sois professeur, banquier ou médecin. Malheureusement, je tombe dans les pommes dès que je vois du sang. Et enseigner m'aurait mortellement ennuyé. Alors j'ai suivi des cours d'art dramatique et j'ai fait mes premiers pas avec Shakespeare. J'étais horriblement mauvais.

Il lui sourit gentiment, avant d'ajouter :

— Cette salade est délicieuse. Vous n'y avez pas mis de sirop ?

— J'en ai racheté, répliqua-t-elle en riant, ainsi que des gaufres.

— C'est parfait. Demain, je me chargerai du petit déjeuner. Et vous ? Que vouliez-vous faire, quand vous étiez petite ?

— Je n'avais pas beaucoup d'idées. La seule chose que je savais, c'est que je ne voulais pas imiter mes parents ou ma sœur. Elle prenait ses films tellement à cœur ! Elle s'engage à fond dans tout ce qu'elle fait, mais cela n'a pas l'air très amusant. J'ai aussi toujours détesté écrire. A un moment, j'ai vaguement eu envie d'être artiste, mais je n'ai aucun talent. J'ai peint un peu, mais rien de terrible : des scènes de plage, des natures mortes. A l'université, j'ai étudié l'histoire de l'art. Ensuite, mon père m'a convaincue de faire du droit. Il prétendait qu'il fallait commencer par là, quelle que soit la profession que j'exercerais plus tard. Il espérait que je travaillerais avec lui. J'ai détesté la fac de droit. Les professeurs étaient très exigeants et les étudiants avaient un sale esprit, ils étaient antipathiques et essayaient tous de se rabaisser les uns les autres. J'ai passé deux ans à souffrir et à pleurer. J'étais terrifiée à l'idée de me faire renvoyer. Et puis, mon père est mort et j'ai tout lâché.

— Et ensuite ?

— J'ai été soulagée, avoua-t-elle avec un sourire. A cette époque, je vivais avec quelqu'un. Mes parents ne l'appréciaient pas. Il était australien et il avait abandonné ses études de droit, lui aussi. Il adorait vivre au grand air et il avait ouvert une école de plongée, alors nous nous sommes installés au bord de l'océan. Je n'ai jamais été aussi heureuse de ma vie. J'ai eu l'idée de me lancer dans la promenade de chiens, en attendant autre chose. Je ne pensais pas que cela durerait, mais vous voyez, j'y suis encore. Cela me suffit. Ma maison sur la plage est plus petite que cette cuisine, mais elle me convient, bien que ma mère prétende que ce n'est qu'une cabane.

— Et l'Australien, qu'est-il devenu ? demanda Leslie.

Il avait terminé sa salade et observait Coco. Elle avait l'air d'une jeune femme normale et heureuse, sauf quand elle parlait de ses études de droit.

— Il n'est plus là.

— C'est dommage ! Vos yeux s'éclairent, quand vous parlez de lui.

— Il était formidable. Nous avons vécu ensemble pendant deux ans, et puis il est mort dans un accident.

Leslie la fixait intensément. Elle paraissait triste, mais pas détruite, comme si elle avait accepté cette fatalité depuis longtemps. Il était peiné pour elle, mais elle n'avait pas l'air de s'apitoyer sur son sort.

— Un accident de voiture ?

— Il faisait du deltaplane. Un coup de vent l'a projeté contre une falaise et il est tombé. Cela s'est passé il y a un peu plus de deux ans. Au début, cela a été très dur, mais c'est la vie. Nous n'avons pas eu de chance. Nous voulions nous marier et partir vivre en Australie. Je crois que cela m'aurait plu.

— Certainement, confirma Leslie. Sydney ressemble beaucoup à San Francisco.

— C'est ce qu'il me disait, lui aussi. Nous n'y sommes jamais allés. Sans doute était-ce le destin.

Elle s'exprimait avec une sorte de sérénité qu'il admira. Il n'y avait rien de larmoyant en elle.

— Il n'y a eu personne d'autre, depuis ?

Elle lui sourit. Leslie Baxter était assis en face d'elle dans la cuisine de sa sœur. C'était tellement étrange qu'elle faillit éclater de rire. Et Leslie Baxter l'interrogeait sur sa vie sentimentale... Qui aurait pu l'imaginer ?

— Je suis sortie avec des types très ennuyeux. Je l'ai fait pour que ma famille et mes amis me laissent tranquille. Cela n'a pas été une réussite, mais peut-être n'étais-je pas prête. Aussi, j'ai arrêté. Je crois que j'aurai beaucoup de mal à commencer quelque chose avec un autre homme. Ian et moi, nous nous entendions parfaitement.

— Vous n'avez pas l'air de quelqu'un avec qui il est difficile de s'entendre, remarqua-t-il. J'ai vécu un peu la même chose, moi aussi. La femme avec qui je vivais était merveilleuse, ajouta-t-il avec une sorte de nostalgie.

— Que s'est-il passé ?

— J'étais jeune et stupide. Je débutais et je voulais aller à Hollywood. Elle vivait en Angleterre, voulait se marier et avoir des enfants. Lorsque j'ai compris qu'elle avait raison, elle en avait épousé un autre. Elle m'avait attendu trois ans, ce qui était plus que je ne le méritais. Aujourd'hui, elle a cinq enfants et elle habite dans le Sussex. J'ai toujours beaucoup d'affection pour elle. J'ai rencontré quelqu'un d'autre, un peu plus tard. Nous ne nous sommes pas mariés, mais nous avons eu une fille.

Monica est tombée enceinte au moment où nous ne nous entendions plus très bien, mais elle a voulu garder le bébé. Sur le coup, je n'étais pas d'accord, mais elle avait raison. Bien que nous ayons rompu, Chloé est la meilleure chose qui me soit arrivée.

— Où est-elle ?

La nouvelle surprenait beaucoup Coco. Leslie ressemblait à la plupart des acteurs. Il avait des maîtresses prêtes à le tuer, avait brisé le cœur de son grand amour et avait eu un enfant d'une femme qu'il n'avait pas épousée. Et pourtant, il paraissait tout à fait normal et réaliste. Mais peut-être n'était-ce qu'une façade. Chez son père, elle avait rencontré pas mal d'acteurs dérangés. Certains d'entre eux offraient toutes les apparences de la normalité, mais on s'apercevait finalement qu'ils étaient aussi fous et narcissiques que les autres. Son père lui avait toujours recommandé de ne jamais sortir avec un acteur. Cependant, Leslie avait l'air différent. Il paraissait sincère et, pour le moment du moins, ne lui donnait pas l'impression d'être égocentrique, arrogant ou imbu de lui-même. Au contraire, il semblait admettre ses propres erreurs et ne cherchait pas à en attribuer la responsabilité à d'autres, sauf peut-être en ce qui concernait sa dernière liaison. Mais ce qui s'était passé n'était vraiment pas de sa faute. Il évoluait dans un monde où on rencontrait beaucoup de cinglés.

— Chloé vit à New York avec sa mère, qui est une actrice reconnue et, à ma grande surprise, une excellente mère. Elle tient notre fille à l'écart des médias et Chloé vient me voir deux ou trois fois par an. Elle a six ans et est absolument adorable, précisa Leslie avec orgueil. Sa mère et moi sommes très bons amis. Je me demande parfois ce qu'il serait advenu de notre amitié si nous nous étions mariés. Je ne crois pas que cela aurait pu durer. Monica est quelqu'un de sérieux et de secret. Peu après notre rupture, elle a eu une liaison avec un politicien marié. Ils sont toujours restés très discrets, même si

60

tout le monde était au courant. Ensuite, elle a eu plusieurs aventures avec des hommes riches et importants. Je crois que j'étais trop immature pour elle. Je viens d'avoir quarante et un ans, mais je commence seulement à mûrir. Cela explique sans doute mes échecs amoureux. La plupart des acteurs manquent de maturité. Et la célébrité nous pourrit.

La façon dont il l'admettait toucha Coco.

— J'ai vingt-huit ans, confia-t-elle, et je ne sais toujours pas ce que je veux faire. Quand j'étais petite, j'aurais voulu être une princesse indienne et, quand je me suis aperçue que cela n'arriverait jamais, je n'ai rien trouvé d'autre.

Sa moue déçue le fit rire.

— J'aime ma vie telle qu'elle est, continua-t-elle. Ma mère et ma sœur peuvent bien penser que mon existence est sans intérêt, mon travail me convient et je suis bien comme je suis.

— C'est ce qui importe, approuva Leslie. Font-elles pression sur vous ?

Connaissant Jane et sachant qui était sa mère, cela semblait évident.

Coco éclata de rire.

— Elles me considèrent comme une ratée ! Toutes les deux ont très bien réussi et sont célèbres. La première fois que ma sœur a été nominée pour un oscar, elle avait mon âge et, depuis, elle est régulièrement en tête du box-office. Ma mère a commencé à écrire des best-sellers très jeune. Mon père a fondé son agence et a représenté toutes les plus grandes stars d'Hollywood. Et moi, je promène des chiens. Vous imaginez ce que je suis à leurs yeux ? Ma mère s'est mariée à vingt-deux ans et a eu Jane à vingt-trois. Jane et Liz vivent ensemble depuis dix ans. Et moi, j'ai l'impression d'être une lycéenne de quinze ans. Mais il me suffit d'être sur la plage avec ma chienne pour être heureuse.

Leslie s'abstint de lui faire remarquer qu'elle aurait été mariée, si Ian n'était pas mort. Coco en était consciente, elle aussi.

— Je suis née dans une famille de surdoués qui savaient ce qu'ils voulaient dès leur naissance, continua-t-elle. On m'a sûrement échangée avec un autre bébé à la maternité et mes vrais parents sont des gens tout à fait normaux et sympathiques qui vivent au bord de la mer et qui ne m'en voudraient pas que je promène des chiens et que je ne me marie pas. Et ils ont certainement des problèmes avec l'un de leurs enfants qui veut devenir génie de l'aérospatiale, chirurgien du cerveau ou agent à Hollywood. Alors que moi, pendant ce temps, chaque fois que je suis avec ma mère ou ma sœur, je ne sais plus où j'en suis.

En dehors de Ian, elle n'avait jamais parlé aussi librement à quiconque. C'était d'autant plus surprenant qu'elle connaissait à peine Leslie, que c'était une star et qu'en plus, il était un ami de Jane.

A son expression, il devina sa crainte.

— Ne vous inquiétez pas, je ne dirai rien de tout cela à Jane, la rassura-t-il.

Il semblait deviner ses pensées et la comprendre. Des larmes montèrent aux yeux de Coco, qui en éprouva une certaine gêne.

— C'est juste que nous n'avons rien en commun, confia-t-elle. Je suis fatiguée de les entendre me répéter que tout ce que je fais est mal et me reprocher d'être ce que je suis. Mais, d'une certaine façon, je leur suis utile. Grâce à moi, elles se sentent plus importantes. Depuis toujours, ma sœur se sert de moi. Si j'avais une vie à moi, ce serait bien moins pratique pour elle. J'aime Jane, je sais qu'elle a un bon fond, mais elle peut être très dure.

— Je le sais. Peut-être devriez-vous tout simplement lui dire non, suggéra-t-il doucement.

Coco se mit à rire, tout en s'essuyant les yeux avec son tee-shirt, et Leslie détourna les yeux du soutien-gorge rose qu'elle révélait ainsi. A la pensée qu'elle n'en avait absolument pas conscience, il ne put s'empêcher de sourire. Par certains côtés, elle était toujours une enfant, et ce n'était pas pour lui déplaire.

— C'est ce que j'ai toujours essayé de faire, expliqua-t-elle. C'est pour cette raison que je me suis installée à Bolinas. Au moins y a-t-il un pont qui nous sépare. Mais vous remarquerez que c'est moi qui garde son chien et veille sur sa maison.

— Un de ces jours, vous vous surprendrez vous-même en vous rebellant, assura-t-il. Vous le ferez quand le moment sera venu. Moi-même, j'aurais bien du mal à envoyer balader Jane. Elle a une forte personnalité. Mais j'ai beaucoup d'affection pour elle, malgré sa dureté. Liz est aussi brillante que Jane, mais elle est beaucoup plus facile à vivre. Et elle parvient à adoucir Jane.

— Ma sœur ressemble beaucoup à mon père. Lui aussi était tranchant et direct. Ma mère est plus manipulatrice lorsqu'elle veut parvenir à ses fins. Pleurer est son arme favorite.

Coco jeta un coup d'œil à Leslie, assis en face d'elle.

— Moi aussi, j'ai la larme facile, comme vous pouvez le constater. Je suis désolée. Vous n'êtes pas venu pour m'entendre vous raconter comment j'ai fui ma célèbre famille d'Hollywood pour me réfugier dans une cabane de Bolinas. C'est une histoire triste, mais que d'aucuns pourraient m'envier, pourtant.

— Votre histoire ne me semble pas si triste que cela, sauf pour ce qui concerne votre ami. Sa disparition me peine pour vous. Mais vous êtes jeune et vous avez de nombreuses années devant vous pour trouver votre voie, ainsi que l'homme de votre vie. En attendant, vous menez une existence qui vous plaît et c'est plutôt enviable, si vous voulez mon avis. Vous vous en sortez beaucoup mieux que vous ne semblez le croire. Votre mère et votre sœur n'ont pas à vous juger. Mes parents aussi continuent de s'inquiéter pour moi. Ils pensent que j'aurais dû me marier et avoir des enfants. Peut-être ont-ils raison. Ils aiment Chloé, mais ils auraient voulu me voir rangé et père de quatre enfants. Ils auraient également souhaité que je vive en Angleterre, parce qu'ils estiment que ma place est là-bas. C'est leur opinion, pas la mienne. Faire carrière à Hollywood se paie cher. Il est possible que j'y renonce le jour où je trouverai le prix trop élevé. J'y ai souvent réfléchi.

— Vous avez encore le temps, le rassura Coco, avant de finir dans la peau d'un père de dix enfants. Il n'est pas trop tard. Cela vous arrivera peut-être.

— C'est plus compliqué, quand on est célèbre, fit-il remarquer. Les femmes bien se méfient de vous ou ne vous prennent pas au sérieux. Celles que vous attirez sont souvent de drôles d'oiseaux, des groupies et parfois de véritables dangers, comme celle que j'ai dû fuir. Dès que vous êtes une star, elles foncent sur vous. D'habitude, je les repère et je prends mes jambes à mon cou, mais cette fois, je me suis fait avoir. Au début, elle a parfaitement caché son jeu. En plus, comme elle était célèbre elle aussi, je me suis dit que ce serait plus facile entre nous. Grosse erreur ! Finalement, elle était tout ce que je ne veux pas.

— Vous aurez plus de chance la prochaine fois, assura Coco en lui souriant.

Elle se leva alors pour débarrasser, puis lui proposa une glace, qu'il accepta volontiers. Ne connaissant pas ses goûts, elle avait pris une demi-douzaine de parfums. Car, même s'ils se confiaient leurs secrets les plus intimes, leurs regrets et leurs craintes, ils étaient étrangers l'un à l'autre. Mais ils se trouvaient très bien ensemble.

— Parfois, j'en ai assez d'essayer, avoua-t-il.

La crème glacée dégoulinait le long de son menton, si bien que lui aussi ressemblait à un enfant.

— C'est ce que j'ai éprouvé quand ils ont tous voulu me caser, reconnut-elle. C'est pourquoi j'ai arrêté. Je me suis dit que si cela devait arriver, il fallait laisser faire le destin. Et, dans le cas contraire, je suis très bien comme je suis.

Leslie se mit à rire.

— Ma chère Coco, déclara-t-il sur un ton solennel, je puis vous assurer qu'à vingt-huit ans, votre avenir est devant vous et que vous ne finirez pas seule. Tout homme s'estimerait très heureux de vivre à vos côtés. Je suis certain que le bon se présentera bientôt. Simplement, accordez-lui un peu de temps.

— Je vous répondrai la même chose, Leslie, répliqua-t-elle en souriant. La femme de votre vie se présentera un jour, laissez-lui seulement le temps de faire son apparition. Vous êtes quelqu'un de formidable et, si vous évitez les folles furieuses, elle saura vous trouver. Je vous le promets.

Cette conversation leur avait fait du bien à tous les deux.

Finalement, cette rencontre inattendue se révélait une bénédiction pour l'un comme pour l'autre. Chacun avait le sentiment de s'être fait un nouvel ami.

— Que se passe-t-il ici, le samedi soir ? demanda Leslie.

— Pas grand-chose. Les gens vont au restaurant, mais à 22 heures il n'y a plus personne dans les rues. C'est une petite ville, qui ne ressemble en rien à New York.

— A votre âge, vous devriez faire la fête, le samedi soir, au lieu d'être assise près d'un vieux comme moi, la taquina-t-il.

— Vous plaisantez ? s'exclama-t-elle en riant. Je suis en train de discuter avec la plus grande star du monde, dans la cuisine de ma célèbre sœur. Toutes les femmes se damneraient pour être à ma place.

Elle le fixait avec admiration et avait encore du mal à y croire.

— Et je ne vous parle pas d'un samedi soir à Bolinas !
ajouta-t-elle. Il doit y avoir une dizaine de hippies au
bar, si tant est qu'ils y soient. A cette heure, tous les
autres sont au lit, en train de regarder un de vos films.

Ce qui les fit éclater de rire. Leslie aida alors Coco à
remplir le lave-vaisselle, puis ils éteignirent les lumières
du rez-de-chaussée et montèrent se coucher, Leslie derrière Coco, les chiens sur les talons. La présence du gros
bullmastiff le rendait toujours nerveux, même si Coco
lui avait assuré qu'il était parfaitement inoffensif. Il était
même plus doux que Sallie, mais il était particulièrement imposant.

Avant de la quitter, Leslie demanda à Coco si elle
avait des projets pour le lendemain. Ce n'était pas le cas,
car elle ne travaillait jamais le dimanche, mais elle aurait
bien voulu retourner chez elle.

— Cela me plairait de voir le drôle de village où vous
habitez, lança-t-il. C'est loin d'ici ?

Elle sourit, heureuse à l'idée de le lui montrer.

— A moins d'une heure de voiture.

— Je serais content de voir votre cabane et de me promener sur la plage. L'océan a quelque chose d'apaisant.
J'ai eu une maison à Malibu, pendant quelque temps, et
j'ai beaucoup regretté de l'avoir vendue. Cela me ferait
plaisir de vous accompagner à Bolinas, demain, dit-il en
réprimant un bâillement.

Maintenant qu'il se sentait en sécurité et détendu, il
prenait conscience de sa fatigue. Se penchant vers Coco,
il déposa un baiser sur sa joue.

— Je m'occuperai des gaufres demain matin, promit-
il. Merci de m'avoir écouté, ce soir.

Cette jeune femme lui plaisait vraiment. C'était
quelqu'un de bien, et elle n'attendait rien de lui. Elle ne
recherchait ni la fortune, ni la notoriété, ni la publicité,
pas même un dîner au restaurant. Avec elle, il se sentait
étonnamment bien. C'était d'autant plus surprenant
qu'il avait fait sa connaissance le matin même, mais il

devinait qu'il pouvait lui faire confiance, et elle éprouvait la même chose à son égard.

En entrant dans sa chambre, il entendit la sonnerie de son téléphone portable et devina qu'il s'agissait de son ex, bien que son numéro fût masqué. Quelques instants plus tard, elle lui envoya un SMS menaçant, qu'il effaça aussitôt. Après avoir refermé sa porte, il se déshabilla et se glissa sous les draps. Il resta un long moment étendu, pensant à Coco et aux confidences qu'ils s'étaient faites. Il avait beaucoup apprécié la franchise de la jeune femme et l'honnêteté avec laquelle elle parlait d'elle-même. Il espérait en avoir fait autant. Après avoir éteint la lampe, il laissa ses pensées vagabonder, mais ne parvint pas à trouver le sommeil.

Une heure plus tard, il décida de descendre dans la cuisine pour boire un verre de lait. Voyant que la lumière était toujours allumée dans la chambre de Coco, il frappa à sa porte et elle lui répondit d'entrer. Vêtue d'un pyjama aux couleurs fanées, elle était étendue entre les deux chiens et regardait un film. Jetant un coup d'œil à l'écran, il y vit son propre visage. C'était comme de se regarder dans un miroir géant, songea-t-il avec ahurissement. Coco parut gênée d'avoir été surprise en train de regarder l'un de ses films. Avec son air penaud, elle ressemblait de nouveau à une petite fille.

— Désolée, dit-elle. C'est mon film préféré.

Il lui sourit. C'était un beau compliment, venant d'elle. Elle n'essayait pas de le flatter, car s'il n'était pas entré, il n'aurait jamais su ce qu'elle faisait.

— Je l'aime bien aussi, quoique je me trouve assez médiocre... Je descends. Vous voulez que je vous rapporte quelque chose ?

— Non, merci.

Elle fut sensible à son attention. Ils étaient comme deux enfants invités, dans la grande maison sophistiquée de Jane. Coco avait éparpillé ses vêtements sur le sol, pour se sentir chez elle. Tout, ici, était trop bien rangé et elle pensait que le désordre conférait un peu d'humanité à la pièce. Mais sa sœur n'aurait certainement pas été du même avis.

— A demain, dit Leslie. Bon film ! ajouta-t-il en refermant la porte.

Une fois dans la cuisine, il mangea une autre glace et but son verre de lait. Il espérait un peu que Coco le rejoindrait, mais elle était trop passionnée par l'histoire qu'elle suivait sur l'écran. Une fois rassasié, il remonta dans sa chambre. Cette fois, il s'endormit en quelques minutes et ne bougea pas jusqu'au matin. Au réveil, il eut l'impression d'avoir laissé tous ses soucis à Los Angeles. En venant ici, il avait trouvé l'endroit sûr qu'il cherchait, loin des gens qui voulaient lui faire du mal. Et dans cet endroit sûr, il avait découvert quelque chose d'encore plus précieux... une femme sûre. Il n'avait rien ressenti de tel depuis qu'il avait quitté l'Angleterre. Caché dans cette maison de San Francisco, avec cette drôle de fille et les deux gros chiens, il savait avec une certitude absolue que rien de mauvais ne pouvait lui arriver.

4

Le lendemain, lorsqu'ils s'éveillèrent, le temps était magnifique. Il faisait chaud et le ciel était d'un bleu éclatant. Leslie descendit dans la cuisine avant Coco. Il fit griller du bacon, prépara les gaufres, puis se servit un verre de jus d'orange et brancha la bouilloire pour le thé. Il versait l'eau dans deux tasses quand Coco le rejoignit. Elle venait de lâcher les chiens dans le jardin, comptant leur faire faire une longue balade sur la plage après le petit déjeuner.

— Ça sent bon ! s'exclama-t-elle.

Il lui tendit une tasse du thé vert qu'il avait trouvé dans un placard. Lui-même buvait son thé sans lait ni sucre. Un instant plus tard, il posa les gaufres devant Coco. Le sirop d'érable était déjà sur la table. Ils rirent en se rappelant le chaos qui régnait dans la cuisine au moment de son arrivée.

— Je vous remercie d'avoir préparé le petit déjeuner, dit-elle tandis qu'il s'installait en face d'elle.

— J'ai préféré le préparer moi-même, après ce que j'ai vu hier, la taquina-t-il.

Par les immenses fenêtres, il jeta un coup d'œil à la baie. Les voiliers se rassemblaient pour des régates et il régnait une intense activité dans la rade, avec tous ces bateaux qui ne cessaient d'affluer.

— Est-ce que nous allons à la plage, aujourd'hui ? demanda-t-il.

— Vous êtes certain d'en avoir envie ? demanda-t-elle prudemment. Je peux très bien y aller toute seule, vous savez. J'ai juste besoin de prendre quelques affaires et de vérifier si j'ai du courrier.

— Cela ne vous ennuie pas que je vous accompagne ?

Il ne voulait pas s'imposer ou se montrer indiscret. Elle avait sans doute mille choses à faire, et peut-être préférait-elle se retrouver seule chez elle, ou encore rencontrer des amis.

— J'en suis ravie, au contraire.

Elle ne voyait pas en quoi cela lui aurait été pénible de passer une journée à Bolinas en compagnie de Leslie Baxter.

— Je vous montrerai tout, continua-t-elle. C'est un très petit village, mais il est fantastique.

Elle lui avait déjà dit qu'aucun panneau n'indiquait sa direction, si bien que personne ne pouvait le trouver.

Une heure plus tard, ils montèrent dans la camionnette avec les deux chiens, en jean, tee-shirt et tongs. Elle lui avait dit qu'il pouvait faire froid si le brouillard se levait, aussi avaient-ils pris des pulls. Mais quand ils quittèrent Divisadero et se dirigèrent vers le pont du Golden Gate, le ciel était toujours d'un bleu sans nuages. Très décontractés, ils bavardèrent pendant tout le trajet. Leslie raconta à Coco son enfance en Angleterre. Il reconnut qu'il avait parfois le mal du pays, mais que lorsqu'il y retournait, rien n'était plus pareil. En raison de sa célébrité, les gens ne le traitaient plus de la même façon. Il avait beau leur répéter qu'il n'avait pas changé, ceux qui l'avaient vu grandir se conduisaient comme s'il était spécial ou différent. Lui-même se trouvait pourtant très ordinaire.

— Parlez-moi de Chloé, demanda Coco.

Ils venaient de quitter le pont et s'apprêtaient à emprunter le Rainbow Tunnel.

Le visage de Leslie s'éclaira.

— Elle est délicieuse. Je voudrais la voir plus souvent. C'est une enfant adorable et très intelligente. Elle ressemble à sa mère, précisa-t-il.

Il semblait avoir énormément d'affection pour sa fille, mais aussi pour celle qui avait longtemps été sa compagne.

— Je vous montrerai sa photo, en arrivant à Bolinas, poursuivit-il. J'en ai toujours plusieurs sur moi. Chloé voudrait être danseuse ou conductrice de camion, quand elle sera grande. Apparemment, elle pense que ces deux activités sont interchangeables et aussi passionnantes l'une que l'autre. A ses yeux, les camions déversent plein de choses sur les routes, ce qui est extrêmement amusant. Elle suit une quantité inimaginable de cours. Elle fait du français, de l'initiation à l'informatique, du piano...

Il semblait heureux de parler de sa fille et très fier d'elle. Ses relations avec elle et sa mère avaient toujours été simples et directes.

— Récemment, sa mère a eu une liaison plus sérieuse et j'ai appris qu'elle allait se marier. Cela m'ennuyait un peu, car son ami était italien et il aurait été plus difficile pour moi de me rendre à Florence qu'à New York. J'avoue que j'ai été soulagé quand ils ont rompu, même si je souhaite que Monica se marie. Pour être honnête, j'étais jaloux du temps que son copain passait avec Chloé. Il la voyait beaucoup plus que moi. Pour l'instant je ne crois pas que Monica ait rencontré un autre homme.

— Vous n'avez pas songé à reprendre la vie commune, pour Chloé ? demanda Coco.

Il secoua négativement la tête.

— Cela fait trop longtemps et trop d'eau a coulé sous les ponts, depuis notre rupture. C'était fini entre nous avant la naissance de Chloé. Elle a été un merveilleux accident et la meilleure chose qui nous soit arrivée à tous les deux.

71

— Je ne peux même pas imaginer avoir des enfants, déclara franchement Coco. En tout cas, pas pour l'instant. Quand j'aurai trente ans, peut-être...

Même lorsqu'elle vivait avec Ian, elle se trouvait trop jeune pour envisager d'être mère.

Leslie admirait la façon dont elle négociait les tournants, avec sa vieille camionnette. Celle-ci émettait des bruits bizarres et légèrement inquiétants, mais continuait bravement d'avancer. Il confia à la jeune femme qu'il adorait bricoler les moteurs. C'était une passion qui remontait à son enfance. La route qui serpentait le long de la falaise, au-dessus de la côte, était émaillée de virages en épingle à cheveux, ce qui ne gênait aucunement Coco. Quoi que sa mère et sa sœur pensent d'elle, Coco lui semblait maîtresse de sa vie. Plus ils approchaient, plus elle avait l'air heureuse.

— J'espère que vous n'avez pas mal au cœur en voiture ! s'écria-t-elle soudain en lui jetant un coup d'œil inquiet.

— Pas encore. Je vous préviendrai quand cela arrivera.

Le temps était magnifique et le panorama superbe. Les deux chiens dormaient à l'arrière de la voiture. Au bout d'une vingtaine de minutes, la route plongea vers Stinson Beach. Une demi-douzaine de maisons apparurent, semblant posées au petit bonheur la chance, de chaque côté de la chaussée. Une galerie d'art, une librairie, deux restaurants, une épicerie et une boutique de cadeaux.

— Je trouve que ce lieu fait partie des merveilles du monde, remarqua Leslie.

Elle adorait cette bourgade pittoresque, si on pouvait l'appeler ainsi. Dès qu'ils eurent laissé derrière eux les quelques bâtisses qui la constituaient, ils tournèrent et dépassèrent des petites routes étroites bordées de vieilles bicoques délabrées.

— Il y a un lotissement résidentiel privé, un peu plus loin, annonça Coco en désignant une lagune. Et sur votre droite, vous apercevez une réserve d'oiseaux. La nature a été respectée, par ici.

Elle eut un large sourire et reprit :

— Mais attendez de voir Bolinas. C'est encore moins civilisé qu'ici, on a l'impression de vivre hors du temps.

Leslie appréciait la simplicité du coin. Ce n'était pas un lieu touristique, on avait l'impression de se trouver à des milliers de kilomètres de toute ville. Tandis qu'ils avançaient sur cette route que ne signalait aucun panneau, il se sentait bien, apaisé. C'était comme s'il suffisait d'être ici pour laisser ses soucis derrière soi.

Dix minutes plus tard, Coco tourna encore et ils montèrent une côte qui les mena jusqu'à un petit plateau, où il découvrit des maisons qui ressemblaient à de vieilles fermes, de vieux arbres immenses et une minuscule église.

— Voici la ville, annonça Coco avant d'éclater de rire. Le terme est peut-être un peu exagéré, puisqu'elle est encore plus petite que Stinson Beach. C'est encore plus rural, mais cela tient les touristes à distance. C'est dur à trouver et dur d'y rester.

Ils passèrent devant un restaurant qui semblait sur le point de s'effondrer, une épicerie, un bazar et un ancien magasin de vêtements, dont l'enseigne représentait une robe en coton aux couleurs bigarrées. Leslie regardait autour de lui, un large sourire aux lèvres.

— C'est ça ? plaisanta-t-il.

Ces boutiques appartenaient à un autre temps, mais toutes avaient du charme. De vieux arbres, gros et solides, plantés sur une petite hauteur, dominaient l'océan. On se serait cru davantage à la campagne qu'au bord de la mer.

— C'est ça, confirma Coco. Si vous voulez de l'encens ou une pipe à eau, c'est ici que vous devez venir, ajouta-t-elle en désignant le bazar.

— Je crois pouvoir m'en passer aujourd'hui, répliqua-t-il en riant.

Coco dépassa la rangée de commerces et amorça la descente. La route était maintenant bordée de boîtes aux lettres vétustes et de palissades qui cédaient parfois la place à des portails en fer forgé.

— Il y a quelques très belles maisons, dans le coin, expliqua Coco, mais elles sont construites en retrait et bien cachées. La plupart ne sont que des maisonnettes ou de vieilles bicoques qui appartiennent à des surfeurs. Autrefois, de nombreux hippies vivaient dans des bus scolaires tout cabossés, près de la plage. Aujourd'hui, c'est un peu plus bourgeois, mais pas beaucoup plus.

Le visage de la jeune femme était serein. Elle était heureuse de rentrer chez elle.

Elle gara la voiture devant sa petite maison et fit sortir les chiens qui franchirent avec eux la barrière en bois abîmée par les intempéries. C'était Ian qui l'avait fabriquée. Après avoir fait tourner la clé, elle ouvrit la porte et entra, suivie de Leslie, qui avançait en regardant autour de lui. Les fenêtres du séjour donnaient sur l'océan, mais elles étaient vieilles et beaucoup plus petites que les immenses baies vitrées de Jane. Rien, ici, n'était ostentatoire. C'était juste un endroit douillet où il faisait bon vivre. Leslie avait le sentiment de pénétrer dans une maison de poupée. Des livres étaient empilés sur le sol, de vieux magazines sur la table. Dans un coin, une aquarelle était posée sur un chevalet, un rideau était en partie décroché. Mais malgré cette sympathique pagaille de célibataire, la pièce restait accueillante et chaleureuse. Apparemment, Coco faisait chaque soir du feu dans la cheminée.

— Ce n'est pas grand-chose, mais je m'y plais, constata-t-elle, le visage illuminé de bonheur.

Quelques aquarelles étaient accrochées aux murs, des photos d'elle et de Ian étaient posées sur le manteau de la cheminée et sur les étagères débordantes de livres. La cuisine, que ne fermait aucune porte, était un peu en désordre, mais propre. Le séjour donnait sur la chambre de Coco. Un gros édredon confortable et un dessus-de-lit en patchwork aux couleurs fanées, acheté dans un vide-grenier, recouvraient le lit.

— C'est merveilleux ! s'exclama Leslie, les yeux brillants. Ce n'est pas une cabane, c'est un véritable chez-soi !

Cette maisonnette était mille fois plus chaleureuse que l'élégante demeure de sa sœur, et il comprenait facilement pourquoi Coco la lui préférait. Sur une photo, Ian et Coco, vêtus de leurs combinaisons de plongée, se tenaient sur le bateau du jeune homme. Leslie jeta un coup d'œil à leurs visages souriants, avant de la suivre sur la terrasse. Elle jouissait d'une vue extraordinaire sur l'océan. Au loin, on pouvait voir les immeubles de San Francisco, qui se dessinaient à l'horizon.

— Si j'habitais ici, je ne pourrais plus jamais repartir, assura-t-il avec sincérité.

— Je ne quitte ma maison que pour aller travailler.

Des années-lumière séparaient cet endroit de la magnifique demeure de Bel-Air où elle avait passé son enfance. Mais aujourd'hui, elle ne voulait rien d'autre. Elle n'eut pas besoin de le lui expliquer, car Leslie la comprenait. Il avait le sentiment qu'elle venait de lui dévoiler son jardin secret. Etre dans cette maison, c'était comme plonger dans son âme.

— Merci de m'avoir amené ici, murmura-t-il. Je suis touché.

A cet instant, les chiens firent irruption dans la pièce, leur pelage déjà recouvert de sable. Une branche feuillue était accrochée au collier de Jack. Le gros chien semblait ravi d'être là, tout comme Sallie. Coco leva les yeux vers Leslie.

— C'est à moi de vous remercier de si bien comprendre ce que cet endroit signifie pour moi. Ma sœur et ma mère m'ont prise pour une folle quand je m'y suis installée. Mon choix est difficile à expliquer à des personnes comme elles.

Aurait-elle continué d'habiter là si Ian était resté en vie ? Ou se trouverait-elle dans un endroit semblable, en Australie ? Leslie avait tendance à répondre par l'affirmative. Coco essayait désespérément d'oublier ses origines, les valeurs avec lesquelles elle se sentait en porte-à-faux et les pièges du monde. Cette maison était le contraire de tout ce qu'elle avait toujours rejeté : le mensonge, les biens matériels, la compétition, la carrière.

— Voulez-vous du thé ? lui proposa-t-elle lorsqu'il s'assit sur l'un des deux transats élimés.

— Très volontiers.

Il remarqua alors la vieille statue de Quan Yin, offerte par Ian.

— La déesse de la Compassion, remarqua-t-il très bas en prenant la tasse qu'elle lui tendait. Elle vous ressemble, Coco. Vous êtes quelqu'un de gentil, je dirais même de très gentil. J'ai vu les photos de votre ami. Lui aussi devait être quelqu'un de bien.

Ian était un beau et grand jeune homme blond. En observant ce couple qui semblait insouciant et heureux, il s'était surpris à les envier. Il n'avait jamais connu ce qu'ils avaient partagé.

Coco contempla un instant la mer, avant de tourner un visage souriant vers Leslie.

— C'était quelqu'un de bien, en effet. Tout ce que je désire est ici. L'océan, la plage, une vie paisible et tranquille, cette terrasse d'où je regarde le lever du soleil chaque matin, et un feu dans la cheminée le soir. Mes chiens, des livres, des voisins avec qui je m'entends bien. Je n'ai pas besoin de plus. Peut-être, un jour, voudrai-je quelque chose de différent, mais pas maintenant.

— Pensez-vous que vous retournerez jamais dans le monde où vous viviez autrefois ?

— J'espère que non, assura-t-elle fermement. Pour-quoi le ferais-je ? Rien de tout cela n'a jamais eu de sens pour moi, même quand j'étais enfant.

Fermant les yeux, Coco tourna son visage vers le soleil. Leslie en profita pour l'observer plus attentive-ment. Ses cheveux brillaient comme du cuivre. Les deux chiens s'étaient endormis à leurs pieds. Il comprenait que l'on puisse facilement s'habituer à une telle exis-tence, sans complication ni artifice. Mais solitaire, aussi. Cependant, la vie qu'il menait n'était guère meilleure, à fuir une femme qui avait tenté de le tuer. Sans aucun doute, celle de Coco avait davantage de sens. Leslie appréciait tout ce qu'il voyait, mais il n'était pas certain qu'il aurait pu s'installer ici. Bien qu'elle eût treize ans de moins que lui, Coco paraissait s'être trouvée, alors que lui se cherchait encore, même s'il était plus proche du but qu'il ne l'avait jamais été. Au moins savait-il maintenant ce qu'il ne voulait pas. Et cela aussi, Coco l'avait découvert avant lui.

— Je dois admettre...

Il émit un petit rire quand Coco ouvrit les yeux pour le regarder. Tout en elle était équilibré, solide et paisible. La regarder était comme de boire un grand verre d'eau pure, puisée à la source d'une montagne.

— ... que je n'imagine pas votre sœur ici, termina-t-il.

— Elle déteste cet endroit, répondit Coco en riant. Lizzie l'apprécie davantage, mais ce n'est pas leur truc. Ce sont des citadines. Pour Jane, San Francisco est un village. Je crois qu'elles préfèrent toutes les deux Los Angeles, mais elles aiment leur maison. Lizzie prétend qu'elle y écrit mieux. Les distractions sont moins nombreuses.

Leslie souriait encore.

— Je me rappelle que lorsque j'ai rencontré Jane, j'ai pensé qu'elle était la plus belle femme que j'avais jamais vue. Elle devait avoir dans les vingt-cinq ans et

77

c'était véritablement une bombe. Elle l'est encore, d'ailleurs. J'ai été amoureux d'elle pendant des années. Je l'invitais sans cesse à sortir, mais elle continuait à me traiter en copain. Je ne comprenais pas en quoi je lui déplaisais. Et puis un soir, après le dîner, j'ai osé l'embrasser. Elle m'a fixé comme si j'étais devenu fou, avant de m'apprendre qu'elle était homosexuelle. Elle a ajouté qu'elle avait tout fait pour que je comprenne, portant même des vêtements d'homme de temps en temps, quand nous sortions. Mais moi, je trouvais seulement que ses tenues étaient excentriques et très sexy. Je me suis senti très bête, mais ensuite, nous sommes devenus les meilleurs amis du monde. Et j'aime beaucoup Liz. Elles sont faites l'une pour l'autre. Grâce à Lizzie, Jane s'est considérablement adoucie, ces dernières années.

— C'est vrai, observa Coco. Mais elle est encore très dure, en tout cas avec moi. Je ne suis jamais à la hauteur de ses espérances et je crois que je ne le serai jamais.

La solution était de ne plus essayer, mais Coco savait qu'elle n'en était pas encore là. Elle s'efforçait toujours de mériter l'approbation de sa sœur, même si elle continuait de vivre à Bolinas.

— Elle souhaite sans doute ce qu'il y a de mieux pour vous, et elle s'inquiète, suggéra Leslie.

Ils burent tranquillement leur thé. Coco était heureuse d'être assise près de lui, à regarder l'océan tout en parlant de la vie.

— Peut-être, mais tout le monde ne peut pas lui ressembler. Je n'ai aucune envie d'essayer. Ma mère ne le comprend pas. Je suis seulement différente et je l'ai toujours été.

— Et c'est bien comme cela.

— Je le crois aussi, mais cela effraie la plupart des gens. Ils pensent qu'ils doivent se fondre dans la masse, accepter des vies et des valeurs qui ne leur conviennent pas. Les leurs ne m'ont jamais convenu, même quand j'étais petite.

— Je constate la même chose chez Chloé, remarqua-t-il pensivement. Elle ne veut pas être actrice, comme moi ou sa mère. Son rêve est de conduire un camion. C'est sans doute sa façon à elle de s'affirmer. C'est quelque chose qu'on doit respecter.

— Mes parents ne l'ont jamais fait. Ils ont ignoré ma différence, espérant sans doute qu'elle disparaîtrait avec le temps. Chloé a beaucoup de chance que vous respectiez déjà qui elle est, à six ans. Ma mère aurait voulu que nous allions au bal des débutantes. Mais Jane venait de dévoiler son homosexualité et elle militait activement pour défendre les droits des lesbiennes. Ma mère a renoncé, craignant sans doute que Jane ne se présente en smoking, et non en robe. Onze ans plus tard, elle a été bien moins compréhensive avec moi. J'ai eu beau lui dire que je préférais mourir plutôt que de faire mes débuts dans le monde, que je trouvais qu'il s'agissait d'une manifestation d'un autre siècle, dont le seul but était de dénicher un mari, elle n'a rien voulu entendre. Alors je suis partie en Afrique du Sud et j'ai aidé à la construction d'égouts dans un village. Je me suis bien plus amusée que si j'avais dansé le quadrille. Ma mère ne m'a plus adressé la parole pendant six mois. Mon père s'est montré plus compréhensif, mais il ne l'aurait pas été s'il avait vécu quand j'ai laissé tomber mes études de droit. Sans doute avaient-ils tous les deux des rêves, pour nous. Jane ne correspondait pas exactement à ce qu'ils attendaient, mais ils ont fermé les yeux en raison de sa réussite. Pour eux, cela a toujours été le critère le plus important. Je ne suis jamais rentrée là-dedans et je ne le ferai jamais.

Leslie ne put s'empêcher d'admirer cette certitude.

— Votre mère et votre sœur finiront par s'y habituer, affirma-t-il.

Mais il n'en était pas si sûr. Coco n'était pas du genre à se soumettre aux attentes des autres, si elle estimait que ce n'était pas justifié. Elle restait fidèle à elle-même et à tout ce en quoi elle croyait, quel que soit le prix à payer. Cet aspect de sa personnalité l'impressionnait beaucoup.

— J'aime beaucoup l'aquarelle qui est posée sur le chevalet, lui dit-il. C'est un paysage très paisible.

— Je ne peins plus souvent. En général, j'offre mes tableaux à mes amis. C'est avant tout un loisir et une détente.

Il devinait qu'elle avait de nombreux talents, bien qu'elle n'ait pas encore découvert sa vocation. D'une certaine façon, il l'enviait de poursuivre sa quête. Lui était parfois fatigué du métier d'acteur et de toute la folie qui l'entourait.

Plongés dans leurs propres pensées, ils restèrent silencieux un long moment. Leslie finit par s'endormir, pendant que Coco lavait les tasses et fourrait quelques affaires dans un sac. Lorsqu'elle revint sur la terrasse, il se réveilla.

— Est-ce que les gens viennent nager par ici ? demanda-t-il d'une voix ensommeillée.

Elle lui sourit.

— Cela arrive, mais il y a parfois des requins et cela en fait hésiter plus d'un. Par ailleurs, l'eau est glacée. Il est préférable d'y aller en combinaison. J'en ai une à votre taille, si vous voulez.

Bien que plus large d'épaules et plus athlétique, Ian était à peu près de la même taille que Leslie. Elle avait rangé tout son matériel de plongée dans le garage. Elle avait bien pensé le donner, mais elle ne l'avait jamais fait. De savoir ses affaires là lui donnait l'impression d'être moins seule, comme s'il n'était pas tout à fait parti et pouvait revenir pour les utiliser.

— Qu'il y ait « parfois » des requins est suffisant pour moi, répondit-il avec un petit rire. Je reconnais que je suis très peureux. Un jour, pour une scène, je devais plonger et me retrouver face à un requin. Il était dressé et on lui avait administré des tranquillisants. Mais j'ai fait appel à ma doublure.

— Je ne suis pas très courageuse non plus, avoua-t-elle avec timidité.

— Vous n'êtes pas sérieuse ! protesta-t-il. Je vous trouve très forte, au contraire. Vous vous êtes élevée contre votre famille, vous avez bousculé le système. Et malgré toute la pression qu'on a exercée sur vous, vous avez fait ce qui vous semblait juste, ce en quoi vous croyiez. Et lorsque vous avez perdu l'homme que vous aimiez, vous ne vous êtes pas apitoyée sur votre sort, vous avez poursuivi votre route. Vous habitez ici et vous n'avez pas peur de vous retrouver seule. Vous avez créé votre petite entreprise et elle vous permet de subvenir à vos besoins, même si votre mère et votre sœur méprisent ce que vous faites. Tout cela exige du courage. Il en faut beaucoup, pour affirmer sa différence, Coco. Et je vous admire de le faire avec autant de simplicité.

Tous ces compliments allèrent droit au cœur de la jeune femme. Leslie l'acceptait telle qu'elle était. Il ne lui disait pas que tout ce qu'elle faisait était mal. Au lieu de cela, il approuvait les décisions qu'elle avait prises et la vie qu'elle avait choisie.

— Merci, lui dit-elle avec un grand sourire. Moi aussi, j'ai beaucoup d'admiration pour vous, Leslie. Vous n'avez pas peur de reconnaître que vous avez commis des erreurs. Et vous êtes très modeste par rapport à ce que vous êtes, à ce que vous faites et au monde dans lequel vous vivez. Vous pourriez être prétentieux, imbu de vous-même, et vous avez réussi à rester vrai, en dépit de tout cela.

— Dans le cas contraire, ma famille me renierait, avoua-t-il franchement. Peut-être est-ce ce qui m'oblige à rester moi-même. Ce n'est pas parce que vous êtes une star de cinéma et que vous êtes entouré de gens qui font vos quatre volontés, que vous devez oublier qui vous êtes. Dans mon métier, on est parfois gêné de voir combien les gens peuvent se comporter de façon stupide. Il y en a beaucoup dans ce cas et cela m'agace au plus haut point. Quand je me regarde, j'ai tendance à ne voir que mes erreurs, pas ce que j'ai fait de bien, et cela m'évite de me prendre trop au sérieux.

Il la fixa gravement, avant de continuer :

— Vous m'impressionnez, parce que vous me paraissez très sûre de vous.

Ils se mirent à rire.

— Ce n'est pourtant pas la réalité, mais je suis extrêmement têtue. J'essaie toujours d'être en accord avec moi-même. Je sais comment et pourquoi je suis ici. En revanche, j'ignore où je voudrais aller si je quittais cet endroit. D'ailleurs, il est possible que je n'aie jamais envie d'en partir. On verra bien.

— Vous avez tout l'avenir devant vous et les choix ne manquent pas. Toutes les portes vous sont ouvertes.

— J'aime celles que j'ai déjà ouvertes, mais je me demande lesquelles j'ai envie de pousser maintenant.

— On se pose tous cette question et l'on s'imagine toujours que les autres ont les réponses, mais ils font semblant. Ils n'en savent pas davantage que nous, et souvent ils n'essaient pas d'évoluer. C'est la voie de la facilité. Je trouve beaucoup plus excitant de vouloir aller de l'avant, même si cela peut se révéler risqué et faire peur.

Il s'exprimait avec simplicité, n'hésitant pas à lui exposer ses craintes et ses doutes.

— Vous avez raison. Mais parlons de vous... Qu'allez-vous faire, maintenant ? Trouver un appartement et retourner à Los Angeles ?

Et tout recommencer ? Repartir à la conquête d'un nouvel amour ? Bien qu'elle s'abstînt de poser la question, tous deux l'avaient à l'esprit. Coco se demandait combien de fois on pouvait redémarrer, aller à la rencontre des gens, choisir quelqu'un parmi d'autres, tenter sa chance, s'engager, pour finalement être déçu et rompre. Cela devait finir par user. Pour elle, c'était différent, car après ses deux merveilleuses années avec Ian, elle ne cherchait rien ni personne. Peut-être était-ce parce que son entente avec Ian avait été parfaite. Mais quand on faisait le mauvais choix, où trouvait-on la force de recommencer ? Elle se demandait combien d'histoires d'amour Leslie avait vécues et combien s'étaient soldées par des échecs. A quarante et un ans, il devait avoir un palmarès impressionnant. C'était d'ailleurs ce à quoi il pensait quand elle lui avait posé cette question.

— Je vais rapidement trouver quelque chose, dit-il. De toute façon, dans six mois, je récupérerai ma maison et, dans quatre, je commencerai un nouveau film. En attendant, je pourrai toujours aller à l'hôtel, mais c'est un peu impersonnel à mon goût et mon ex risque de me retrouver très rapidement, du moins si elle continue à me chercher. Heureusement, je suis certain qu'elle aura vite une autre victime à torturer. Elle n'est pas du genre à demeurer longtemps sans homme. Pour ce qui me concerne, je crois que je vais faire un break. J'ai besoin de réfléchir. Je n'arrive pas à comprendre comment j'ai pu faire une telle erreur, me tromper à ce point sur quelqu'un.

Tout en parlant, il frottait inconsciemment sa joue meurtrie. Pour éviter que son ex ne le poursuive, il avait laissé son téléphone portable chez Jane. Il ne voulait plus jamais avoir affaire à elle, tout en sachant que, dans leur monde, leurs chemins se croiseraient inévitablement. Mais, pour l'instant, il préférait ne pas y penser.

— Je crois que je vais rester seul, en tout cas pendant quelque temps. Je suis fatigué de ces liaisons éphémères qui se terminent en catastrophe. C'est bien cinq minutes, mais ensuite, vous mettez un temps fou à réparer les dégâts.

Son ex-petite amie lui avait dit dans un SMS qu'elle allait jeter tout ce qu'il avait laissé chez elle. Et dans un message suivant, qu'elle avait mis sa menace à exécution. Cela ne le gênait pas de devoir remplacer toute sa garde-robe, mais ce comportement n'en restait pas moins extrêmement agaçant et blessant. Il se mit à rire, car une autre pensée lui était venue à l'esprit.

— D'une certaine façon, je suis un sans-abri. C'est une expérience inédite, pour moi. D'habitude, je ne vis pas avec mes copines, et encore moins chez elles. J'ai été un peu trop confiant, cette fois-ci. Au début, elle a extrêmement bien caché son jeu. Elle s'est révélée bien meilleure actrice que je ne le pensais. Elle devrait remporter un oscar, rien que pour les trois mois que nous avons passés ensemble. C'est une sacrée leçon, à quarante et un ans. Je suppose qu'on peut faire preuve de stupidité à tout âge.

— Je suis désolée que cela se soit terminé ainsi, compatit Coco gentiment.

Elle n'avait jamais connu une telle expérience et elle espérait que cela ne lui arriverait jamais. Leslie était une cible idéale. A Hollywood, ce qui venait de lui arriver était banal. Son père lui racontait souvent ce genre d'histoire vécue par ses clients. Cela allait de la simple rupture à la tentative de suicide, en passant par l'agression, l'escroquerie et les tromperies. Elle s'était toujours tenue éloignée de ce monde d'apparences et de faux-semblants. Ce type de problèmes se produisait aussi chez les gens ordinaires, mais ils ne faisaient pas la une des journaux. Les amours des stars étaient en général éphémères. Elle n'enviait pas Leslie. Et même s'il n'avait à s'en prendre qu'à lui-même, ce devait être déstabilisant. Sans compter que cela aurait pu se terminer plus gravement qu'une joue meurtrie.

— J'en suis désolé, moi aussi, répondit-il. Et surtout d'avoir été aussi bête. Mais je suis plus peiné pour vous qui avez perdu votre ami. Sur les photos, vous aviez l'air heureuse avec lui.

— Je l'étais. Mais on ne peut pas lutter contre le destin.

C'était une vision de la vie réaliste et Leslie n'en admira Coco que davantage. Il ne lui avait encore découvert aucun défaut et il était enchanté de l'avoir rencontrée en trouvant refuge chez Jane. S'il n'avait pas eu à se cacher de son ex, il ne l'aurait sans doute jamais connue ; Jane ne parlait jamais de sa sœur et elles ne vivaient pas dans le même monde. Aux yeux de Leslie, Coco ressemblait à une colombe égarée dans une famille d'aigles. Il imaginait à quel point il avait dû être difficile pour elle de grandir parmi eux. Mais elle semblait en être sortie indemne. Visiblement, elle n'en ressentait aucune amertume. Et elle paraissait s'en libérer chaque jour davantage. C'était l'impression qu'elle lui donnait, même si elle avait accepté le service que Jane lui demandait.

Ils passèrent la plus grande partie de l'après-midi sur la terrasse. Leslie fit la sieste, pendant que Coco lisait. Ensuite ils préparèrent des sandwiches avec ce qui restait dans le réfrigérateur, pour que rien ne se perde. Sur le chemin du retour, Coco s'arrêta à Stinson, et ils se baladèrent sur la plage de sable blanc, qui s'étendait sur des kilomètres. Des oiseaux se regroupaient sur les vagues, des mouettes planaient au-dessus de leurs têtes. Tandis qu'ils se promenaient, Coco ramassa des petits galets qu'elle fourra dans ses poches comme elle le faisait toujours, puis ils s'assirent pour contempler l'océan. Ils pouvaient voir Bolinas juste en face d'eux, de l'autre côté de l'étroit banc de mer. Ils regagnèrent ensuite la camionnette, les chiens courant loin devant, avant de revenir vers eux. Par deux fois, des chevaux les dépassèrent. Quand Leslie s'étonna qu'il y ait si peu de monde sur la plage, Coco lui expliqua qu'il en était toujours ainsi, sauf lorsqu'il faisait très chaud. La plupart du temps, ils n'étaient que quelques-uns à profiter de cette grande étendue de sable. C'était un lieu de détente idéal et quand la camionnette longea de nouveau la côte en sens inverse, Leslie eut l'impression d'avoir pris une semaine de vacances. Le soleil se couchait.

Sur la route du retour, Leslie fut aussi impressionné qu'à l'aller par la façon dont Coco négociait les virages en épingle à cheveux. Elle parvenait même à éviter les nids-de-poule et tous les trous de la chaussée, qui était en mauvais état, ce qui dissuadait nombre de gens de l'emprunter.

— Je vous approuve entièrement, s'exclama Leslie.

— Qu'est-ce que vous approuvez ?

A l'arrière, les chiens dormaient, épuisés par leur longue course sur la plage. De la banquette arrière, les deux bêtes produisaient une sorte de ronronnement régulier.

— Je vous approuve de vivre ici, précisa-t-il, au cas où vous auriez besoin qu'on vous le dise. En fait, je vous envie.

C'était en effet agréable à entendre, songea-t-elle en souriant.

— Merci.

Elle appréciait qu'il ait goûté la beauté de ce qu'elle lui avait montré, ainsi que son mode d'existence. Il ne la considérait pas comme une hippie ou une ratée et n'avait pas dénigré sa maison. Il n'avait vu que la chaleur et l'authenticité qu'elle dégageait et avait été séduit. Peu à peu, il la découvrait et comprenait à quel point elle était différente de Jane. C'était ce que sa famille avait du mal à accepter. Sa mère et sa sœur étaient semblables, mais pas elle. C'était d'ailleurs cette particularité qui plaisait tant à Leslie.

Ils traversèrent Mill Valley sans se presser, puis traversèrent le pont du Golden Gate. Ensuite, Coco s'engagea sur la bretelle qui menait à Pacific Heights. Elle demanda à Leslie s'il voulait qu'elle s'arrête quelque part pour acheter de quoi dîner, mais il n'avait pas vraiment faim. Il se sentait particulièrement détendu après cette journée au grand air. Il avait même somnolé dans la voiture, pendant que Coco conduisait en silence. Elle n'était plus impressionnée comme au début par la célébrité de Leslie. Lorsqu'elle avait fait sa connaissance, elle avait eu un choc, mais maintenant elle se sentait parfaitement à l'aise avec lui. Il en allait de même pour lui et il le lui avait dit, pendant qu'ils se promenaient sur la plage. D'ordinaire, lui avait-il confié, il se protégeait des gens qu'il ne connaissait pas. Mais ce n'était pas le cas avec elle. En l'espace de deux jours, ils étaient devenus amis.

— Vous seriez d'accord pour que je fasse une omelette ? demanda-t-il. Sans me vanter, je les réussis plutôt bien. Pendant ce temps, vous pourriez préparer une de vos délicieuses salades.

— Je ne suis pas une très bonne cuisinière, avoua-t-elle en riant. Je me nourris exclusivement de salades et parfois de poisson.

— Cela se voit.

C'était un compliment. Coco donnait l'impression d'être en bonne santé ; elle était mince et svelte. En dépit de ses tee-shirts sans forme, il se rendait compte qu'elle avait une silhouette de rêve. Tout comme sa sœur, d'ailleurs. Pour se maintenir en forme, Leslie passait plusieurs heures par jour dans un club de gym. Et il devait s'entraîner de façon intensive avec son coach personnel avant chaque film. C'était la rançon du succès et, jusqu'à maintenant, tout allait bien de ce côté. Il ne paraissait pas son âge et avait conservé la ligne, mais ce n'était pas facile. Son penchant pour les glaces était une véritable malédiction.

— D'accord pour une omelette, répondit-elle.

La camionnette peinait à monter Divisadero et ils parvinrent avec difficulté en haut de la côte. Ils arrivèrent enfin à destination et, lorsqu'ils s'arrêtèrent, les chiens dormaient profondément.

— Tout le monde dehors ! cria Coco pour les réveiller.

Leslie se chargea du sac contenant ce qu'ils avaient pris dans le réfrigérateur, tandis qu'elle portait un grand panier plein de vêtements propres, qui semblaient identiques à ceux qu'elle avait déjà chez Jane. Elle s'habillait toujours de la même façon, d'un jean et d'un tee-shirt. Son placard en était rempli et, depuis la mort de Ian, elle ne se souciait plus du tout de soigner son apparence. Il lui suffisait d'être vêtue proprement et d'avoir de bonnes chaussures pour travailler. Elle menait une existence simple, bien moins compliquée que celle de Leslie. Chaque fois qu'il se montrait en public, il devait arborer la tenue d'une star. Il avait dit à Coco qu'il devrait entièrement renouveler sa garde-robe, mais pour l'instant, c'était bien le cadet de ses soucis. Il se cachait et personne ne pouvait le voir. Cela le soulageait de ne pas avoir à s'en préoccuper et surtout de ne pas être harcelé par les paparazzis. Personne ne savait qu'il était à San Francisco, sauf Coco, sa sœur et la compagne de celle-ci. Pour tous, Leslie Baxter avait disparu. A ses yeux, cela représentait la liberté, et il en savourait chaque seconde. C'était si rare pour lui qu'il l'appréciait pleinement, conscient de toutes les facilités qu'elle lui offrait.

Pendant que Coco débranchait l'alarme, Leslie alluma les lumières. Après avoir abandonné son panier au pied de l'escalier, elle le suivit dans la cuisine, où il déposa les provisions. Les chiens leur tournaient autour, attendant leur dîner. La jeune femme les nourrit, puis elle mit la table en sortant de ravissants sets qui venaient de France, et la très belle argenterie de sa sœur. Pendant ce temps, Leslie s'occupa de l'omelette. Puis Coco prépara la salade. Une demi-heure plus tard, elle alluma les bougies et ils s'assirent pour dîner. Comme promis, l'omelette était délicieuse.

Pendant le repas, ils bavardèrent de tout et de rien. Les heures passées sur la plage leur avaient procuré autant de plaisir à l'un qu'à l'autre.

Tandis qu'ils en étaient au dessert et dégustaient des glaces, Leslie s'exclama que la journée avait été absolument fantastique.

— Vous voulez regarder un film ? proposa Coco.

— Je crois que je préférerais nager. J'ai testé l'eau de la piscine, hier. Elle est très chaude. A Los Angeles, je dois faire du sport tous les jours, mais ce soir, je m'en sens incapable !

Jane avait fait installer dans la maison une salle de gymnastique où elle s'entraînait chaque jour avec son coach. Coco ne s'en servait jamais, pas plus que Liz, qui se plaignait constamment d'avoir cinq kilos de trop mais ne faisait jamais rien pour s'en débarrasser. Jane était perfectionniste dans tous les domaines, y compris pour son apparence.

— Courir avec les chiens tous les jours me suffit, répondit Coco.

— Après avoir passé la journée devant l'océan, je m'offrirais bien quelques brasses, suggéra Leslie.

Coco ne put s'empêcher de sourire. De temps en temps, il lui rappelait Ian, qui utilisait le même genre d'expressions. Ces réminiscences l'emplissaient d'une joie mêlée de nostalgie.

— J'imagine qu'il n'y a pas de requins, dans la piscine ? reprit-il.

— Pas ces derniers temps, le rassura Coco.

— Vous m'accompagnez ? demanda-t-il.

D'ordinaire, elle n'allait jamais dans la piscine de sa sœur, mais avec lui cela devenait amusant.

— D'accord !

Ils gagnèrent leurs chambres et, cinq minutes plus tard, ils se retrouvèrent devant la piscine qui était couverte, en raison de la température souvent fraîche à San Francisco.

Ils nagèrent ensemble pendant presque une heure. Coco fit plusieurs longueurs sous l'œil admiratif de Leslie qui, pour ne pas être en reste, essaya d'en faire autant. Il dut déclarer forfait bien avant elle, mais elle était plus jeune et en meilleure forme physique.

— Seigneur ! Vous avez l'endurance d'une nageuse de compétition ! s'écria-t-il.

— A Princeton, j'étais capitaine de l'équipe féminine de natation, avoua-t-elle.

— J'ai fait de l'aviron, autrefois, mais si j'essayais aujourd'hui, cela me tuerait.

— En seconde année, j'en ai fait aussi, mais je détestais ça. Je préférais la natation.

Ils sortirent de l'eau, fatigués et détendus. Il portait un maillot bleu et elle, un bikini noir tout simple qui mettait sa silhouette en valeur. Mais elle ne faisait rien pour le séduire. Elle n'essayait pas de flirter avec lui, et d'autant moins qu'elle commençait à apprécier leur amitié.

Ils enfilèrent les peignoirs en éponge que Jane laissait toujours près de la piscine, puis retournèrent dans leurs chambres pour prendre une douche. Un peu plus tard, Leslie, toujours en peignoir, frappa à la porte de Coco. La jeune femme était en pyjama et elle venait de mettre un DVD dans le lecteur, mais elle avait pris soin de ne pas choisir l'un de ses films, pour ne pas l'embarrasser, puisqu'il lui avait confié la veille qu'il n'aimait pas se voir à l'écran.

— J'allais regarder une bonne vieille comédie que j'adore. Ça vous intéresse ?

Quand elle lui donna le titre du film, Leslie lui confia ne l'avoir jamais vu et avoir envie de le découvrir. Elle l'invita alors à venir s'installer sur le lit à son côté. Les deux chiens dormaient par terre, épuisés par la journée. Cela rassurait Leslie car lorsqu'ils bondissaient dans tous les sens, il se sentait toujours un peu nerveux. Le gros bullmastiff l'impressionnait tout particulièrement, même si Coco prétendait qu'il était très gentil.

Pendant que Leslie s'adossait confortablement aux oreillers, Coco alla chercher un bol de pop-corn. Elle revint rapidement, le sourire aux lèvres. Mais, à peine assise, son téléphone portable se mit à sonner. C'était Jane. Coco lui assura que tout allait bien, que Jack était en bonne santé et qu'elle n'ennuyait pas Leslie. Ce dernier comprit soudain que Jane interrogeait sa sœur à son sujet. Le fait que Coco ne lui parle pas de leur petite escapade à Bolinas l'intrigua, tout comme elle ne précisa pas non plus qu'ils étaient confortablement installés sur son lit, prêts à regarder un film. Il eut l'impression qu'il s'agissait davantage d'un interrogatoire que d'une conversation. Entre les deux sœurs, il n'y eut aucune parole chaleureuse, aucune confidence. Coco répéta le mot « oui » au moins six fois, répondant visiblement à des instructions. Lorsqu'elle raccrocha, elle jeta un coup d'œil à Leslie.

— Elle voulait savoir si je ne vous ennuyais pas. Dites-le-moi, si c'est le cas, ajouta-t-elle timidement.

Pour toute réponse, Leslie se pencha et déposa un petit baiser sur sa joue.

— Je n'ai pas passé de moments aussi agréables depuis des années. Et c'est grâce à vous. Si quelqu'un est importun, c'est moi, qui vous envahis. Et je suis ravi de voir ce film. Ça me change des films d'action que j'ai l'habitude de regarder et ça m'amuse de découvrir ces deux imbéciles qui accumulent les gaffes et tombent amoureux. Est-ce qu'ils finissent par être ensemble ?

— Je ne vous le dirai pas. Attendez et vous verrez.

Elle éteignit la lumière. Grâce à l'écran géant, c'était comme s'ils étaient au cinéma... La situation idéale pour regarder un film.

La fin fut telle qu'ils la rêvaient. Bien entendu, Coco la connaissait déjà, mais elle ne s'en lassait pas. Elle aimait les happy ends. C'était rassurant et c'était ce qu'elle préférait.

— Pourquoi n'est-ce jamais ainsi, dans la vraie vie ? soupira Leslie en se laissant aller contre les oreillers. Cela semble tellement facile ! Les problèmes disparaissent vite quand chacun fait ce qu'il doit faire, ne se comporte pas en imbécile, n'agit pas méchamment. Dans les films, les héros ne sont pas traumatisés par une enfance malheureuse. Ils se rencontrent, s'aiment et vivent heureux ensemble. Pourquoi est-ce si difficile à obtenir ? conclut-il avec mélancolie.

— Les gens sont souvent compliqués. Mais parfois cela peut arriver, puisque c'est ce que j'ai failli connaître. Et certains le vivent. Je crois qu'il faut savoir saisir l'occasion, rester attentif, ne pas se tromper sur la personne dont on tombe amoureux, être honnête envers elle et envers soi-même, et faire attention à l'autre.

— Ce n'est jamais aussi simple, répliqua tristement Leslie. Pas dans mon monde, en tout cas. La plupart des gens manquent d'honnêteté. Ils sont obsédés par le rapport de force et, dans un couple, si l'un des deux est plus fort, les deux sont vaincus.

Coco approuva d'un signe de tête.

— Certaines personnes restent attentives l'une à l'autre. Ian et moi étions ainsi et nous ne nous sommes fait que du bien.

— Vous étiez très jeunes et certainement faits l'un pour l'autre. Mais regardez ce qui est arrivé. Quand ce n'est pas nous qui gâchons tout, le destin s'en mêle.

— Pas toujours. Je connais de nombreux couples heureux, à Bolinas. Ils mènent des vies simples et je crois que cela fait partie du secret de la réussite. Dans votre monde, qui est aussi celui où j'ai grandi, les gens compliquent les choses. La plupart du temps, ils manquent d'honnêteté, en particulier vis-à-vis d'eux-mêmes.

— C'est ce qui me plaît en vous, Coco. Vous ne trichez pas, vous êtes sincère. Cela se voit sur votre visage, dans chacun de vos gestes.

— Vous aussi semblez sincère et droit.

— Je pense être honnête, mais je me trompe sur les personnes dont je tombe amoureux. C'est ce qui m'est arrivé avec cette femme que je suis maintenant obligé de fuir. Dès le début, j'ai senti que je commettais une erreur, mais j'ai refusé de l'admettre. J'ai fermé les yeux, mais il a bien fallu que je les rouvre. Et maintenant, voyez le gâchis ! Je suis obligé de me cacher dans une autre ville, pendant qu'elle jette toutes mes affaires.

La situation les fit sourire tous les deux. Leslie ne semblait d'ailleurs pas malheureux, dans sa cachette de San Francisco. En fait, il paraissait même détendu et heureux. Différent de l'homme anxieux et stressé qui était arrivé la veille. Cette journée à Bolinas lui avait fait énormément de bien, comme à Coco. La jeune femme avait été ravie de se retrouver chez elle, dans son univers, et avec lui. De son côté, il avait apprécié tout ce qu'elle lui avait fait découvrir.

— La prochaine fois, vous serez plus prudent, dit-elle doucement. Ne vous en veuillez pas. Vous avez tiré quelque chose de cette expérience.

— Qu'avez-vous appris, avec votre ami australien ?

— Que l'amour existe. Il faut juste le trouver ou qu'il vous trouve. Et ça marche.

— J'aimerais avoir votre confiance, répliqua-t-il en la fixant.

— Vous devriez regarder plus souvent des films sentimentaux, lui conseilla-t-elle sérieusement. C'est la meilleure médecine qui soit.

— Non, murmura-t-il sans la quitter du regard. J'en ai trouvé une meilleure.

— Laquelle ? demanda-t-elle innocemment.

— Vous. Vous êtes le meilleur remède qui soit, assura-t-il en l'attirant contre lui et en l'embrassant ardemment.

Elle fut si surprise qu'elle ne réagit pas, puis elle se retrouva en train de lui rendre son baiser avec la même passion, les bras noués autour de son cou. Ni l'un ni l'autre ne s'attendaient à ce que leur relation prenne cette tournure. Lorsqu'il l'avait vue en bikini, il avait été sous le charme, mais il s'était promis de ne pas lui faire la moindre avance. Il la respectait, l'appréciait et souhaitait seulement être son ami. Mais soudain, il voulait bien davantage et désirait la combler, lui apporter ce qu'elle méritait. Pour la première fois de sa vie, il se sentait vraiment bien. Peu importait qu'il n'ait fait sa connaissance que la veille. Il était en train de tomber fou amoureux d'elle.

Quand leurs lèvres se séparèrent, elle le regarda, étonnée. Leslie Baxter était au lit avec elle, il l'embrassait, mais ce n'était plus une star de cinéma. C'était simplement un homme, et leur attirance mutuelle était si forte qu'elle ne pouvait y résister.

Elle laissa échapper un léger cri de surprise et leurs lèvres s'unirent à nouveau. Et avant même qu'ils comprennent ce qui leur arrivait, leurs vêtements furent par terre et ils se retrouvèrent en train de faire passionnément l'amour. Tous deux étaient mus par un désir qui les dépassait. C'était la première fois depuis la mort de Ian que Coco s'abandonnait ainsi dans les bras d'un homme. Quant à Leslie, jamais il n'avait été aussi amoureux.

Un peu plus tard, lorsqu'ils roulèrent sur le côté épuisés et heureux, Coco se pencha sur lui.

— C'était incroyable, souffla-t-elle, rêvant déjà de recommencer.

Elle n'avait jamais rien connu de tel. Avec Ian, c'était doux, paisible, rassurant. Ce qu'elle venait de vivre avec

Leslie était fou et passionné. Elle avait l'impression qu'ils avaient été emportés par un raz de marée. Tout était sens dessus dessous. Ce qu'ils avaient partagé était si intense qu'elle s'était crue au septième ciel. Et il avait éprouvé la même chose.

— C'est un coup de foudre, ma Coco, murmura-t-il. Un vrai. Je n'ai jamais rien vécu de tel jusqu'à maintenant, mais c'est ce qui vient de se passer. Et c'est fabuleux.

Elle acquiesça d'un signe de tête. Elle ne savait pas encore si elle l'aimait vraiment, mais elle était amoureuse de lui.

— Et ensuite ? demanda-t-elle d'un air inquiet. Tu es une star de cinéma et tu retourneras bientôt dans ton monde. Et moi, je resterai à Bolinas, seule.

Il n'avait pas encore pensé à l'avenir. Tout s'était enchaîné à une telle vitesse qu'il n'y avait pas réfléchi. Elle, si. Il lui avait fallu trois mois pour coucher avec Ian... et deux jours pour coucher avec Leslie.

— Je ne me suis jamais conduite de cette façon, auparavant, dit-elle.

Une larme roula le long de sa joue. Elle était profondément bouleversée par ce qui venait de se passer, mais elle ne regrettait rien. Elle était seulement effrayée.

— Moi non plus... Je n'avais rien prémédité. J'ai eu l'impression d'un véritable cataclysme.

Il avait souvent fait l'amour dès le premier soir. Mais jamais il n'avait été aussi surpris qu'aujourd'hui. Il avait été saisi par un désir si violent et si subit qu'il n'avait pu y résister et ne comprenait toujours pas ce qui s'était produit. Mais c'était extraordinaire.

— Ne t'inquiète pas pour l'avenir. Notre histoire commence et j'espère qu'elle va ressembler à celle des films que tu aimes tant. Je suis peut-être un acteur célèbre, mais tu connais le monde dans lequel j'évolue. Je n'ai aucune envie de te perdre, au contraire. Apprenons à nous connaître. Je t'aime, ma chérie, conclut-il avec sincérité.

— Je connais ton monde, murmura-t-elle. Et je le déteste... sauf toi.

— Je le sais. Mais vivons d'abord le présent, dit-il sagement.

Cependant, elle craignait que leur histoire ne soit qu'une passade. Elle ne voulait pas s'attacher à lui et qu'il la quitte lorsqu'il repartirait à Los Angeles, ce qui arriverait tôt ou tard. Elle refusait qu'il ne soit qu'un rêve. Et s'il en était un, elle souhaitait qu'il se réalise. Elle voulait croire que c'était possible... Mais tout s'était enchaîné de façon si soudaine entre eux qu'elle n'avait plus de repères. Et lorsqu'elle songeait à qui il était, elle se sentait encore plus perdue.

— Est-ce que tu veux bien me promettre de ne pas trop t'inquiéter et de me faire confiance ? Je ne te ferai pas de mal, Coco. C'est la dernière chose que je voudrais t'infliger. Donne-nous une chance et voyons où tout cela nous mènera. Aie confiance.

Elle le regarda sans un mot, puis hocha la tête avant de se blottir dans ses bras. Il la serra contre lui pendant un long moment, et ils firent de nouveau l'amour. Et la tornade qui les avait emportés la première fois les balaya de nouveau.

5

En se réveillant le lendemain, Coco se demanda si elle avait rêvé ce qui s'était passé la nuit précédente. Elle était seule dans le lit, mais tandis qu'elle pensait à Leslie, il entra dans la chambre. Vêtu d'une simple serviette nouée autour des reins, il lui apportait son petit déjeuner sur un plateau, une rose du jardin entre les dents. Elle s'assit sur le lit et le fixa.

— Mon Dieu, tu es là pour de bon !

Elle avait toujours du mal à croire à son bonheur.

— Et nous n'étions même pas ivres ! s'exclama-t-elle.

— Ce serait une bien mauvaise excuse, s'insurgea-t-il en posant le plateau devant elle.

Il avait préparé un bol de céréales, un verre de jus d'orange et des toasts qu'il avait tartinés de beurre et de confiture.

— J'ai failli t'apporter du sirop d'érable, mais je me suis dit que Jane nous tuerait, si nous en répandions dans sa chambre.

Ils se mirent à rire au souvenir de leur première rencontre. Au grand soulagement de Coco, il n'était que 7 heures, ce qui lui laissait une heure à passer avec lui avant de partir travailler. Elle aurait voulu rester toute la journée au lit avec lui.

— Merci…

Elle était un peu gênée d'être servie dans sa chambre, et aussi par ce qui s'était passé entre eux pendant la nuit. Il le lut dans ses yeux.

— Je veux juste te rassurer, avant que tu ne t'alarmes inutilement. Nous ne savons ni l'un ni l'autre où nous allons, mais je sais ce que je veux et ce que j'espère. Je ne te connais que depuis deux jours, mais je ne pense pas me tromper à ton sujet. Je ne veux pas te faire de mal. Je ne suis ni un menteur ni un tricheur. Je peux être stupide, mais je ne suis pas un salaud. Je n'ai pas envie de te séduire pour t'abandonner dans quelque temps. Je ne veux pas que tu croies que tu ne seras qu'une pièce de plus que j'ajouterai à ma collection. Je suis amoureux de toi, Coco. Je sais que cela peut sembler fou, au bout de deux jours, mais cela arrive parfois. Je n'ai jamais rien ressenti de tel auparavant, ni éprouvé une telle certitude. Je crois que je veux passer toute ma vie avec toi, même si cela me semble aussi fou qu'à toi. J'ai envie de vivre avec toi, de faire de notre histoire le plus beau des films. Tu crois qu'on peut y arriver ? lui demanda-t-il en lui tendant la main.

Elle posa lentement sa main dans la sienne et il se pencha pour l'embrasser.

— Je t'aime, Coco, et je me moque pas mal que tu sois une hippie, que tu promènes des chiens et que tes parents soient célèbres. Je t'aime *toi* et tout ce que tu es. Et j'espère que tu m'aimeras, conclut-il en s'asseyant près d'elle, sur le lit.

Elle tourna vers lui le même regard étonné que la veille.

— C'est déjà le cas, Leslie. Et cela n'a rien à voir avec le fait que tu sois une star de cinéma. Mais cela, tu le sais déjà.

Ils partagèrent les toasts et prirent leur douche ensemble. Puis elle partit travailler, après avoir promis à Leslie d'être de retour pour le déjeuner. Pendant ce temps, il allait téléphoner à son agent, pour lui raconter ce qui s'était passé avec son ex et lui dire où il se trouvait. Il voulait aussi avertir son attaché de presse que Monica risquait de faire encore des siennes. Enfin, il devait contacter des agents immobiliers pour trouver un appartement jusqu'à ce que sa propre maison soit libérée. Il avait donc de quoi s'occuper jusqu'au retour de Coco. En plus, il voulait faire un tour en ville, et chercher un coin sympa où dîner. Il avait envie de faire la fête avec elle, ce soir-là. Il souriait en s'habillant. La vie était belle... surtout si Coco en faisait partie.

Tout en promenant les chiens de ses clients, Coco essayait d'y voir clair et n'y arrivait pas. Elle aimait tout ce que Leslie lui avait dit et tout ce qu'ils avaient fait. Mais elle avait du mal à croire que quelque chose d'aussi merveilleux puisse durer, surtout avec lui. Il était Leslie Baxter. Elle était consciente qu'il retournerait bientôt à Hollywood et que la presse à scandale relaterait ses moindres faits et gestes et exposerait leur histoire. Des actrices célèbres lui tourneraient autour. Et où serait-elle, pendant ce temps-là ? A Bolinas, attendant son retour ? Car elle était certaine de ne jamais retourner vivre à Los Angeles. Même pour lui. Elle ramena les derniers chiens chez eux, se forçant à rester calme, en se rappelant les paroles de Leslie : chaque chose en son temps. C'était ce qu'ils pouvaient faire de mieux pour l'instant. Et comme il l'avait affirmé, ils trouveraient une solution le moment venu. Mais elle ne voulait pas perdre le second homme qu'elle aimait et, étant donné la situation, elle savait que le « happy end » ne serait pas si facile à atteindre.

Lorsqu'elle rentra, après avoir acheté des sandwiches pour eux deux, la femme de ménage venait de partir et Leslie était encore au téléphone. Il discutait avec un agent immobilier d'une maison située à Bel-Air et qui était disponible pendant six mois, car sa propriétaire, une actrice célèbre, tournait un film en Europe. En l'entendant, Coco eut l'air inquiète, mais Leslie raccrocha en riant.

— Pas de panique ! Elle en demande cinquante mille dollars par mois.

Il avait pensé à Coco toute la matinée et s'était demandé comment ils feraient pour rester ensemble lorsqu'il serait en tournage.

— Tu sais, continua-t-il, je pourrais peut-être m'arranger pour vivre ici.

Coco lui sourit. Elle avait encore du mal à croire à la réalité de ce qui s'était passé entre eux la nuit précédente. Mais lui s'en souvenait parfaitement. Il s'approcha d'elle, heureux et brûlant de désir. Oubliant les sandwiches, ils gagnèrent la chambre et firent l'amour jusqu'à ce qu'il soit l'heure pour elle de repartir travailler. Quitter Leslie lui fut difficile. Lorsqu'elle revint, à 16 heures, il était profondément endormi dans le lit de la jeune femme. Il lui avait confié que, pour l'instant, il restait avec elle à San Francisco. D'autant plus que Jane lui avait dit qu'il pouvait séjourner chez elle autant qu'il le voulait. Pour le moment, Coco et Leslie avaient décidé de ne rien lui dire. Ils préféraient conserver leur précieux secret.

Tard dans l'après-midi, Leslie reçut un appel de son agent. L'actrice qui le harcelait avait déclaré à la presse qu'elle l'avait quitté, précisant en termes à peine voilés qu'il était homosexuel. Leslie répondit que ce qu'elle disait n'avait aucune importance. Il était soulagé qu'elle affirme être à l'origine de leur rupture. Cela signifiait qu'elle allait arrêter de le poursuivre. Mais il se méfiait encore et préférait ne pas retourner tout de suite à Los Angeles.

Afin de préserver son anonymat, il avait demandé à Coco de réserver une table dans un restaurant tranquille. Elle avait choisi un petit établissement mexicain, où elle espérait que personne ne le reconnaîtrait.

Après avoir de nouveau fait l'amour, ils quittèrent la maison à 20 heures. Le restaurant plut à Leslie et personne ne s'intéressa à eux jusqu'à ce qu'il règle l'addition. La femme qui tenait la caisse n'avait pas cessé de le fixer durant toute la soirée. Il paya en espèces, mais en lui rendant la monnaie, elle lui demanda un autographe. Il fit semblant de ne pas comprendre, mais très vite, les clients de plusieurs autres tables se tournèrent vers eux. Leslie ne signa pas l'autographe, ce qui aurait confirmé son identité, et ils gagnèrent la sortie, comme si de rien n'était. Mais dès qu'ils eurent franchi la porte, ils coururent jusqu'à la camionnette.

— Zut ! murmura Coco en démarrant. J'espère que personne ne préviendra la presse.

Coco n'avait jamais connu ce genre de situation. En tout cas, cela signifiait qu'ils ne pouvaient aller nulle part. Et s'ils le faisaient, ils devaient se montrer extrêmement prudents. Car si on le reconnaissait aussi facilement dans un petit restaurant comme celui de ce soir, il en irait de même partout. Or ni l'un ni l'autre ne voulaient avoir les journalistes aux trousses. Jusqu'à la fin de la semaine, ils restèrent donc à la maison, à part de longues promenades sur la plage. Le samedi, après qu'elle eut ramené les derniers chiens chez eux, ils partirent pour Bolinas, où ils passèrent le week-end et où personne ne leur posa de problème. Comme il sortait la poubelle, Leslie fit la connaissance de Jeff, le pompier qui habitait la maison voisine. Il fixa un instant Leslie, puis lui sourit et s'approcha. Lui tendant la main, il se présenta et lui dit être très heureux que Coco reçoive un ami. Il paraissait avoir beaucoup d'affection pour la jeune femme. Le dimanche matin, ils le revirent sur la plage, en train de promener son chien. Il bavarda avec eux, sans faire la moindre allusion à l'identité de Leslie. Celui-ci raconta qu'il avait été pompier en Angleterre, lorsqu'il était étudiant. Les deux hommes discutèrent d'incendies, d'équipement et de la vie à Bolinas. De fil en aiguille, la conversation finit par porter sur les camions de pompiers et les voitures. Et ils découvrirent qu'ils aimaient tous les deux bricoler les moteurs. Leslie était parfaitement à l'aise. Le dimanche soir, lorsqu'ils rentrèrent à San Francisco, détendus et heureux, il confia à la jeune femme combien il avait apprécié de parler avec son voisin.

Elle craignait toujours un peu que la bulle fragile dans laquelle ils se cachaient ne finisse par éclater, mais jusque-là personne ne les importunait. Jane savait que Leslie était toujours chez elle, mais elle ne se posait aucune question. Elle recommandait toujours à Coco de le laisser tranquille et de ne pas l'ennuyer, et Coco lui répondait qu'elle n'avait pas à s'inquiéter.

Ils vivaient ainsi depuis deux semaines quand l'agent immobilier téléphona pour que Leslie vienne visiter plusieurs maisons. Ce dernier faillit refuser, mais il pensa qu'il était préférable qu'il voie son agent et se montre à Los Angeles. Il ne devait pas donner l'impression qu'il se cachait à cause de ces rumeurs sur son homosexualité, que son ex continuait de répandre. Il y avait eu quelques gros titres dans la presse à scandale, mais ils n'étaient pas plus accrocheurs que d'habitude.

— Tu m'accompagnes ? proposa-t-il à Coco. Nous pourrions passer la nuit de samedi à l'hôtel Bel-Air.

Le personnel de l'établissement se montrait toujours très discret.

— Qu'est-ce que je ferais des chiens ?

Jane serait furieuse, si elle abandonnait Jack.

— On ne pourrait pas les confier à l'un de tes voisins, à Bolinas ?

La suggestion était très tentante, mais Coco hésitait.

— Si elle l'apprend, Jane m'étranglera... Mais je peux toujours me renseigner.

Finalement, deux voisins acceptèrent de s'occuper de Jack et Sallie. L'un d'eux proposa même de les ramener à San Francisco le dimanche soir, car il était invité à un anniversaire. Tout s'organisait à merveille. Comme Leslie le lui avait dit, chaque problème trouvait sa solution en temps et en heure. Et surtout, tous deux s'entendaient on ne peut mieux.

Par précaution, ils prirent chacun un avion différent et arrivèrent séparément à l'hôtel. Ils avaient un peu l'impression de jouer dans un film d'espionnage. Leslie était parti le premier, afin de visiter les appartements que l'agent immobilier souhaitait lui montrer. Aucun d'entre eux ne lui plut. De toute façon, depuis qu'il connaissait Coco, il n'avait plus la moindre envie de louer quelque chose à Los Angeles. Pour l'instant, il était heureux à San Francisco. Lorsqu'il en fit part à Coco, un peu plus tard à l'hôtel, la jeune femme en fut soulagée.

Il avait retenu une très belle suite et la présence de Coco passa inaperçue. Le personnel était habitué à gérer ce genre de situation avec la plus grande discrétion. Ils dînèrent dans un club que Leslie connaissait. On y proposait une délicieuse cuisine cajun et, lorsqu'ils regagnèrent l'hôtel, ils étaient tous les deux détendus et heureux. Il était minuit quand ils traversèrent, main dans la main, les jardins qui menaient à leur chambre. Des cygnes évoluaient sur le petit cours d'eau qui traversait le parc. Coco sourit à la vue d'un couple qui s'embrassait. Leurs silhouettes lui disaient quelque chose mais, à Los Angeles, presque tout le monde lui faisait cet effet. La ville fourmillait de vedettes et de gens qui s'efforçaient de leur ressembler, ce qui pouvait se révéler drôle. La femme était de dos. C'était une blonde élégante, vêtue d'une robe de cocktail noire et portant de très hauts talons. Son compagnon était jeune et beau, dans son costume sombre bien coupé. Tandis que Leslie et Coco approchaient, ils s'arrêtèrent pour échanger de nouveau un long baiser. Au dernier moment, ils quittèrent l'allée centrale pour s'engager sur le sentier qui menait à leur suite. A cet instant, la femme se tourna.

103

Levant les yeux vers son compagnon, elle exposa son visage à la clarté des lampadaires et Coco poussa un cri de surprise.

— Mon Dieu ! s'exclama-t-elle en agrippant le bras de Leslie.

— Qu'est-ce qui ne va pas ?

Elle secoua la tête, figée et incrédule. Pourtant l'identité de la femme ne faisait aucun doute... Dès qu'elle eut recouvré ses esprits, Coco se mit à courir vers leur propre suite, suivie de Leslie, très inquiet. Parvenue dans leur appartement, elle se mit à pleurer. Sans comprendre ce qui se passait, Leslie la prit dans ses bras. Ce n'était qu'un couple d'amoureux qui s'embrassaient en regardant les cygnes. Ils étaient visiblement descendus dans le même hôtel et paraissaient très amoureux. Mais on aurait dit que Coco avait vu un fantôme. Elle semblait en état de choc.

La jeune femme s'assit, l'air complètement abasourdie, et Leslie passa un bras autour de ses épaules.

— Que se passe-t-il ? Dis-le-moi, Coco. Tu connais cet homme ?

Il se demandait s'il s'agissait d'un ancien amour. Pourtant, le seul dont elle lui avait parlé était Ian.

Elle secoua la tête, les joues ruisselantes de larmes.

— Ce n'est pas lui... C'est elle. C'est ma mère.

L'espace d'une seconde, il fut tellement surpris qu'il ne sut que dire.

— Ta mère ? Je ne l'avais jamais vue. Elle est très belle.

Bien qu'aussi ravissante, Coco ne lui ressemblait absolument pas.

— Il a la moitié de son âge, murmura-t-elle.

— Pas tout à fait.

Leslie essayait de la rassurer, mais il était clair que l'homme était nettement plus jeune que sa mère. Tous deux paraissaient très amoureux. Lorsqu'elle s'était retournée, elle contemplait son compagnon avec adoration, et lui-même avait l'air très épris. C'était un bel homme élégamment vêtu, qui ressemblait à un acteur ou à un mannequin.

— Si je comprends bien, tu ne le connais pas ?

— Bien sûr que non ! Elle nous a toujours dit qu'elle ne fréquenterait jamais un autre homme que mon père. Et tu vois le résultat ? fit Coco avec une sorte de rage. Les gens sont tous des menteurs, ici. Ils racontent tous des histoires, ne disent pas la vérité. Même ma mère, avec ses propos bien-pensants. Elle me traite de hippie et de folle, mais qu'est-ce qu'elle est ?

— Peut-être une femme qui se sent seule, fit remarquer Leslie pour l'apaiser. A son âge, la solitude est difficile.

Comme Jane avait trente-huit ans, il supposait que leur mère en avait au moins soixante, mais elle ne les paraissait pas. A la lumière du lampadaire, elle en faisait plutôt cinquante. L'homme, lui, était nettement plus jeune, mais cela ne lui avait pas semblé choquant. La seule chose qu'il avait vue était qu'ils paraissaient heureux. S'ils s'apportaient joie et réconfort, en quoi était-ce mal ? Mais il n'en dit rien à Coco, qui semblait au bord de l'apoplexie. Il était conscient qu'il n'aurait pas apprécié de voir sa propre mère dans cette situation. Celle-ci était d'ailleurs plus âgée et moins bien conservée, alors que la mère de Coco était séduisante, extrêmement élégante, veuve et célèbre.

— Elle a soixante-deux ans et elle a subi un nombre impressionnant d'interventions esthétiques, renchérit Coco avec amertume. Et elle ose me dire comment je dois mener ma vie, alors qu'elle se conduit ainsi ? Mon père ne lui aurait jamais fait ça.

Mais elle savait que c'était faux. Son père avait été un très bel homme qui s'intéressait beaucoup aux femmes. Ses parents s'étaient d'ailleurs souvent disputés à propos de ses trop séduisantes clientes. Sa mère le surveillait de près et lui laissait très peu de latitude. S'il lui avait survécu, Coco soupçonnait qu'il aurait eu quelqu'un, lui aussi. Simplement, elle ne s'y attendait pas de la part de sa mère, et certainement pas avec un homme de cet âge.

— Ton père en aurait peut-être fait autant. Pourquoi devraient-ils rester seuls, uniquement parce que cela nous gêne ? Je regrette de devoir te le dire, mais elle a le droit d'avoir une vie, elle aussi.

— Qu'est-ce qu'un type de cet âge peut bien lui trouver ? Tu crois qu'elle l'attire ? Il doit plutôt rechercher son argent, ses relations et tous les bénéfices qu'il pourrait tirer de sa célébrité.

— Peut-être, répliqua Leslie.

Coco s'était un peu calmée et elle ne pleurait plus, mais elle semblait encore abasourdie. La vue de sa mère en train d'embrasser un homme plus jeune qu'elle, au clair de lune, avait été un choc et elle en était bouleversée.

— Mais tu oublies une chose, poursuivit doucement Leslie. L'amour... Elle est peut-être amoureuse de lui. Malgré la différence d'âge, c'est tout à fait possible. Cela semble normal lorsqu'il s'agit des hommes. Regarde, j'ai treize ans de plus que toi et personne ne serait choqué d'apprendre notre liaison. Le fait que ta sœur vive avec une autre femme ne semble pas te gêner outre mesure et tu l'acceptes. Pourquoi refuser que ta mère aime un homme plus jeune ?

— Je déteste penser à elle de cette façon, répondit honnêtement Coco.

— Cela ne me plairait sans doute pas non plus. Peut-être devrais-tu lui en parler et écouter ce qu'elle a à dire ?

— Ma mère ? Tu plaisantes ? Elle ne dit jamais la vérité... en tout cas, pas sur elle. Pendant des années, elle a nié avoir eu recours à la chirurgie esthétique. Elle a commencé par les seins. Ensuite, il y a eu le lifting. Elle en a fait faire un second trois semaines après l'enterrement de mon père, pour se remonter le moral, comme elle nous l'a dit plus tard. Seigneur ! Elle avait peut-être déjà un amant !

— Peut-être pas. Il se peut qu'il ne soit que le résultat final. Je pense que tu ne dois pas la juger avant de lui avoir parlé. Ce type est peut-être un arriviste qui n'en veut qu'à son argent et à sa célébrité, mais peut-être pas. Ecoute-la d'abord. Ils avaient vraiment l'air très amoureux.

Coco lui lança un regard noir.

— C'est une obsédée sexuelle !

Leslie ne put s'empêcher de rire.

— Si c'est héréditaire, ce n'est pas moi qui m'en plaindrai ! Avoir une telle silhouette à son âge n'est pas donné à tout le monde, et je suis sûr que tu tiens d'elle. Mais tu n'auras pas besoin de te faire tirer le visage. Je t'aimerai toujours telle que tu seras, même toute ridée.

Les paroles de Leslie ne réussirent toutefois pas à calmer Coco. Et le lendemain matin, au petit déjeuner, elle était toujours dans tous ses états. Ce qui la mettait encore plus hors d'elle, c'était qu'elle ne pouvait pas interroger sa mère ni en parler à Jane. Elle n'était pas censée être à Los Angeles. Si elle racontait ce qu'elle avait vu à sa sœur, celle-ci comprendrait aussitôt qu'elle avait laissé son chien. Quant à sa mère, elle lui demanderait pourquoi elle ne lui avait pas téléphoné pour lui dire qu'elle était de passage à Los Angeles. Garder le silence lui pesait particulièrement. Elle n'acceptait de se cacher que pour échapper à l'ex-petite amie de Leslie et à la presse à scandale. Mais cela l'obligeait à garder pour elle l'incroyable découverte qu'elle venait de faire concernant sa mère. Cette obligation la dévorait de l'intérieur.

Pour rentrer à San Francisco, ils prirent de nouveau deux avions différents. Mais, dès qu'ils se retrouvèrent, Coco en parla aussitôt. Sa mère avait exercé une telle pression sur elle tout au long de sa vie qu'elle s'estimait en droit d'exiger des explications. Elle n'approuvait rien de ce qu'elle avait vu. Pas plus les baisers que l'idylle supposée, et encore moins l'âge du petit ami de sa mère.

Ce soir-là, Jane lui téléphona. Elle perçut immédiatement la tension de sa sœur cadette.

— Qu'est-ce qui t'énerve ? demanda-t-elle aussitôt.

Elle avait l'impression que Coco s'était battue avec quelqu'un ou qu'elle en avait envie. Aussitôt, elle craignit le pire.

— Tu ne te disputes pas avec Leslie, j'espère ? N'oublie pas qu'il est mon invité.

— Et moi, qu'est-ce que je suis, en dehors du fait que je garde la maison et que je promène le chien ? Une moins que rien ? aboya-t-elle.

A l'autre bout du fil, Jane parut abasourdie.

— Excuse-moi, mais je te demande simplement de ne pas te montrer agressive envers mon hôte, Coco. Alors, n'essaie pas de retourner la situation. Il aura peut-être besoin de rester un certain temps, pour échapper à cette folle et à la presse, aussi j'aimerais que tu ne lui rendes pas la vie impossible en te conduisant comme une gamine.

Elle la traitait toujours comme une petite fille, mais cette fois, Coco faillit éclater de rire.

— Je m'y efforcerai, répondit-elle avec hauteur.

Elle aussi avait son secret. Sa mère n'était pas la seule à en avoir un. Mais ni Leslie ni elle ne voulaient encore en parler à Jane. Ils préféraient le garder pour eux et ne pas avoir à affronter les réactions des autres. L'espace d'un instant, elle se demanda si sa mère en faisait autant. Quand comptait-elle leur en parler ? Et d'ailleurs avait-elle l'intention de le faire un jour ? Si cette relation n'était que sexuelle, elle ne le ferait jamais, mais si c'était sérieux, elle finirait certainement par en discuter avec elles.

Pour éloigner les soupçons éventuels de sa sœur, elle ajouta sur un ton mordant :

— De toute façon, c'est à peine si je le croise.

— Tant mieux. Il a besoin de tranquillité, après ce qu'il vient de subir. Pour commencer, elle a essayé de le tuer, et maintenant elle raconte aux journalistes qu'il est homosexuel.

— Il l'est ? demanda Coco avec une innocence feinte.

De nouveau, elle réprima un rire. Ces deux dernières semaines, il lui avait démontré qu'il n'en était rien. Tous deux s'entendaient merveilleusement au lit.

— Bien sûr que non ! répliqua sèchement Jane. Simplement, tu n'es pas son genre. Il aime les femmes élégantes et sophistiquées. Ce sont souvent des actrices avec qui il tourne des films, mais aussi des aristocrates anglaises ou françaises. C'est l'acteur le plus célèbre de la planète et il n'est pas homosexuel, répéta-t-elle. Il a même essayé de me draguer, une fois. Il s'intéresse à toutes les femmes.

« Mais pas à toi » était la conclusion implicite de ce discours. L'allusion n'échappa pas à Coco, qui se sentit fort déprimée lorsqu'elle raccrocha.

— Tu lui as parlé de ta mère ? lui demanda Leslie.

— Je ne pouvais pas, à cause du chien. Elle prétend que tu dragues tout ce qui porte jupon, surtout tes partenaires... des femmes bien plus élégantes et sophistiquées que moi.

A son expression, on aurait pu croire que Coco venait d'être giflée.

— Elle a dit ça ? s'étonna Leslie. Comment est-ce venu dans la conversation ?

— Je lui ai demandé si tu étais homosexuel, pour éloigner ses soupçons.

— Fantastique ! Et c'est ce qu'elle t'a répondu ? C'est vrai qu'il m'est arrivé de sortir avec mes partenaires, mais pas depuis longtemps. Plus jeune, j'adorais séduire.

Je considérais cela comme un jeu. Mais tu es la seule que j'aime vraiment. Et non, je ne suis pas homosexuel. Et je vais te le prouver.

Ce qu'il fit aussitôt, faisant renaître ainsi le sourire sur les lèvres et dans les yeux de Coco.

6

A la fin du mois de juin, Leslie dut se rendre à Los Angeles pour discuter avec son agent et il quitta Coco pour deux jours. Son ex-petite amie avait cessé de l'importuner et de lancer des propos blessants à son sujet. D'ailleurs, on l'avait vue dans une boîte de nuit, en compagnie d'une star du rock bien connue.

Dès qu'il fut parti, Coco déprima. Son absence lui fit sentir à quel point sa vie était vide sans lui et combien elle l'aimait. Elle comprit qu'il lui manquerait cruellement lorsqu'il repartirait. La parenthèse actuelle ne pouvait pas durer éternellement. Il était Leslie Baxter et elle évoluait dans un monde qui n'avait rien à voir avec le sien.

Lorsqu'il revint, Coco n'allait pas mieux.

— Que s'est-il passé ? Quelqu'un est mort ? l'interrogea-t-il, légèrement inquiet.

Il se demandait si sa mélancolie avait un rapport avec sa mère. Elle n'avait parlé à personne de ce qu'elle avait vu et elle en était encore bouleversée. Il ne lui vint pas à l'esprit qu'il pouvait être la cause de ce chagrin.

— Non, mais je me suis retrouvée seule et cela m'a fait penser à ce que ce serait quand tu t'en irais.

Les paroles de Coco le touchèrent. D'autant plus qu'il éprouvait la même chose. Il y pensait d'ailleurs constamment et réfléchissait à la façon dont ils pourraient continuer à vivre ensemble. C'était ce qu'il voulait.

— Je ne vois pas ce qui pourrait t'empêcher de venir à Los Angeles avec moi. Nous pourrions vivre ensemble.

Coco refusa aussitôt.

— Ma mère me rendrait folle, les paparazzis nous guetteraient partout. Je sais ce que c'est. Mon père me racontait la vie de ses clients. Jamais je ne pourrais le supporter.

— Je te comprends. Je n'y arrive pas moi-même, répondit Leslie, l'air soucieux.

Il savait qu'il ne la convaincrait jamais d'habiter à Los Angeles, mais il lui fallait bien y être, au moins de temps en temps.

— Tu en as pourtant l'habitude. Cela fait partie de ton métier.

— Oui, mais je m'en passerais bien volontiers. Pourquoi ne nous installerions-nous pas ici ? J'irais travailler là-bas quand il le faudrait. De toute façon, je tourne souvent en extérieurs et tu pourrais m'accompagner.

— Les paparazzis nous harcèleront de la même manière, où que nous soyons, remarqua-t-elle d'une voix malheureuse.

Cette fois, Leslie prit peur.

— Qu'est-ce que tu essaies de me dire, Coco ? Que tu ne veux plus me voir ? Que les paparazzis sont les plus forts ?

Elle secoua la tête.

— Je ne sais pas quoi faire. Je t'aime, mais je ne veux pas qu'ils nous gâchent la vie.

— Moi non plus. Mais certains s'en sortent. Penses-y. Et puis, tu n'es pas actrice, c'est un avantage. Pour l'instant, nous avons réussi à y échapper, profitons-en.

Mais jusqu'alors, ils avaient été extrêmement chanceux et prudents. Leslie n'était quasiment pas sorti, à part une fois ou deux pour faire des courses dans le quartier ou le soir tard, avec Coco, en portant une casquette et des lunettes noires. Et ils avaient passé tous leurs week-ends à Bolinas, seuls, faisant de longues promenades sur la plage déserte. Leslie ne pouvait se permettre de marcher dans les rues ou de faire du shopping comme tout un chacun. C'était la rançon de la gloire. Il était venu à San Francisco pour fuir une femme et maintenant, il se cachait avec une autre, pour la protéger et dissimuler leur histoire d'amour au public. C'était difficile, mais il savait comment faire. Tant que l'on ignorerait qu'il se trouvait à San Francisco, il n'y aurait pas de problème. Tout allait bien pour le moment, mais ils étaient parfaitement conscients que cela ne durerait pas éternellement. Et lorsque cela se saurait, ils devraient affronter la situation. Aimer une star de cinéma avait un prix. C'était ce que Coco redoutait, malgré son amour pour lui.

— Je voudrais que cela dure toujours comme maintenant, avoua-t-elle tristement.

— Ce ne sera pas possible, ma chérie. Mais nous réussirons à préserver notre vie privée. Et c'est le principal, assura-t-il. A nous de relever le défi.

Sur ces mots, il l'embrassa en lui murmurant combien il l'aimait. Il ne voulait pas que leur histoire se termine. Il voulait passer toute sa vie avec elle, même s'il ne savait pas encore comment il y parviendrait. Mais il était persuadé qu'il trouverait une solution.

A Los Angeles, il n'avait pas cherché d'appartement. Il avait décidé de rester avec Coco à San Francisco durant les deux mois suivants, jusqu'à la mi-septembre. Le tournage de son nouveau film commencerait en octobre et il devrait être sur place en septembre. Il y aurait dix jours de tournage à Los Angeles, ensuite il partirait à Venise pour au moins un mois. A son retour, son locataire aurait libéré sa maison. Pour l'instant, il n'éprouvait pas le besoin d'avoir un pied-à-terre à Los Angeles. Tout ce qu'il voulait, c'était Coco.

Il lui proposa de passer la semaine du 4 juillet à Bolinas, ce qui signifiait que Coco devait trouver quelqu'un pour promener les chiens. Elle prévint ses clients et trouva une amie de Liz, ravie de gagner un peu d'argent. Erin était charmante et elle passa une semaine avec Coco pour apprendre le métier. C'étaient les premières vacances de Coco depuis deux ans. Tout comme Leslie, elle les attendait avec impatience. Dès qu'ils furent à Bolinas, Leslie se comporta comme s'il y avait vécu toute sa vie. Il emprunta même la combinaison de plongée de Ian pour aller nager, malgré sa peur des requins. Mais il faisait si chaud qu'il ne put résister. Coco éprouvait une sensation bizarre lorsqu'elle le voyait sortir de l'eau vêtu de la combinaison qu'elle connaissait si bien. Elle savait que ce n'était pas Ian et, d'ailleurs, les deux hommes étaient très différents, mais jusqu'à ce qu'il ôte son masque, son cœur battait la chamade. Et il bondissait dans sa poitrine dès qu'elle voyait son visage et qu'il lui souriait. Elle prit alors pleinement conscience de l'immensité de son amour pour lui. Ian occupait encore une place dans son cœur, mais maintenant Leslie le possédait tout entier. Ils restaient étendus sur le sable pendant des heures, ramassaient des coquillages et des cailloux, partaient à la pêche, cuisinaient, lisaient, discutaient, riaient, jouaient aux cartes.

Leslie s'occupa de réparer sa camionnette et, à la grande surprise de Coco, le moteur recommença à ronronner comme un chat. A plusieurs reprises, Jeff vint lui demander des conseils. Coco éclata de rire quand Leslie rentra un jour, le visage plein de graisse et les mains noires, l'air heureux.

Le 4 juillet, leurs voisins les invitèrent à un barbecue et Leslie accepta.

— Et si les gens te reconnaissent ? demanda-t-elle avec inquiétude.

Jusque-là, grâce à leur prudence, ils menaient une existence idyllique, paisible et anonyme.

— Tes voisins savent déjà qui je suis et ils ont toujours été très discrets, affirma Leslie avec une confiance qu'elle était loin de partager.

— Les autres le seront peut-être moins.

— Si c'est le cas, nous pourrons toujours partir. Mais cela me fait plaisir d'y aller.

Ils partirent tard, à la nuit tombée, et se glissèrent parmi les invités, se servant eux-mêmes comme les autres. Leslie s'assit et se mit à bavarder avec un petit garçon qui devait avoir sensiblement le même âge que Chloé. Quand sa mère vint le chercher, elle fixa Leslie avec étonnement, et rapidement la nouvelle se répandit. Une certaine effervescence régna, mais personne ne lui demanda d'autographe ou ne l'importuna, et l'excitation finit par retomber. Leslie prit part à une conversation animée avec trois hommes à propos de pêche. Puis il se retrouva au milieu d'un groupe d'enfants, qui l'écoutaient, fascinés, car il savait leur parler. Jeff adressa un clin d'œil à Coco avant de la rejoindre.

— Il me plaît, affirma-t-il. La première fois que nous nous sommes rencontrés devant les poubelles, j'ai été un peu surpris. Mais il est tout à fait normal et sympa. Il n'est ni prétentieux ni snob, comme on pourrait s'y attendre, et tu as l'air heureuse, Coco. Je suis content pour toi.

— Merci, lui répondit-elle avec un sourire.

Il ne l'avait pas vue aussi épanouie depuis des années et elle-même ne s'était jamais sentie aussi bien. Elle était enfin sûre d'elle, confiante, bien dans sa peau, fière de ce qu'elle faisait et de l'homme qui partageait sa vie. Pour la première fois, elle avait l'impression d'être une adulte, et c'était très agréable.

— J'espère que nous n'allons pas te perdre, ajouta Jeff. Tu penses t'installer à Los Angeles ?

— Non, je reste ici. C'est lui qui fera la navette.

Jeff approuva, espérant que Leslie y parviendrait.

Ce dernier avait parlé d'acheter une maison à San Francisco, plus tard. Il avait promis à Coco que ce ne serait pas une propriété aussi luxueuse que celle de Jane. Plutôt quelque chose de simple. Ce serait plus commode pour faire la navette entre Los Angeles et San Francisco. Il était encore trop tôt pour prendre une décision, mais il y pensait. Il tenait avant tout à la rendre heureuse et était prêt à tout pour y arriver. La seule chose qu'il lui demandait en échange, c'était d'accepter les inconvénients du statut de star et le temps qu'il devrait passer à Los Angeles.

Le reste de la semaine s'écoula en douceur. Après le barbecue, lorsqu'ils promenaient les chiens sur la plage, on les salua plus facilement. Mais personne ne lui demanda d'autographes, n'essaya de prendre des photos ou n'appela la presse. A Bolinas, les gens respectaient la vie privée des autres. Si Leslie avait cherché un endroit pour se cacher, il n'aurait pas pu mieux trouver.

Jane et Liz travaillaient sur leur film à New York depuis six semaines quand Liz dut se rendre à Los Angeles. Jane n'avait toujours pas trouvé de remplaçante à Coco. Les deux sœurs n'en avaient pas reparlé et Coco soupçonnait son aînée de n'avoir fait aucune démarche dans ce sens. Mais elle était heureuse avec Leslie, aussi n'y faisait-elle pas allusion non plus. Liz prévoyait de ne passer que quelques jours à Los Angeles. N'ayant aucune raison de venir à San Francisco, elle se contenta de passer un coup de fil. Elle savait que Leslie était toujours chez elles et en était contente pour Coco. Cela lui faisait une compagnie, du moins s'ils s'adressaient la parole, ce dont Jane doutait. Elle était persuadée que Leslie ne pouvait pas s'intéresser à une fille de l'âge de Coco et l'idée d'une liaison amoureuse entre eux ne l'effleurait même pas.

Liz y avait fait allusion. Après tout, ils vivaient sous le même toit et tous deux étaient célibataires, séduisants et agréables. Jane n'avait fait qu'en rire, se moquant de sa compagne :

« Arrête d'inventer des scénarios pour des séries télévisées. Leslie Baxter ne peut pas tomber amoureux d'une fille qui promène les chiens, même si c'est ma petite sœur. Crois-moi, elle n'est pas du tout son genre. »

Jane avait paru si sûre d'elle que Liz n'y avait plus pensé. Pourtant, maintenant que son ex ne le menaçait plus, elle s'étonnait que Leslie reste chez elles. Et elle ne voyait pas Coco avec les mêmes yeux que Jane. Pour cette dernière, sa sœur était encore une adolescente, en perpétuelle rébellion. Liz savait ce que cachaient les apparences. Jane n'avait jamais essayé de le découvrir, mais peut-être Leslie était-il plus curieux qu'elle...

Comme à son habitude, Liz passa voir sa « belle-mère », ainsi qu'elle l'appelait. C'était une visite de courtoisie, mais Liz s'en acquittait toujours avec plaisir. Elle se réjouit de trouver Florence en pleine forme et plus belle que jamais. Liz avait remarqué, en arrivant chez elle, qu'un homme de l'âge de Jane en sortait. En croisant Liz, il lui avait souri et s'était glissé au volant d'une Porsche argentée. Sans savoir pourquoi, la jeune femme avait eu le sentiment bizarre qu'il reviendrait dès qu'elle serait partie. Lorsqu'elle eut besoin de la salle de bains, elle vit une veste en cachemire suspendue derrière la porte et deux brosses à dents. Tout en se disant qu'elle était trop soupçonneuse, elle taquina sa belle-mère à ce sujet pendant qu'elles buvaient une coupe de champagne dans le jardin. Grâce à son dernier lifting, le visage de Florence était parfaitement remodelé et elle paraissait quinze ans de moins que son âge. Sa silhouette était sans défaut.

— C'est votre nouvel amoureux, que j'ai vu au volant d'une Porsche, quand je suis arrivée ? plaisanta-t-elle.

A sa grande surprise, Florence pâlit et parut avaler de travers sa gorgée de champagne.

— Je... Bien sûr que non... Ne dites pas de bêtises...
Je... Je...

Elle s'interrompit, fixa Liz l'espace de quelques
secondes, puis elle stupéfia la jeune femme en se mettant à pleurer.

— Je vous en prie, n'en parlez pas à Jane ou à Coco.
Cela se passe si bien, entre nous ! Je pensais que ce ne
serait qu'une aventure sans lendemain, mais nous
sommes ensemble depuis près d'un an. Je sais que cela
peut paraître absurde. Mais il croit que j'ai cinquante-
cinq ans. Je lui ai dit que j'avais eu Jane à seize ans.
C'est un affreux mensonge, mais je n'ai rien trouvé
d'autre. Il a trente-huit ans et je sais que cela peut
paraître scandaleux, mais je l'aime. J'ai aimé Buzz, mais
il est mort et Gabriel est adorable. Il est très mûr, pour
son âge.

Incapable de parler, Liz s'efforçait de ne pas fixer sa
belle-mère. Florence s'était souvent confiée à elle, car
elle était plus douce et plus compatissante que Jane.
Pourtant, jamais elle ne lui avait rien dit de comparable.
Liz ne savait que dire ou que penser de ce Gabriel. Ce
qui l'inquiétait plus, indépendamment des réactions de
Jane et de Coco, c'étaient les raisons pour lesquelles il
sortait avec une femme tellement plus âgée que lui.

— Si cela vous rend heureuse, Florence... commença-
t-elle prudemment. Que fait-il, dans la vie ? Il est
acteur ?

En tout cas, il en avait l'apparence, ce qui accentuait
la méfiance de Liz.

— Il est producteur. Il produit des films indépen-
dants.

Elle en nomma deux qui avaient remporté un
immense succès. Au moins n'était-ce pas un gigolo qui
n'en voulait qu'à son argent, songea Liz.

— Nous nous entendons très bien, continua Florence.
Je me sens si seule depuis la mort de Buzz et le départ
des filles ! Je ne peux pas jouer au bridge et écrire tout le

temps. La plupart de mes amies sont encore mariées et je me sens toujours en trop.

Liz avait compris depuis un certain temps que la situation de Florence était plus pénible que Jane ne voulait l'admettre. Et sa belle-mère était encore suffisamment jeune pour vouloir refaire sa vie et avoir des relations sexuelles, même si c'était un peu difficile à admettre. Liz savait que Jane ne voudrait rien entendre.

Justement, Florence la regardait avec terreur.

— Vous allez en parler à Jane ?

— Pas si vous me demandez de me taire.

Florence ne faisait de mal à personne. Elle n'était pas sénile. Elle avait juste une aventure avec un homme plus jeune qu'elle. Beaucoup plus jeune, puisqu'il avait vingt-quatre ans de moins qu'elle. Mais au bout du compte, pensa Liz, pourquoi s'en priverait-elle ? Qui étaient-elles pour lui dire qu'elle avait tort, qu'elle n'en avait pas le droit, ou pour la culpabiliser ? Pourtant, Liz craignait que Jane ne voie pas les choses de cette façon. Elle pouvait être très dure. Elle n'avait jamais été très tolérante envers son prochain.

— Je crois que vous devriez l'annoncer vous-même à vos filles, conseilla-t-elle gentiment.

— Vraiment ?

— Absolument. Mais seulement quand vous estimerez que c'est le bon moment. Si ce n'est qu'une aventure, cela ne les regarde pas. Mais si cet homme compte s'installer ici, il faudra le leur dire et le leur expliquer.

— Jane va être dans tous ses états, remarqua tristement Florence.

— Sans doute, répondit franchement Liz, mais elle devra s'y faire. Ce n'est pas à elle de vous dicter votre conduite. Je le lui rappellerai au besoin.

— Merci, murmura Florence avec gratitude.

Liz avait déjà pris sa défense auparavant, mais toutes deux savaient que le combat serait rude, cette fois.

— A votre place, je ne m'inquiéterais pas trop de la réaction de Coco, ajouta Liz. Elle est profondément gentille et bien moins critique que Jane. En tout cas, une chose est sûre, elles ne veulent que votre bonheur.

— Mais elles ne souhaitent probablement pas que je fréquente un homme aussi jeune ! Vous savez, je lui ai dit qu'il devrait se marier et avoir des enfants, mais il est déjà divorcé et il a une fille de deux ans. Et nous sommes si heureux, précisa Florence sur un ton d'excuse, comme si elle n'y avait pas droit.

Liz se reprocha alors sa propre attitude. Elle était navrée que Florence soit gênée et honteuse, au point de n'avoir rien dit à ses filles.

— Pensez, dit-elle, que si vous étiez un homme, vous n'hésiteriez pas à vous montrer au bras d'une fille qui aurait la moitié de votre âge. Elle vous accompagnerait partout, et vos enfants, votre coiffeur et vos voisins la connaîtraient. Aujourd'hui, vous l'auriez épousée et vous attendriez un enfant. En fait, si vous aviez dix ans de plus et s'il en avait dix ou vingt de moins, mais qu'il était la femme et vous l'homme, c'est exactement ce qui se passerait et tout le monde vous envierait. C'est cela qui ne va pas. Parce que vous êtes une femme, vous devez agir en catimini, mentir et vous cacher, alors que si vous étiez un homme, vous pourriez au contraire le crier sur les toits. C'est votre vie, Florence, et nous n'en avons qu'une. Faites ce qui vous rend heureuse. Avant de rencontrer Jane, j'étais mariée et je cachais mon homosexualité. Je tenais tellement à être respectable et à faire ce qu'on attendait de moi que j'étais horriblement malheureuse. La meilleure chose que j'ai faite dans ma vie a été de quitter mon mari pour m'installer avec Jane. J'ai finalement la vie dont je rêvais. Et je suis certaine que si c'est vous qui étiez morte et non Buzz, il aurait fait exactement la même chose que vous, avec une femme encore plus jeune.

Liz leva alors sa coupe pour porter un toast.

— A vous et à Gabriel, lança-t-elle. Je vous souhaite beaucoup de bonheur.

Après cet échange, elles s'embrassèrent et se sourirent. Puis Florence proposa d'appeler Gabriel sur son portable. Elle voulait le présenter à Liz, mais celle-ci estima qu'elle ne devait pas faire sa connaissance avant Jane, qui pourrait s'en offusquer. Elle savait que sa compagne prendrait cela comme un complot, même si elle lui assurait que non. Elle promit de le rencontrer dès que Jane et Coco auraient été mises au courant.

Lorsque Liz s'en alla, un peu plus tard, les deux femmes s'embrassèrent sur le pas de la porte.

— Merci, murmura Florence avec gratitude. Je vous aime beaucoup, Liz. Jane a de la chance de vous avoir.

— Et moi de l'avoir, répliqua celle-ci avec un sourire avant de s'installer dans le taxi qui l'attendait.

La voiture venait de démarrer quand la Porsche s'engagea dans l'allée. Quand Gabriel passa près d'elle, Liz baissa sa vitre pour lui adresser un signe de la main et lui sourire. Visiblement étonné, il le lui rendit.

— Soyez le bienvenu dans la famille, songea Liz tandis que le taxi prenait la direction de l'aéroport.

Elle imaginait le séisme que provoqueraient les révélations de Florence, lorsqu'elle aurait le courage de tout dire à Jane. Liz ferait ce qu'elle pourrait pour atténuer le choc, mais elle connaissait Jane. L'aveu serait lourd de conséquences... du moins pendant un certain temps.

7

Deux semaines plus tard, Florence eut enfin le courage de téléphoner à Jane. Comme Liz s'y attendait, celle-ci réagit violemment.

— Tu... quoi ? s'exclama-t-elle avec incrédulité. Tu as un petit ami ? Mais depuis quand ?

Florence s'efforçait d'afficher un calme qu'elle était loin d'éprouver. Elle avait bu trois coupes de champagne avant d'appeler.

— Depuis un an, environ. Il est adorable.

— Qu'est-ce qu'il fait, dans la vie ? grommela Jane.

— Il produit des films.

Encore secouée que sa mère ait rencontré quelqu'un, Jane demanda :

— Je le connais ? Comment s'appelle-t-il ? Je suppose qu'il possède sa propre maison de production.

Etant donné l'âge de sa mère, c'était plus que probable. Il occupait certainement une place importante dans le cinéma. Liz et elle le connaissaient peut-être depuis des années. Cependant, Jane n'aimait pas penser à sa mère de cette façon et cette liaison la mettait mal à l'aise.

— Gabriel Weiss.

Jane réfléchit quelques secondes. Jusque-là, rien de trop inquiétant. Le nom de Weiss était respecté, dans le métier.

— Je connais son fils, puisqu'il porte le même nom. Il a fait deux très bons films. J'ignorais que son père était producteur, lui aussi.

— Il ne l'était pas. Son père était neurochirurgien, mais il est mort il y a dix ans. Je parle de celui que tu connais.

Le champagne aidant, Florence se sentait soudain bien plus courageuse. Le moment de vérité était venu. De plus, avant qu'elle n'appelle, Gabriel lui avait affirmé que ses filles pouvaient dire ce qu'elles voulaient, il l'aimait. Et il avait ajouté qu'il n'y avait rien de répréhensible à cela. L'amour entre deux personnes ayant une grande différence d'âge n'était pas interdit par la loi.

— Une minute, maman, s'exclama Jane d'une voix troublée. Le Gabriel Weiss que je connais est encore un gamin.

— Pas tout à fait. Il a ton âge, puisqu'il aura trente neuf ans le mois prochain.

— Et toi, quel âge as-tu ? demanda durement Jane. Soixante-deux ? Presque soixante-trois ? Tu ne trouves pas que c'est un peu ridicule ? En fait, je dirais même que c'est plutôt répugnant de la part d'une femme de ton âge de sortir avec un homme du sien. Qu'est-ce qui ne va pas, chez lui ? Il a besoin d'argent pour son prochain film ?

Liz, qui venait d'entrer dans la pièce, eut soudain le cœur serré. Elle détestait que Jane se comporte ainsi. Elle l'avait entendue traiter Coco de la même façon, et d'autres aussi. Jane n'était pourtant pas méchante, mais elle était capable d'écraser les gens de son mépris. Liz l'aimait et elle n'en souffrait pas personnellement, mais les autres, si.

— Je n'ai jamais rien entendu de plus embarrassant, de plus révoltant et de plus honteux, continuait Jane. J'espère que tu reviendras vite à la raison.

La réponse de sa mère la prit par surprise.

— Et moi, j'espère que tu retrouveras vite tes bonnes manières. Gabriel est un homme bien, et il n'a pas besoin de mon argent. Je suis ta mère. J'ai mis un point d'honneur à t'en parler moi-même, avant que tu ne l'apprennes par d'autres. Nous ne faisons rien de mal.

Gabriel a vingt-quatre ans de moins que moi, et si cela ne nous gêne pas, il n'y a pas de raison que cela te pose des problèmes. Nous en reparlerons une autre fois.

Sur ces mots, elle raccrocha. A l'autre bout du fil, Jane bredouillait, n'en croyant pas ses oreilles. Sa mère lui avait raccroché au nez ! C'était une première, mais elle le méritait. D'ordinaire, les deux femmes étaient sur la même longueur d'onde, mais cette fois, elle était allée trop loin.

Elle tourna vers Liz un visage défait.

— Ma mère a la maladie d'Alzheimer !

Liz s'efforça de rester impassible.

— Comment en es-tu arrivée à cette conclusion ?

— Elle a une liaison avec un type de mon âge. Gabriel Weiss.

— Il a mauvaise réputation ?

— Qu'est-ce que j'en sais ? C'est un bon producteur, mais il n'est sûrement pas normal s'il sort avec ma mère, qui a le double de son âge.

— Cela ne se voit pas, lui rappela Liz. Et je te ferais remarquer que des hommes de soixante-deux ans ne se gênent pas pour s'afficher en compagnie de filles bien plus jeunes que lui.

Ce n'était pas tout à fait ce que Jane souhaitait entendre.

— C'est ma mère, bon sang ! s'exclama-t-elle, les larmes aux yeux.

Liz s'assit près d'elle et passa un bras autour de ses épaules.

— Qu'est-ce que tu aurais dit, si elle avait réagi de cette façon quand tu lui as révélé ton homosexualité ?

Jane rit à travers ses larmes.

— C'est ce qu'elle a fait ! Elle a menacé de se suicider. Ensuite, elle a tout raconté à mon père, qui a été merveilleux. Je pense qu'ils étaient déçus, mais par la suite ils m'ont toujours soutenue. Tu as sûrement raison, mais enfin, Liz, pourquoi a-t-elle besoin de faire ça ? Si ce type n'en veut qu'à son argent, elle va se couvrir de ridicule.

— Et si tu te trompais ? Et même si c'était le cas, du moment qu'il la rend heureuse pendant un certain temps ? Ce n'est pas facile, de vieillir. Elle mène une existence solitaire, à Los Angeles.

— Elle a des millions de fans et elle vend des tonnes de livres, chaque année.

— Ses fans ne la réchauffent pas la nuit, ils ne la prennent pas dans leurs bras quand elle est triste. Dans quel état serions-nous, à ton avis, si nous n'étions pas ensemble ?

Jane s'essuya les yeux.

— J'en mourrais. Sans toi, ma vie serait vide. C'est toi qui lui donnes un sens. Tu es tout pour moi.

— Alors, essaie d'imaginer ce que serait ton quotidien si je n'étais plus là. L'univers de ta mère tournait autour de ton père, et il est mort. Aujourd'hui, elle a Gabriel. Que ce soit un type bien ou non n'a pas d'importance. C'est à elle de décider, elle a le droit de choisir de ne pas être seule et de vivre avec qui elle l'entend.

— Qu'est-ce qui te rend si sage, brusquement ? demanda Jane en se mouchant dans le mouchoir que Liz venait de lui tendre.

— Ce n'est pas ma mère, répondit Liz en riant. Et je l'aime beaucoup. Je serais heureuse qu'elle trouve le bonheur. Laisse-lui sa chance. Je pense qu'elle le mérite.

Jane réfléchit un instant avant de serrer son amie dans ses bras.

— Je suis convaincue que ma mère est dingue, mais toi, tu es super.

Liz lui sourit. Le lien qui les unissait était chaque jour plus solide, songea-t-elle.

— Bon. Alors, maintenant, il ne te reste plus qu'à la menacer de te suicider, comme elle l'a fait quand tu lui as appris que tu étais homosexuelle. Ensuite, tu la laisseras tranquille.

— Je vais voir, répondit Jane. Il faut que j'appelle Coco.

C'était l'un de ces moments où les sœurs sont censées se soutenir et prouver que les liens familiaux signifient quelque chose.

Coco et Leslie étaient en plein fou rire quand le téléphone sonna. Leslie venait de raconter toutes les catastrophes qui s'étaient produites lors du tournage de l'un de ses premiers films. Coco adorait ces histoires, qu'il racontait à la perfection. Riant encore, elle décrocha et reconnut la voix de Jane, qui semblait venir d'outre-tombe.

— Notre mère est devenue folle, commença-t-elle.

Coco devina immédiatement ce qui allait suivre.

— Elle sort avec un mec de mon âge, continua Jane.

Coco fut soulagée qu'il ne soit pas plus jeune. Lorsqu'elle l'avait aperçu, elle avait craint qu'il ne soit plus proche du sien.

— Qui te l'a dit ? demanda-t-elle calmement.

— Elle-même... Mais tu n'as pas l'air surprise ? s'écria Jane d'un ton accusateur.

— Je me doutais de quelque chose de ce genre.

Depuis quelque temps, leur mère la laissait tranquille et ne l'appelait plus fréquemment, ce qui était nouveau. Jusqu'alors, elle lui téléphonait plusieurs fois par semaine pour lui répéter ce qui n'allait pas chez elle et dans sa vie.

— Qu'est-ce que tu en penses ? demanda Jane.

Coco soupira.

— Je n'en sais rien. Par certains côtés, je me dis qu'elle a le droit de faire ce qu'elle veut. Mais en même temps, cela me semble complètement fou et j'ai l'impression qu'elle fait fausse route. Mais ce n'est pas à moi de la juger. Je vis comme une hippie, j'ai failli me marier avec un moniteur de plongée et m'installer en

Australie. De ton côté, tu es homosexuelle et tu vis en couple avec une femme. De quel droit lui dirions-nous ce qui est bon pour elle ? Peut-être est-ce un type bien. Si ce n'est pas le cas, elle est assez intelligente pour s'en apercevoir toute seule. Notre mère est tout sauf stupide.

— D'où te viennent cette maturité et cette philosophie ? demanda Jane d'un ton soupçonneux. C'est maman qui t'a chargée de sa défense ?

— Absolument pas. C'est la première fois que j'entends parler de cette liaison. Mais peut-être que papa en aurait fait autant avec une fille encore plus jeune. Quand des personnes de leur âge se retrouvent seules, elles se comportent souvent de cette façon. Personne n'aime la solitude.

Tout en parlant, Coco souriait à Leslie, qui lui adressait des signes d'encouragement.

— On dirait que tu t'en moques ! s'écria Jane d'une voix frémissante. Etant donné son âge, on aurait pu penser qu'elle se conduirait autrement.

— Pourquoi ça ? Pourquoi voudrait-elle rester célibataire, après avoir vécu tant d'années avec papa ?

— Et pourquoi se rend-elle ridicule en sortant avec un homme bien plus jeune qu'elle ? répliqua Jane.

— Cela lui donne peut-être l'impression d'être encore jeune elle-même.

Jane fronça les sourcils.

— On devrait lui rendre visite plus souvent.

— Tu sais parfaitement que ça n'a rien à voir. Mais c'est vrai que cela ne m'enchante pas non plus. Je suis comme toi, Jane, mais ce n'est pas un crime.

— C'est une horrible faute de goût. Et c'est humiliant pour nous.

— Elle ne t'a jamais reproché d'être homosexuelle, remarqua Coco. Elle a toujours soutenu tes choix.

Là, Coco fit mouche et sa sœur demeura un instant silencieuse.

— C'est différent. Je n'y peux rien. Je suis comme ça.

— Pourtant, elle aurait pu réagir d'une autre façon, mais elle ne l'a pas fait. Elle a toujours été fière de toi.

« Mais pas de moi », s'abstint d'ajouter Coco.

Bien que sa mère et sa sœur ne l'aient jamais soutenue, elle s'efforçait toujours de les défendre.

— Elle est fière de toi aussi, assura Jane, comprenant soudain à quel point elle se montrait toujours critique à l'égard de sa sœur, alors que celle-ci ne se comportait jamais comme cela envers elle ni envers leur mère.

— C'est faux, répliqua simplement Coco, les larmes aux yeux. Mais cela ne m'empêche pas de penser que nous devons respecter le choix de maman, ou du moins l'accepter.

Jane se tut pendant un long moment. Elle pensait à toutes les fois où elle avait abreuvé sa sœur de reproches et l'avait traitée de ratée. Elle était envahie par un sentiment de culpabilité et avait envie de compenser cela en partageant quelque chose avec elle.

— J'ai autre chose à te dire, ajouta-t-elle en lançant un coup d'œil à Liz, qui approuva d'un signe de tête. Je suis enceinte de douze semaines. Avant de partir pour New York, j'ai subi une insémination artificielle. Nous ne voulions en parler à personne avant d'être bien certaines que cela marchait. L'année dernière, nous avons essayé, mais j'ai fait une fausse couche. Cette fois, tout va bien. Tu es la première à qui nous l'annonçons.

Coco en resta muette d'étonnement. Elle n'avait jamais imaginé que Jane et Liz souhaitaient un enfant. Mais maintenant qu'elle y réfléchissait, elle se rappelait que Liz en avait souvent parlé. Par une sorte d'ironie du sort, Jane était enceinte, alors que Liz était certainement la plus maternelle des deux. Mais Jane avait quelques années de moins et c'était ce qui expliquait sans doute leur choix.

— Toutes mes félicitations, s'exclama-t-elle en souriant. L'accouchement est prévu pour quand ?

— Au début du mois de février. Je n'arrive toujours pas à y croire, surtout que cela ne se voit pas encore. Quand nous rentrerons à la maison, suivant la date de notre retour, je serai enceinte de six ou sept mois.

— J'ai hâte de voir ça ! s'écria Coco en riant. Mais dis-moi, toi qui vas fonder une famille avec une autre femme, cela devrait te rendre un peu plus tolérante envers maman. De quel droit nous permettons-nous de la juger et de décider ce qui est bien ou non pour elle ?

Au plus profond de son cœur, Jane savait que sa cadette avait raison. Il y eut un long silence durant lequel elle fit le point sur leur conversation. Tendant le bras, elle pressa la main de Liz dans la sienne.

— Je suis désolée de t'avoir dit toutes ces choses stupides, murmura Jane à sa sœur. Je t'aime et j'espère que mon bébé sera exactement comme toi, ajouta-t-elle, très émue.

— Je t'aime aussi, confia Coco.

L'espace d'une minute, Jane fut la grande sœur dont elle avait toujours rêvé et qu'elle n'avait jamais eue.

Peu après, elles raccrochèrent, et Coco se tourna vers Leslie, le visage souriant.

— Je suis fier de toi, déclara celui-ci en la prenant dans ses bras.

— Au début, elle était furieuse de la liaison de maman et à la fin, elle m'a demandé pardon.

— Tu lui as dit exactement ce qu'il fallait.

Leslie l'approuvait. C'était ce qui comptait le plus pour elle.

— Elle aussi, finalement... Elle attend un bébé.

— Tant mieux. La maternité l'adoucira peut-être un peu.

Jane lui avait parlé avec une gentillesse inhabituelle, songea Coco.

— Je crois que c'est déjà le cas.

Elle ferma les yeux, car Leslie l'embrassait.

— J'aimerais avoir un enfant avec toi, un jour, lui souffla-t-il à l'oreille.

Elle sourit. L'idée lui plaisait, bien qu'elle n'y ait jamais pensé auparavant. Tant de choses étaient arrivées en si peu de temps qu'elle avait du mal à toutes les intégrer.

8

Au cours des jours suivants, Coco et Jane eurent de longues discussions avec leur mère. Jane avait toujours du mal à accepter que sa mère sorte avec un homme qui aurait pu être son fils. Liz et Coco l'avaient cependant convaincue que Florence avait le droit de mener sa vie comme elle l'entendait. Malgré cela, Jane trouvait que leur mère se comportait de manière inconvenante et humiliante et elle craignait toujours que Gabriel n'en veuille qu'à son argent. Toutefois elle n'était plus hostile à l'idée de faire sa connaissance, lorsqu'elle serait de retour sur la côte Ouest. Jane n'avait pas encore dit à sa mère qu'elle attendait un enfant. Elle estimait que cela pouvait attendre. Pourtant, quelques jours plus tard, comme Liz insistait, elle finit par céder. Lorsqu'elle apprit qu'elle allait être grand-mère, Florence se montra à la fois surprise et ravie.

— Quand tu m'as dit que tu étais homosexuelle, avoua-t-elle, j'étais très triste à l'idée que tu n'aurais pas d'enfant. Il ne m'est jamais venu à l'esprit que tu en ferais un de cette façon. Cela ne t'ennuie pas de ne pas connaître le père ? demanda-t-elle franchement.

— Nous ne connaissons pas son nom, mais nous avons des renseignements précis sur lui. C'est un étudiant en médecine qui vient d'une famille sans histoire.

Jane annonça à sa mère qu'elle ferait une amniocentèse, pour être sûre que le bébé ne souffrait d'aucune déficience et aussi pour connaître son sexe. Liz et elle espéraient que ce serait une fille. Tout en étant ravie, Florence se demandait si les sentiments de Gabriel changeraient à son égard, lorsqu'elle lui apprendrait la nouvelle. Ses filles ne l'avaient pas épargnée, ces derniers temps.

Coco se montrait plus indulgente, mais il était clair que cela la perturbait, elle aussi. Elle avait eu plus de temps pour s'habituer à l'idée que sa mère avait une liaison avec un homme plus jeune qu'elle.

« Je te remercie de ne pas m'en vouloir », lui avait confié sa mère à la fin d'une conversation téléphonique.

Comme toujours, Coco avait été très gentille avec elle.

« Je ne t'en veux pas, mais je m'inquiète pour toi », avait reconnu la jeune femme.

Coco était surprise par l'attitude de sa mère. Désormais, Florence lui faisait davantage de confidences qu'à Jane, alors que cela avait toujours été le contraire. Sa mère et sa sœur avaient toujours été proches l'une de l'autre. Elles raisonnaient de la même façon, étaient toutes deux très critiques et dogmatiques, et partageaient ensemble un grand nombre d'idées. Dès l'enfance, Coco s'était sentie différente d'elles et avait eu le sentiment d'être une intruse. Aussi loin que remontaient ses souvenirs, Jane et sa mère avaient été les meilleures amies du monde.

Jane était partie à l'université quand Coco avait six ans. Au lieu de prendre sa place, Coco était restée à l'écart, élevée par des gouvernantes, pendant que sa mère travaillait. Florence préférait écrire plutôt que de passer du temps avec sa fille cadette. Sa tendresse continuait d'aller vers Jane. Pour elle, elle était prête à tout lâcher. Pour une raison inconnue, le tour de Coco n'était jamais venu et celle-ci avait toujours eu le sentiment de ne pas être à la hauteur. Mais aujourd'hui que Florence se sentait déstabilisée, elle puisait du réconfort auprès de la plus douce de ses filles.

— Comment as-tu fait la connaissance de Gabriel, maman ? demanda Coco au cours de l'une de leurs longues conversations.

Puisqu'il semblait faire partie de la vie de sa mère, elle avait envie d'en savoir le plus possible à son sujet. Prenant sa curiosité pour de l'approbation, Florence lui en fut reconnaissante. Les paroles de Jane l'avaient énormément blessée. Même si sa fille aînée s'était excusée par la suite, le mal était fait. Elle avait accusé sa mère d'être sénile, de n'être qu'une vieille femme stupide manipulée par un homme qui n'en voulait qu'à son argent et à sa renommée. Coco craignait la même chose, mais elle faisait davantage attention à ce qu'elle disait.

— L'année dernière, expliqua Florence, j'ai vendu les droits de l'un de mes livres à la Columbia. C'était Gabriel qui devait le produire. Nous avons travaillé sur le scénario et y avons pris énormément de plaisir. C'est quelqu'un de très cultivé et de sensible.

Florence s'exprimait avec une sorte de timidité qui étonna sa fille, tant cette attitude était rare chez elle.

— Il pense la même chose de moi, poursuivit Florence. Il a toujours été attiré par les femmes plus âgées que lui. A dix-huit ans, il sortait avec une femme qui en avait trente.

Apparemment, il aimait les femmes mûres, songea Coco.

— J'ai hâte de le connaître, affirma-t-elle.

C'était vrai, pour diverses raisons. Elle se garda de le dire à sa mère, mais elle se méfiait de lui. Florence faisait plus jeune que son âge, mais elle trouvait bizarre que Gabriel tombe amoureux d'une femme qui avait vingt-quatre ans de plus que lui. Bien sûr, il ne savait pas toute la vérité à ce sujet, mais même une différence de dix-sept ans était énorme. Coco se demanda si sa mère avait en tête quelque chose de ce genre lorsqu'elle s'était fait faire son second lifting, après la mort de son mari. Elle avait toujours été très coquette, mais cela faisait partie du quotidien à Hollywood. Jane l'était aussi, mais pas autant que leur mère. Coco savait que sa sœur s'était fait faire des injections de Botox, ces dernières années. Elle-même n'imaginait pas en faire autant. Cela ne l'intéressait pas.

— Lui aussi souhaite faire ta connaissance, répondit sa mère.

Que Coco désire rencontrer Gabriel la soulageait énormément. Elle avait été terrifiée à l'idée que ses deux filles veuillent rompre toute relation avec elle en apprenant sa liaison. Jane l'avait d'ailleurs envisagé, mais elle s'était calmée sous l'influence de Liz.

— Que penses-tu de la grossesse de Jane ? demanda Coco, comme si de rien n'était.

Elle imaginait que sa mère ne devait guère être enchantée à la perspective de devenir grand-mère. C'était certainement embarrassant pour elle.

— Je trouve que c'est vraiment bien pour Jane et Liz. J'avais toujours cru que tu serais la seule à avoir des enfants. Il ne m'était jamais venu à l'esprit qu'elles feraient ce genre de démarche. La seule chose qui me semble un peu bizarre, c'est de ne pas savoir qui est le père.

Pour Coco, la conduite de sa mère était elle aussi bizarre.

— Jane dit qu'elle ne voulait pas des complications qu'elles auraient pu avoir si elles avaient choisi l'un de leurs amis. Avec cette formule, le bébé est entièrement à elles. Je comprends un peu leur point de vue. Si le père faisait partie de leurs relations, la situation serait sans doute un peu étrange. Mais le bébé n'arrive que dans huit mois. Je suppose qu'au moment de sa naissance, nous nous serons habituées à cette idée.

— Pour ma part, je n'en suis pas certaine, répliqua franchement Florence. Mais pour l'instant, j'ai d'autres préoccupations. Et je commence un nouveau livre.

Elle retrouvait son assurance et sa confiance. Elle perdait rarement de vue qui elle était, même si la réaction de Jane l'avait déstabilisée pendant quelques jours. Et elle commençait à se demander si Jane ne se vengeait pas qu'elle ait un homme jeune dans sa vie en lui imposant d'être grand-mère. Mais ce qu'elle craignait, c'est qu'avec l'arrivée du bébé, Jane soit moins proche d'elle. Elle consacrerait tout son temps à son enfant et à Liz.

Ce soir-là, elle parla de ses filles à Gabriel. Il savait qu'elle les avait mises au courant et cela le rendait nerveux. Il pensait à juste titre qu'elles n'approuveraient pas cette liaison.

— Est-ce qu'elles sont fâchées ? s'enquit-il avec inquiétude.

Ils dînaient à la terrasse de l'Ivy. Florence portait un jean blanc, un chemisier en soie turquoise et des sandales dorées à talons. Elle paraissait en pleine forme et regardait le jeune homme avec amour. Il était difficile de croire que ses filles l'avaient contrariée.

— Elles s'en remettront. C'est déjà fait, d'ailleurs, le rassura-t-elle. Coco a été surprise, mais c'est une gentille fille. Elle m'a juste dit qu'elle voulait mon bonheur et qu'elle avait hâte de te rencontrer, la prochaine fois qu'elle viendrait à Los Angeles. C'est impossible pour l'instant, puisqu'elle garde la maison de sa sœur.

Florence se garda bien de faire allusion au bébé. Elle ne lui en parlerait que lorsqu'elle n'aurait plus le choix. Elle ne voulait pas que Gabriel commence à voir en elle une grand-mère. Leur différence d'âge était suffisamment importante sans qu'il faille en rajouter. Jusqu'à présent, cela ne l'avait pas vraiment gênée, mais Jane s'était chargée de le lui rappeler.

— Ma fille aînée s'est montrée plus désagréable, précisa-t-elle.

Gabriel commanda du champagne, pour fêter l'officialisation de leur liaison. Désormais, ils n'avaient plus à craindre que les filles de Florence découvrent la vérité. Ne restait que la presse. Etant donné sa célébrité, leur histoire d'amour était suffisamment croustillante pour faire la une des journaux à scandale. Heureusement, jusque-là, ils avaient été prudents et avaient eu de la chance.

— Jane était fâchée contre toi ? demanda Gabriel d'une voix inquiète.

Ils burent quelques gorgées de champagne. Gabriel était vêtu d'un jean et d'un tee-shirt blancs. Il portait les mocassins en crocodile que Florence lui avait offerts plusieurs mois auparavant. Elle aimait les lui voir aux pieds, aussi les mettait-il souvent lorsqu'il était avec elle.

— Elle l'a été au début, lui répondit-elle. Il ne lui était jamais venu à l'esprit que je pourrais avoir une liaison. Je pense qu'elle est choquée à cause de son père. Tu es le premier homme qui est entré dans ma vie depuis sa mort.

Ce n'était pas tout à fait vrai, mais elle préférait s'en tenir à cette version. Durant l'année qui avait suivi le décès de Buzz, elle avait eu deux brèves aventures dont elle n'avait jamais parlé à ses filles. Les deux hommes en question étaient assommants et elle ne les avait aimés ni l'un ni l'autre. En revanche, elle était très amoureuse de Gabriel. En fait, elle était tombée sous son charme dès leur première rencontre et il en allait de même pour lui. Tout était allé très vite entre eux, et leur passion était aussi intense qu'au premier jour.

— Il lui faudra sans doute un peu de temps pour s'habituer, continua Florence. Heureusement, la compagne de Jane est très intelligente et compréhensive. Quand je l'ai vue, elle m'a promis de faire tout son possible pour que Jane accepte la situation, et je pense qu'elle a tenu sa promesse. Notre liaison n'a pas du tout choqué Liz.

Gabriel adressa un sourire compatissant à Florence. Dans le milieu où il évoluait, il avait toujours entendu dire que Jane Barrington était une calamité ambulante.

— Mon âge a dû les surprendre, reconnut-il, même si je n'y pense jamais, quand je suis avec toi.

Lui souriant de nouveau, il l'embrassa dans le cou, tout en admirant son décolleté. Il aimait sa façon de s'habiller. Florence s'arrangeait pour être toujours sexy et élégante. Jamais il n'avait rencontré de femme aussi séduisante.

— J'ai vraiment l'impression que nous avons le même âge, conclut-il.

Il savait trouver les mots que Florence souhaitait entendre. Cela pouvait paraître fou, mais elle ne doutait pas de sa sincérité. Elle repensa alors aux paroles de Liz et songea qu'elle avait raison. Si les rôles avaient été inversés, personne ne se serait offusqué de leur liaison. On l'aurait même approuvée et enviée.

— Jane s'en remettra, assura-t-elle encore. Pour l'instant, elle a d'autres chats à fouetter. Elle est plongée jusqu'au cou dans ses problèmes avec les syndicats et notre histoire doit être le cadet de ses soucis.

Sans parler du bébé. Mais avec un peu de chance, il ne l'apprendrait pas avant longtemps. Ils seraient peut-être même mariés quand il le saurait. Gabriel en avait parlé tout l'été, et Florence aimait cette idée. La seule chose qui les retenait était les filles. Avant d'envisager de leur parler de leurs projets de mariage, Florence voulait qu'elles apprennent à connaître Gabriel et qu'elles se calment.

Tout en dînant, ils parlèrent du film sur lequel il travaillait. Ils avaient choisi ensemble le scénario et elle lui avait donné d'excellents conseils. Ils formaient une bonne équipe. En fait, depuis qu'ils étaient ensemble, ils réussissaient tout ce qu'ils entreprenaient. Tandis qu'ils terminaient leur repas, Florence remarqua qu'ils suscitaient bien des coups d'œil envieux. Les femmes les observaient avec une admiration non dissimulée, du moins était-ce son impression. Personne n'avait l'air de prendre Gabriel pour son fils, surtout qu'il faisait légèrement plus âgé qu'il ne l'était en réalité.

Après le dîner, ils retournèrent chez elle, comme d'habitude. Cela faisait plusieurs mois qu'il passait avec elle la plupart des nuits. De temps en temps, lorsqu'ils voulaient rompre la routine, ils s'offraient un week-end à l'hôtel Bel-Air. C'était toujours Gabriel qui l'invitait. Il ne permettait jamais à Florence de payer quoi que ce soit, hormis les cadeaux qu'elle aimait lui faire. Elle avait toujours envie de le gâter. De son côté, il lui avait acheté un bracelet en diamant pour fêter les six premiers mois de leur liaison. Et il avait l'intention de lui offrir prochainement une bague de fiançailles, mais elle l'ignorait encore. Il avait déjà fait son choix. Il espérait qu'à ce moment-là, ses filles auraient fait sa connaissance et l'apprécieraient. Il ne voulait pas être un élément de discorde dans la famille, mais il était profondément amoureux de leur mère et la trouvait absolument sublime.

Ils ne tardèrent pas à se coucher et firent aussitôt l'amour. Comme toujours, Gabriel savait éveiller en elle un désir qu'elle avait cru ne plus jamais éprouver et qui dépassait tout ce qu'elle avait connu. En trente-six ans de mariage avec Buzz, elle n'avait jamais ressenti un tel plaisir, même lorsqu'ils étaient jeunes. Gabriel était un amant incroyable. Récemment, il avait parlé de leur liaison à sa mère, qui avait été aussi choquée que Jane. Mais elle aussi commençait à comprendre qu'elle n'y pouvait rien ; Gabriel lui avait expliqué qu'il était fou amoureux de Florence et que rien ne le ferait changer d'avis. Elle connaissait très bien son fils. Elle savait que lorsqu'il voulait quelque chose, elle ne pouvait pas le détourner de son but. Il n'y avait pas d'homme plus obstiné que lui. C'était d'ailleurs ainsi qu'au début il avait vaincu les réticences de Florence. Elle avait fini par céder et ne regrettait pas de partager tant de bonheur avec lui. Le sexe ne venait pas en premier, bien que ce soit important. Ils aimaient rire et discuter. Tout en elle lui plaisait : son esprit, son corps, son élégance, sa force et son immense talent. Aucune autre femme ne lui arrivait à la cheville. Il avait craint de se sentir insignifiant auprès d'elle, et au lieu de cela, elle l'avait hissé à son niveau. A son contact, il apprenait énormément de choses, et il écrivait bien mieux depuis qu'il profitait de ses conseils. Il l'avait remarqué, et Florence aussi.

Ce soir-là, allongé à ses côtés, il songea à sa chance. Florence avait un corps toujours mince et ferme. Mais chaque jour, elle faisait de l'exercice avec l'un des meilleurs coachs de Los Angeles. Son amour pour Gabriel était une motivation suffisante.

Rapidement, la force de leur désir s'empara d'eux à nouveau. Elle prit ses lèvres, puis se glissa sur lui et le chevaucha. Quelques secondes plus tard, Gabriel se mit à gémir. Elle poursuivit cette douce torture, tantôt le comblant, tantôt le mettant au supplice, puis elle lui échappa pour continuer son œuvre avec sa bouche. Bientôt, il lui rendit le même hommage et les rôles s'inversèrent. Désormais, Gabriel menait le jeu et la rendait folle comme elle l'avait rendu fou. Il s'écoula un long moment avant qu'ils soient rassasiés l'un de l'autre. Florence resta alors dans les bras de Gabriel, arborant un sourire ravi. Il semblait épuisé, mais il se mit à rire en la serrant contre lui. Il ignorait ce que ses filles penseraient de lui, mais pour l'instant, il s'en moquait. Il n'avait jamais autant aimé une femme. Quelques minutes plus tard, ils s'endormirent, toujours enlacés. Pour l'un comme pour l'autre, le monde extérieur n'existait pas.

9

A la mi-août, la mère de Chloé appela Leslie. Elle était invitée à passer deux semaines sur un voilier, dans le sud de la France.

— Je suis désolée de te demander ça, Leslie, s'excusa Monica. D'habitude, je te préviens plus à l'avance, mais j'ai besoin de vacances et je n'aurai pas d'autre occasion d'en prendre avant des mois. On me propose d'aller faire du bateau à Saint-Tropez. Pourrais-tu prendre Chloé pendant quinze jours ?

Normalement, il aurait accepté avec joie, mais il ignorait la réaction de Liz et Jane à l'idée qu'un enfant s'installe dans leur maison. Même si elles en attendaient un, ce n'était pas la même chose. Une fillette de six ans occupait davantage d'espace qu'un nouveau-né. Mais comme il souhaitait que Chloé fasse la connaissance de Coco, il espérait qu'elles accepteraient.

— Ça devrait être possible, répondit-il avec un certain embarras. Mais en ce moment, je vis chez des amies et je dois d'abord leur demander leur accord. Si elles refusent, nous irons à l'hôtel.

Malheureusement, il serait vite reconnu, tout le monde alors saurait qu'il se trouvait à San Francisco et les paparazzis rappliqueraient aussitôt. Il aurait voulu leur échapper encore un moment, et épargner Coco.

— Je te rappelle, promit-il.

Il téléphona immédiatement à Jane, mais ce fut Liz qui décrocha. Elle gardait le portable de sa compagne quand celle-ci était sur le plateau. Après lui avoir expliqué son problème, il lui dit qu'il irait à l'hôtel avec sa fille si Jane et elle voyaient un inconvénient à ce que Chloé soit chez elles.

— Ne sois pas bête, répliqua Liz. Nous ferions bien de nous habituer à la présence d'enfants à la maison. Nous en aurons bientôt un à nous.

Elle n'était pas certaine que Coco lui en avait parlé, ignorant s'ils étaient assez proches pour qu'elle lui ait fait cette confidence. Coco avait dit à Jane qu'ils se voyaient à peine, mais Liz avait des doutes.

— C'est ce que j'ai appris. Toutes mes félicitations. Merci à toutes les deux d'accepter que ma fille vienne chez vous. Elle est adorable et très bien élevée. Sa mère l'emmène partout.

Mais apparemment pas sur un voilier, dans le sud de la France, songea Liz.

— J'ai hâte de lui faire visiter San Francisco, continua Leslie. Coco et moi, nous l'emmènerons à la plage.

Cette information ne cadrait pas tout à fait avec les précédents propos de Coco, laissant entendre que Leslie et elle se croisaient rarement.

— A ce propos, demanda Liz d'une voix innocente, vous vous entendez bien, tous les deux ?

Elle ne pouvait résister à l'envie d'en savoir plus. Pour une raison inconnue, elle aurait aimé qu'ils aient une liaison. Contrairement à Jane, elle appréciait beaucoup la sœur cadette de sa compagne et ne pensait pas que Coco était un cas désespéré. La jeune femme était seulement différente de son aînée ambitieuse et inflexible. Liz savait aussi combien elle avait souffert de la disparition de Ian. Par ailleurs, elle considérait Leslie comme un homme bien qui, malgré sa célébrité, était resté simple et gentil.

— A merveille, admit-il. Coco est étonnante. Elle a beaucoup de personnalité, tout en n'ayant pas une once de méchanceté. Elle est profondément bonne et tolérante. Je suis ravi de l'avoir rencontrée.

Il ne pouvait s'empêcher de chanter ses louanges.

— Si je comprends bien, vous avez l'occasion de discuter, approuva Liz.

— Oui, quand elle ne promène pas les 101 Dalmatiens. C'est un drôle de boulot, mais apparemment, les clients ne manquent pas et pour le moment, il lui convient.

Il ne pensait pas qu'elle exercerait cette activité toute sa vie, aussi ne comprenait-il pas l'animosité de sa mère et de sa sœur à ce sujet. Après tout, c'était une occupation lucrative et honnête, et elle s'en acquittait très bien. Sa petite entreprise lui permettait de vivre tout à fait confortablement.

— Ils l'apprécient, confirma Liz. C'est une charmeuse de chiens.

— Je suis sûr qu'elle sait aussi charmer les enfants et que ma fille va l'adorer. Encore merci de m'autoriser à la recevoir chez vous. Mais, dis-moi, cela fait plus de deux mois que je suis installé chez vous, il serait peut-être juste que je vous verse un loyer ?

Liz se mit à rire.

— Tu tiens compagnie à Coco. C'est énorme. Je me sens très coupable vis-à-vis d'elle, parce que nous n'avons trouvé personne pour la remplacer. Nous avons essayé, mais tous ceux que nous avons contactés ont des projets pour l'été et à l'automne ils reprendront leurs études. Au moins, avec toi, Coco a l'occasion de côtoyer un célèbre acteur de cinéma. Cela compense le fait qu'elle doive rester chez nous.

Tout en parlant, Liz prit conscience que Coco ne s'était pas plainte de cette situation et qu'elle n'avait pas non plus demandé à rentrer chez elle, ce qui renforçait ses soupçons. Par ailleurs, Leslie semblait l'apprécier et tenait même des propos enthousiastes à son égard. Evidemment, il ne disait pas non plus qu'ils étaient tombés follement amoureux l'un de l'autre. Peut-être étaient-ils simplement devenus amis, mais Liz ne le croyait pas. Elle pensait plutôt qu'ils préféraient rester discrets. Elle était loin de se douter que, dès la deuxième nuit qui avait suivi leur rencontre, Leslie et Coco avaient passionnément fait l'amour. Mais cela ne regardait qu'eux, aussi Leslie s'efforçait-il de conserver un ton léger. Coco lui avait maintes fois répété que Jane ne poserait jamais de questions à leur sujet. Elle était persuadée qu'il ne lui viendrait jamais à l'esprit qu'il puisse y avoir quelque chose entre eux. N'avait-elle pas dit à Coco qu'elle n'était pas du tout le genre de Leslie ?

— Embrasse Jane pour moi, dit-il avant de raccrocher. Et encore toutes mes félicitations pour le bébé. Cela va considérablement changer votre vie.

— Jane dit qu'elle va prendre six mois de congé. Je le croirai quand je le verrai. Pour ma part, je compte rester un an à la maison, si c'est possible. De toute façon, je peux très bien travailler chez moi, c'est ce que j'ai toujours voulu faire.

Elle avait hâte de voir naître leur premier bébé, même si elle aurait préféré le porter. Leur médecin avait préféré que ce soit Jane, qui était en meilleure condition physique et avait quatre ans de moins, ce qui avait pesé lourd dans la balance.

— Dis bonjour à Coco de ma part, demanda-t-elle à Leslie. Elle va bien, après toutes les émotions que leur a données Florence ?

Liz n'avait pas parlé avec Coco depuis un certain temps, préférant laisser les deux sœurs discuter ensemble. Elle s'était bornée à calmer Jane et y avait réussi, bien que celle-ci ronchonne toujours. Mais au moins n'était-elle plus en rage, comme lorsqu'elle avait appris la nouvelle. Coco avait d'ailleurs joué un rôle important dans cet apaisement. Elle était bien plus tolérante que sa sœur.

— Je pense qu'elle ne lui en tient pas rigueur. Au début, elle était contrariée, mais elle estime que sa mère a le droit de mener sa vie comme elle l'entend et avec qui elle veut. De nos jours, l'âge n'a plus autant d'importance qu'autrefois.

— C'est exactement ce que j'ai dit à Jane, mais elle ne réagit pas aussi bien que sa sœur, soupira Liz.

Par bonheur, la grossesse l'adoucissait un peu.

— Je m'en doute, répondit Leslie. D'après ce que je sais, Jane n'est pas tendre non plus avec Coco, ajouta-t-il, révélant ainsi qu'il était plus proche de la jeune femme qu'il ne le laissait entendre.

Liz ne manqua pas de le remarquer, mais elle n'avait pas l'intention d'en parler à Jane. Cette dernière avait suffisamment de préoccupations ces derniers temps sans qu'on lui en ajoute. Elle était très possessive envers ses amis, et Liz sentait qu'elle n'apprécierait pas un rapprochement entre Leslie et Coco. C'était une sorte de jalousie entre sœurs. Jane voulait que Leslie soit son ami, pas celui de Coco.

— Coco t'a dit que Jane était dure avec elle ? demanda Liz avec intérêt.

Cette intransigeance l'avait toujours contrariée, d'autant qu'elle lui paraissait injuste. Coco avait besoin d'être soutenue et comprise par sa famille, pas d'être méprisée. C'était pourtant ainsi que sa mère et sa sœur la traitaient.

Craignant d'en avoir trop dit, Leslie fit marche arrière. Il savait que Liz était fine mouche et qu'elle devinerait vite ce qui s'était passé entre Coco et lui. Peut-être était-ce d'ailleurs déjà fait.

— Pas vraiment. C'est ce que j'ai cru comprendre.

— Si elle te l'a dit, elle a eu raison, affirma Liz. Jane et Florence ne sont pas tendres avec elle depuis qu'elle a laissé tomber ses études. Et même avant, d'ailleurs. Elles se sont liguées contre elle et Coco n'est pas de force à leur résister. Elle est bien trop gentille, mais c'est son caractère.

Leslie faillit lui répondre qu'il l'aimait justement à cause de cela, mais il se retint à temps.

— Désormais, Jane pourra se rabattre sur le petit ami de Florence, lança-t-il en riant. Je suis vraiment content de bavarder avec toi, surtout que cela fait des siècles que je ne t'ai pas vue. J'ai un peu honte de m'incruster chez vous, mais je m'y sens bien. Et en plus, personne ne sait que je suis à San Francisco. Je retournerai à Los Angeles en septembre pour mon prochain film. En attendant, je vais avoir ma fille. C'est génial.

— Amusez-vous bien ! s'exclama Liz.

Après l'avoir encore remerciée, Leslie raccrocha et appela Monica.

— Pas de problème, lui dit-il, Chloé peut venir. Quand comptes-tu me l'envoyer ?

— Est-ce que ce serait possible dès ce soir ? demanda Monica, légèrement embarrassée. J'ai la possibilité de partir à Nice demain, avec un ami, qui peut m'emmener dans son avion. Le bateau se trouve à Monte-Carlo et, de là, nous irons à Saint-Jean-Cap-Ferrat et à Saint-Tropez.

— Tu mènes une vie pénible, la taquina-t-il.

— Je le mérite bien, assura-t-elle. Pendant un an, j'ai bossé comme une folle sans prendre de vacances. Deux semaines ne seront pas de trop. Merci de prendre Chloé.

— J'en suis ravi.

— Je te rappellerai pour te donner le numéro de son vol.

— Et moi je te passerai un coup de fil dès qu'elle sera arrivée.

Ils étaient toujours restés bons amis, ce qui était parfait pour Chloé. La petite fille adorait quand son père leur rendait visite à New York. Et lui se réjouissait de l'avoir pour quinze jours.

Il en parla à Coco dès qu'elle rentra à la maison. En apprenant que la fillette arrivait le soir même, la jeune femme sembla paniquée. Elle ne s'attendait pas à la rencontrer aussi vite.

— Ce soir ? J'espère que ma présence ne la contrariera pas, s'écria-t-elle avec inquiétude. Elle ne sera peut-être pas contente de partager son papa.

— Elle va t'adorer, assura-t-il en l'embrassant. J'ai appelé Liz pour lui demander si Chloé pouvait venir, et nous avons longuement bavardé.

— Tu crois qu'elle se doute de quelque chose ?

— Je n'en sais rien, mais elle est perspicace.

Coco arbora un large sourire.

— Elle l'est plus que ma sœur, en tout cas. Jane est beaucoup trop égocentrique pour imaginer qu'il peut se passer quelque chose entre nous.

— Tu as certainement raison.

Leslie vérifia le contenu du réfrigérateur. Deux jours auparavant, ils avaient fait les courses, aussi y avait-il tout ce que Chloé aimait : des gaufres et des pizzas surgelées, de la confiture et même des croissants.

Ce soir-là, ils mangèrent une salade avant de se rendre à l'aéroport. Leslie devina que Coco était nerveuse. Pour la jeune femme, cette rencontre avec sa fille avait beaucoup de signification.

Lorsqu'ils se furent garés dans le parking de l'aéroport, elle tourna vers lui un visage anxieux. Ils avaient pris la Mercedes break de Jane, car la vieille camionnette de Coco ne comportait pas de sièges à l'arrière. Elle les avait ôtés pour faire de la place aux chiens.

— Et si elle me détestait ?

— Je t'ai déjà dit qu'elle allait t'adorer. Tout comme moi, affirma-t-il en la serrant dans ses bras.

L'avion atterrit avec dix minutes d'avance, si bien qu'ils arrivèrent juste à temps pour accueillir Chloé. Dès qu'elle le vit, la petite fille se précipita dans les bras de son père en poussant des cris de joie. Jetant un coup d'œil par-dessus son épaule, elle sourit à Coco. Elle avait d'immenses yeux bleus, de longues nattes blondes, était vêtue d'une robe rose à smocks et serrait contre elle un ours en peluche tout décati. Elle aurait pu figurer sur une publicité. Elle avait le teint et les cheveux de sa mère, et la beauté de son père. En la voyant, on savait que plus tard, elle serait ravissante.

Leslie la reposa délicatement par terre, puis il lui prit la main et lui présenta Coco. L'enfant leva vers la jeune femme un regard curieux.

— Voici mon amie Coco, lui dit-il simplement. Nous habitons dans la maison de sa sœur. Elle devrait te plaire, car elle est très belle. Il y a une piscine, avec de l'eau très chaude.

Tandis qu'il donnait à sa fille les informations qui l'intéressaient, Coco prit conscience qu'ils ne pourraient plus dormir ensemble pendant le séjour de Chloé. Ils n'en avaient pas parlé avant son arrivée, mais elle ne voulait pas choquer la petite fille et elle était certaine qu'il ne le souhaiterait pas non plus.

— Et maintenant, nous allons récupérer tes valises. Tu dois être très fatiguée, non ? demanda Leslie, tenant sa fille par la main et se dirigeant vers l'endroit où les passagers retiraient leurs bagages.

Coco les accompagnait et Chloé ne cessait de la regarder, comme si elle essayait de deviner qui elle était.

— J'ai dormi dans l'avion, précisa-t-elle. Pour le dîner, on a eu des hot dogs et des glaces.

— C'était sûrement très bon, fit remarquer Leslie. A la maison, nous avons aussi de la glace. Et tu feras la connaissance de deux gros chiens très gentils, dont l'un est vraiment énorme.

Il s'efforçait de prévenir d'éventuelles réactions de frayeur à la vue de Jack. Coco trouvait que Leslie s'y prenait vraiment très bien avec sa fille. Dans son rôle de père, il lui semblait soudain bien plus mûr. Quant à

147

Chloé, elle était visiblement folle de lui et ravie d'être là, et ne lâchait pas sa main.

— J'aime bien les chiens, assura-t-elle en levant les yeux vers Coco. Ma grand-mère a un caniche qui ne mord jamais.

— Les nôtres non plus, expliqua Coco. Ils s'appellent Jack et Sallie. Quand il se dresse sur ses pattes arrière, Jack est aussi grand que ton papa.

Chloé éclata de rire.

— Ce doit être très drôle, s'exclama-t-elle pendant que son père prenait ses deux sacs sur le tapis roulant et les posait près de Coco.

— Je vais chercher la voiture, annonça alors Leslie, laissant Coco seule avec Chloé.

La jeune femme ne savait pas comment elle allait entretenir la conversation, mais l'enfant n'arrêtait pas de babiller.

— Ma maman est actrice à Broadway, expliqua-t-elle pendant qu'elles attendaient le retour de Leslie. Elle joue très bien, mais la pièce est très triste, parce que tout le monde meurt, à la fin. Je préfère les comédies musicales, mais ma maman n'en joue jamais. Elle n'a que des rôles tristes et elle meurt toujours à la fin. J'ai assisté à la première. Tu es actrice, toi aussi ?

Elle était telle que Leslie la lui avait décrite : adorable et très mûre pour son âge.

— Non. Je promène les chiens des gens, pendant qu'ils sont au travail. C'est plutôt amusant.

Tout en parlant, Coco se sentait un peu bête. Elle avait du mal à valoriser ce qu'elle faisait. Quand Leslie revint, il constata avec plaisir que sa fille semblait bien s'entendre avec Coco. Il porta les sacs jusqu'à la voiture, installa Chloé à l'arrière et mit ses bagages dans le coffre. Peu après, ils quittaient l'aéroport.

— Qu'est-ce qu'on va faire, ici ? demanda Chloé. Il y a un zoo ?

Comme Coco connaissait mieux San Francisco que Leslie, ce fut elle qui répondit :

— Oui. Il y a aussi des cable-cars, qui sont des tramways qui ressemblent à des téléphériques. Et si tu veux, nous pourrons aller à la plage.

— Coco possède une très jolie petite maison au bord de la mer, fit valoir Leslie. Je suis sûr que tu vas l'adorer.

Coco lui sourit. Elle avait l'impression de jouer au papa et à la maman avec la petite. C'était comme s'ils formaient une famille. Et à sa grande surprise, elle se rendait compte qu'elle aimait cela.

Lorsqu'ils arrivèrent, Leslie ouvrit la porte avec sa clé et débrancha l'alarme, puis il conduisit la petite fille dans la cuisine et lui proposa une glace. Chloé serrait toujours son ours en peluche contre elle. A l'aéroport, elle avait dit à Coco qu'il s'appelait Alexandre. Ils s'assirent tous les trois à table, une fois que Coco eut sorti la glace. C'est alors que, à sa grande honte, Leslie raconta leur rencontre à sa fille, quand il l'avait découverte pataugeant dans le sirop d'érable. Tandis que la fillette riait aux éclats, de la crème glacée coulait le long de son menton. A les voir, on aurait pu croire que Chloé vivait depuis toujours avec eux.

Lorsqu'ils eurent terminé leurs glaces, Coco présenta les chiens à Chloé. A la demande de la jeune femme, Jack tendit la patte à la fillette, qui gloussa de plaisir, pas effrayée du tout. Pendant ce temps, Sallie tournait autour d'eux. Coco expliqua à Chloé que la chienne avait été dressée pour garder des moutons en Australie. Ensuite, ils montèrent dans les chambres. Chloé devait dormir avec son père dans la chambre d'amis. Leslie adressa un clin d'œil à Coco par-dessus la tête de sa fille, et la jeune femme comprit qu'il la rejoindrait dès que l'enfant serait endormie.

Coco défit les bagages de la fillette, pendant que Leslie veillait à ce qu'elle se brosse les dents. Elle se débarbouilla, puis enfila son pyjama, et Coco lui brossa les cheveux, après avoir défait ses nattes. Elle avait une longue chevelure blonde et bouclée. Chloé se glissa dans le grand lit et Coco l'embrassa avant de regagner sa propre chambre, puis Leslie s'assit auprès de sa fille, en attendant qu'elle s'endorme.

Vingt minutes plus tard, il retrouva Coco. Un sourire heureux aux lèvres, il s'effondra sur le lit.

— Elle est adorable, affirma Coco. C'est ton portrait en blonde.

— C'est ce qu'on dit, reconnut-il. Elle te trouve très gentille et très jolie. Elle m'a demandé si je t'aimais et je lui ai répondu que oui. Je lui dis toujours la vérité. Elle est d'accord pour que je dorme avec toi, si j'en ai envie. J'ai laissé la porte entrouverte et j'ai allumé la lumière dans la salle de bains. Et j'entrebâillerai aussi notre porte.

— Je trouve que tu fais très mûr, tout à coup.

— N'est-ce pas ? répliqua-t-il en riant. La paternité me fait toujours cet effet. Chloé développe mon sens des responsabilités. Je regrette de ne pas la voir plus souvent, ajouta-t-il tristement. Elle est tellement formidable.

Tout en parlant, il s'était glissé entre les draps.

— C'est vrai, confirma Coco. Tu es sûr que cela ne la contrariera pas que tu dormes ici ?

— Absolument, assura-t-il. C'est une petite fille très perspicace.

Il était heureux que sa fille se sente à l'aise avec Coco, tout comme il appréciait la façon dont Coco s'adressait à elle. Il l'aimait encore plus, depuis qu'il l'avait vue avec sa fille, et il se sentait comblé de les avoir toutes les deux près de lui. Il attira Coco dans ses bras et ils bavardèrent à voix basse, alors que Chloé ne pouvait pas les entendre de sa chambre et qu'elle dormait profondément.

Une demi-heure plus tard, ils s'endormirent à leur tour. Coco avait enfermé les chiens dans la cuisine pour éviter qu'ils n'ennuient la petite ou ne montent sur son lit.

Le lendemain matin, Coco ouvrit les yeux avant que le réveil ne sonne. Lorsqu'elle se retourna, elle se trouva nez à nez avec Chloé, qui lui souriait. A son réveil, elle les avait rejoints dans leur lit. Coco ne put s'empêcher de rire. Leslie dormait encore.

— Tu as faim ? souffla-t-elle.

Chloé hocha la tête, un large sourire aux lèvres.

— Descendons dans la cuisine et trouvons quelque chose à manger, chuchota la jeune femme.

Elles sortirent de la chambre sur la pointe des pieds, pour ne pas réveiller Leslie. Coco fit sortir les chiens, pendant que Chloé s'installait devant la table, comme si elle avait toujours vécu dans cette maison.

— Qu'est-ce que tu aimerais, pour ton petit déjeuner ? lui demanda Coco.

— Des céréales, une banane, une tartine et un verre de lait.

— Je te sers tout de suite.

Quelques minutes plus tard, la petite fille dévorait son petit déjeuner. Coco brancha la bouilloire pour le thé.

— Tu as bien dormi ?

Chloé hocha vigoureusement la tête, puis elle fixa la jeune femme avec curiosité.

— Papa dit qu'il t'aime. Et toi, tu l'aimes ? demanda-t-elle gravement.

— Beaucoup. Et il t'aime plus que tout, ajouta Coco pour rassurer l'enfant.

Chloé plongea sa cuillère dans son bol de céréales.

— Maman me permet de regarder ses films, chaque fois que j'en ai envie, remarqua-t-elle.

— J'adore les regarder, moi aussi, avoua Coco en s'asseyant en face de Chloé. Il y a un écran géant, dans notre chambre. Si tu veux regarder ses films, ou même d'autres, c'est possible. C'est plus drôle, sur un écran aussi grand.

— Mon papa n'aime pas se voir, l'informa Chloé.

151

— Je le sais, mais nous pouvons en passer d'autres, quand il est là.

— Qu'est-ce que vous mijotez, toutes les deux ?

La voix de Leslie les fit sursauter. Comme il était pieds nus, elles ne l'avaient pas entendu entrer dans la cuisine.

— Nous envisageons de regarder tes films sur le grand écran, expliqua Coco.

Chloé, qui avait engouffré un trop gros morceau de banane dans sa bouche, marmonna quelques mots inintelligibles. Leslie l'imita et ils se mirent tous à rire. Ils semblaient vraiment former une famille.

— On pourrait emmener Chloé à la plage, quand tu reviendras du travail, à midi, suggéra Leslie.

On était samedi et cette perspective leur plaisait à tous les trois.

— On pourra nager ? demanda Chloé.

Leslie lui répondit que l'eau était trop froide, mais il s'abstint de lui parler des requins.

Pendant que Coco débarrassait et montait s'habiller, il l'emmena voir la piscine. Lorsqu'ils revinrent, Coco proposa à Chloé de natter ses cheveux avant de partir travailler. Elle fit ensuite couler un bain pour la fillette, puis elle s'en alla, promettant de revenir rapidement. La perspective de les retrouver tous les deux au retour était très agréable. Cela la changeait de la vie solitaire qu'elle menait depuis deux ans.

Elle rentra pour déjeuner et, immédiatement après, ils partirent pour Bolinas. Durant tout le trajet, Chloé regarda le paysage avec intérêt. Elle posa des questions et raconta à son père ce qu'elle avait fait pendant l'été. Elle précisa que sa mère avait un nouveau petit ami qui possédait un bateau. Monica devait le retrouver à Monte-Carlo et ensuite ils iraient à Saint-Tropez. En écoutant ses commentaires, Coco réprima un sourire. Très probablement, une fois de retour chez elle, elle parlerait d'elle de la même façon à sa mère.

— Il est rigolo, continuait Chloé à propos du petit ami de sa mère. Il a un gros ventre et il est chauve, mais il est très gentil. Maman dit que son bateau est immense.

Monica n'avait jamais oublié le côté matériel des choses, songea Leslie. Mais si cela lui convenait, pourquoi pas ? Il devinait que Coco avait du mal à ne pas rire.

— Il est vieux, aussi, ajouta Chloé.

Elle avait emporté son ours en peluche et, lorsqu'ils longèrent les falaises, elle le souleva pour qu'il puisse admirer la mer. Elle posa ensuite un regard curieux sur Coco.

— Pourquoi tu n'es pas mariée ? Tu devrais avoir des enfants.

Le matin même, elle avait dit à son père que Coco lui plaisait.

— Je n'ai pas encore rencontré l'homme de ma vie, répondit Coco. Ma maman me pose souvent la même question.

Chloé poursuivit son interrogatoire sans la moindre gêne.

— Tu as des frères et sœurs ?

— J'ai une sœur. Elle s'appelle Jane et elle a onze ans de plus que moi.

Chloé parut navrée pour elle.

— C'est vieux !

Ils descendaient en direction de Stinson Beach. Une nappe de brouillard flottait au-dessus de l'océan, mais le ciel était bleu et la température agréable. En août, la météo était toujours imprévisible. En ville, il faisait froid et il y avait du vent. Les gens du coin y étaient habitués mais les touristes étaient toujours déçus. Chloé ne semblait pas s'en soucier. Elle était simplement heureuse de se trouver avec Coco et son père. Apparemment, elle n'était pas contrariée de devoir le partager. Au fil des ans, elle avait fait la connaissance de ses nombreuses conquêtes. C'est ce qu'elle avait expliqué à Coco durant le petit déjeuner.

— Ta sœur est mariée ? demanda-t-elle avec espoir. Elle a des enfants ?

La fillette aimait jouer avec d'autres enfants, mais elle ne s'ennuyait pas en compagnie d'adultes. Où qu'elle soit, elle paraissait à l'aise.

— Non, elle n'est pas mariée non plus, répondit Coco sur un ton d'excuse. Et elle n'a pas d'enfant non plus. Elle vit avec une amie qui s'appelle Liz. Si tu préfères, elles habitent dans la même maison.

— Elle est homosexuelle ? demanda Chloé sans ciller.

Coco faillit tomber de son siège. Elle se tourna pour regarder l'enfant, un sourire prudent aux lèvres. Leslie se mit à pouffer. Il connaissait sa fille, mais pour Coco, c'était nouveau.

La jeune femme feignit l'ignorance.

— Que signifie ce mot ?

— Tu ne le sais pas ? C'est quand des garçons vivent avec des garçons et des filles avec des filles. Ils s'embrassent quelquefois, mais ils ne peuvent pas avoir de bébés, parce que c'est seulement les garçons et les filles qui peuvent en avoir ensemble. Tu veux que je t'explique comment ils font ? Ma maman m'a tout expliqué.

Elle serra son ours contre son cœur. Curieux condensé d'enfance et de maturité, Chloé n'en restait pas moins adorable. Coco n'avait jamais rencontré d'enfant comme elle et elle était sous le charme.

— Je ne crois pas que j'aie besoin de l'entendre, répliqua-t-elle très vite. Ma maman me l'a expliqué, à moi aussi. Mais j'étais plus âgée que toi.

Elle avait alors presque quatorze ans, mais grâce à Jane, elle était au courant de beaucoup de choses.

Ils traversaient Stinson Beach et se dirigeaient vers Bolinas.

— C'est plutôt bizarre, tu ne trouves pas ? Je n'ai pas envie que cela m'arrive, quand je serai plus grande. C'est dégoûtant, fit Chloé d'un air courroucé. Est-ce que mon papa fait ça avec toi ? ajouta-t-elle en posant sur Coco ses grands yeux bleus.

Au volant, Leslie parut s'étouffer, tandis que Coco bredouillait :

— Euh... non, mentit-elle.

Il y avait certaines choses dont elle ne pouvait pas discuter avec une enfant de six ans, fût-elle parfaitement informée.

— C'est pour ça que vous n'avez pas d'enfants, affirma Chloé d'un air entendu. Il faudra que vous le fassiez un jour, si vous voulez avoir un bébé. Ma maman l'a fait avec mon papa.

Elle s'exprimait comme s'il s'agissait d'un acte un peu stupide, commis bien longtemps auparavant, une sorte d'escapade pas très intelligente. Il était clair qu'elle ne comprenait pas le sens profond et les implications de ce qu'on lui avait dit. Elle connaissait les gestes, pas leur signification.

— Eh bien, je suis bien contente qu'ils t'aient eue, assura gaiement Coco.

Elle tâcha de se remettre de cette conversation, pendant que Leslie approchait de Bolinas. Bientôt, la voiture emprunta la route cabossée qui menait à la maison.

— Nous y sommes ! s'exclama Coco.

Un instant plus tard, Coco ouvrit la porte de sa maison. Derrière elle, Chloé en franchit le seuil en sautillant. Les chiens, qui avaient été enfermés dans le coffre pendant le trajet, filèrent à la plage.

— Que c'est joli ! s'exclama la fillette en battant des mains, son ours coincé sous un bras.

Elle le posa sur le canapé et regarda autour d'elle.

— On dirait la maison des Trois Ours, ou celle des Sept Nains !

Coco ne put s'empêcher de rire. En l'espace de quelques minutes, ils étaient passés du sexe à Blanche-Neige. Comme Chloé sortait sur la terrasse, Leslie lui adressa un clin d'œil.

— Tu comprends, maintenant ? Je t'avais dit qu'elle était très mûre. Sa mère la traite comme une adulte, mais en même temps, elle n'a que six ans. Tu t'en es très bien tirée. Et je te promets de ne plus jamais faire ces choses dégoûtantes dont elle a parlé, à moins que nous ne voulions avoir un bébé.

Cette fois, Coco éclata de rire, et ils rejoignirent Chloé sur la terrasse.

— On peut jouer sur la plage ? demanda-t-elle.

— Bien sûr ! Nous sommes venus pour cela. Tu veux construire un château de sable, ou juste te promener ? demanda Coco.

— Un château de sable ! s'écria la petite en applaudissant de nouveau.

Coco sortit des casseroles d'un placard, ainsi que plusieurs bols et un petit seau pour y mettre de l'eau. Puis, après avoir ôté leurs chaussures, ils descendirent tous les trois sur la plage.

Coco s'occupa d'aller chercher de l'eau, pendant que Leslie sculptait le château, que Chloé décora avec des cailloux, des coquillages et des morceaux de bois. Elle fit preuve de beaucoup d'imagination et, lorsqu'ils eurent terminé, la forteresse était très impressionnante. Tous les trois étaient très satisfaits du résultat. Lorsqu'ils regagnèrent la maison, l'après-midi était bien avancé.

Il y avait deux pizzas dans le congélateur et de la laitue pour préparer une bonne salade. Ils dînèrent autour de la vieille table de cuisine, puis ils s'assirent sur la terrasse. Tandis que la nuit tombait, Leslie raconta des anecdotes sur Chloé. La petite les connaissait déjà, mais elle adorait les entendre. Ensuite, ils la couchèrent dans la chambre de Coco, qui avait insisté pour dormir dans le canapé. Leslie s'était proposé, mais elle estimait qu'il devait rester auprès de sa fille. Cela ne l'ennuyait pas de passer la nuit dans le séjour, qui était bien chauffé. Lorsque Coco vint lui souhaiter une bonne nuit, Chloé voulut qu'elle embrasse aussi son ours.

— Merci, susurra la fillette en bâillant, je me suis bien amusée, aujourd'hui.

— Moi aussi, assura Coco en lui souriant.

Chloé s'endormit dès que la jeune femme eut refermé la porte. Leslie et elle allumèrent alors un feu dans la cheminée.

— Elle est vraiment adorable, chuchota Coco lorsqu'ils se furent assis sur le canapé.

— Oui, affirma-t-il fièrement. Je suis absolument fou d'elle. Je ne l'aurais jamais cru, mais Monica est vraiment une très bonne mère, même si elle est parfois un peu trop moderne à mon goût... comme pour ce qui concerne la sexualité, par exemple. Mais c'est une enfant très équilibrée et elle l'éduque très bien. Avec moi, elle aurait été pourrie-gâtée et, au lieu de l'envoyer à l'école, je l'aurais gardée pour jouer avec elle, conclut-il en souriant.

Coco se blottit contre lui.

— Tu es un très bon père.

Elle avait pu constater combien il se montrait patient, gentil et affectueux avec sa fille. Il se comportait d'ailleurs de la même façon avec elle.

— Nous avons construit un magnifique château de sable, remarqua-t-il. Tu aurais dû devenir architecte.

— Je préfère lézarder sur la plage.

— Tu le fais très bien aussi, murmura-t-il en l'embrassant et en passant une main sous son tee-shirt pour la caresser.

— J'espère que tu ne vas pas me faire toutes ces choses dégoûtantes dont Chloé a parlé ! plaisanta-t-elle.

Il prit un air faussement grave, sans pour autant ôter sa main.

157

— Jamais ! Jamais je ne ferais une chose pareille, surtout quand Chloé dort dans la pièce voisine. Mais dans d'autres circonstances, je pourrais me laisser convaincre, si... si jamais tu voulais un bébé, conclut-il en baissant la voix.

— Un jour, peut-être...

Elle y avait souvent pensé, ces derniers temps. La perspective d'avoir une petite fille comme Chloé ne manquait pas d'attrait.

Ils continuèrent de bavarder jusqu'à minuit et sortirent ensuite sur la terrasse pour contempler le ciel. Par cette nuit de pleine lune, des millions d'étoiles étincelaient. Assis sur les transats, ils discutèrent encore pendant une heure. Puis Leslie laissa à regret Coco dans le séjour et rejoignit sa fille, pendant que la jeune femme se glissait dans un sac de couchage.

Tous les trois se réveillèrent tôt le lendemain et ce fut Leslie qui prépara le petit déjeuner. Il fit des crêpes, sur lesquelles il disposa des bananes, le dessert préférée de Chloé. Ensuite, il sortit pour aider Jeff à réparer sa voiture. Il l'avait vu s'affairer dessus et brûlait d'envie de lui donner un coup de main. Tout en faisant la vaisselle avec Chloé, Coco le regarda par la fenêtre en souriant. Quand tout fut rangé, elle lut des histoires à la fillette sur la terrasse.

Deux heures plus tard, Leslie les rejoignit, les mains pleines de cambouis. Tout heureux, il leur raconta comment il avait réparé la voiture de leur voisin. Il avait passé une excellente matinée.

Ils se rendirent alors en voiture à Stinson et firent une longue promenade sur la plage avec les chiens, puis ils retournèrent à Bolinas. Leslie et Chloé firent une partie de dames, après quoi ils mangèrent des sandwiches et des chips avant de paresser au soleil, sur la terrasse. En fin d'après-midi, ils dégustèrent des hot dogs, puis ce fut le moment de rentrer. Pendant le trajet du retour, Chloé dormit à l'arrière de la voiture. Le week-end avait été parfait.

Le soir, ils regardèrent tous les trois *Mary Poppins* et, quand Chloé s'endormit, Leslie la porta dans son lit. Coco lui avait promis de l'emmener visiter San Francisco, le lendemain. Ils devaient dîner dans un restaurant asiatique – et « manger avec des baguettes », avait insisté Chloé. Ils projetaient aussi d'aller au zoo et de monter dans un cable-car avant le départ de la fillette.

— Merci d'être si gentille avec elle, chuchota Leslie en rejoignant Coco dans le grand lit.

— Ce n'est pas trop difficile, répondit-elle.

Il se releva alors pour donner un tour de clé à la porte de la chambre.

— Qu'est-ce que tu fais ? s'étonna-t-elle.

— Je me suis dit que nous pourrions avoir quelques minutes d'intimité. Ce n'est pas facile, avec un enfant dans la maison.

Après avoir éteint les lumières, Leslie prit Coco dans ses bras. Découvrant avec ravissement qu'elle avait ôté son pyjama pendant qu'il couchait Chloé, il retira son short. Quelques secondes plus tard, ils laissaient libre cours à leur amour. C'était comme si l'arrivée de Chloé les avait encore rapprochés.

10

Durant les deux semaines que Chloé passa avec eux, ils visitèrent les zoos d'Oakland et de San Francisco, ainsi que le musée de cire. Coco trouva les personnages un peu effrayants pour une enfant, mais Chloé fut ravie. Ils se promenèrent dans le quartier chinois et à Sausalito, allèrent au cinéma, montèrent dans les cable-cars, et retournèrent à Bolinas, où ils firent un château de sable encore plus grand et plus beau que le premier. Coco emmena Chloé dans une usine qui fabriquait des jouets et la petite fille en revint avec une ourse en peluche vêtue d'une robe rose qu'elle prénomma Coco par affection pour la jeune femme. Pour leur dernière soirée, Coco fit un gâteau sur lequel elle écrivit le nom de Chloé avec des bonbons. Il penchait un peu sur le côté, mais l'enfant l'adora tel qu'il était.

Pendant le repas, Chloé leur demanda s'ils allaient se marier, mais son père resta évasif. Coco et lui n'en étaient pas encore là, bien qu'ils aient déjà parlé d'avoir des enfants. Pour l'instant, Leslie tentait de la convaincre de venir vivre avec lui à Los Angeles, mais Coco détestait la ville où elle avait grandi. Ils devaient franchir bien des obstacles avant d'envisager le mariage, cependant Leslie y pensait. Il ne voulait pourtant pas en parler à Chloé, pour ne pas la décevoir si la situation n'évoluait pas comme il l'espérait.

Pendant le séjour de Chloé, il n'y eut qu'un petit accident. Le dernier soir, la fillette se brûla le doigt en faisant griller des guimauves avec Coco. Trop impulsive, elle toucha la fourchette brûlante en voulant prendre la confiserie et poussa un cri, avant de se mettre à pleurer comme n'importe quel enfant de six ans. Coco l'emmena aussitôt devant l'évier et fit couler de l'eau froide sur son doigt. Entendant ses pleurs, Leslie arriva en courant et fut pris de panique en voyant le visage ruisselant de larmes de sa fille.

— Que s'est-il passé ? Elle s'est coupée ?

— Elle s'est brûlé le doigt, répondit Coco, qui tenait la petite fille contre elle, tout en maintenant sa main sous le filet d'eau froide.

— Tu l'as laissée approcher du feu ? interrogea-t-il sur un ton accusateur.

Instantanément, Chloé cessa de pleurer pour se tourner vers son père.

— Ce n'est pas sa faute ! s'écria-t-elle farouchement. Elle m'avait dit de ne pas toucher la fourchette, mais je l'ai fait quand même.

Se blottissant contre la jeune femme, elle conclut courageusement :

— Ça va mieux, maintenant.

Coco alla chercher de la pommade et du sparadrap, et tout rentra dans l'ordre.

Leslie semblait penaud.

— Je suis désolé. Je n'aurais pas dû t'accuser ainsi, mais j'ai eu peur que ce ne soit grave.

— Ne t'en fais pas. Ce n'est rien, le rassura la jeune femme, comprenant sa réaction.

Elle fit descendre Chloé du tabouret sur lequel elle l'avait installée pendant qu'elle la soignait. La petite mit ses deux bras autour de sa taille et se serra contre elle.

— Je t'aime, Coco !

— Moi aussi, souffla la jeune femme en se penchant pour déposer un baiser dans les cheveux de l'enfant.

161

— On peut encore faire griller de la guimauve ? demanda la petite en dressant son doigt pansé.

— Non ! s'écrièrent à l'unisson Coco et Leslie.

— Si on mangeait une glace, à la place ? suggéra-t-il.

Coco se détendait. Lorsque Chloé s'était fait mal, elle avait eu très peur, elle aussi, mais la petite fille semblait de nouveau en pleine forme et heureuse. Peu après, ils montèrent tous regarder un film à la télévision, et Chloé s'installa entre son père et Coco. Leur dernière soirée fut tranquille et heureuse, et Coco prit conscience que Chloé allait beaucoup lui manquer. En l'espace de quinze jours, l'enfant avait pris une grande place dans sa vie.

Le lendemain, c'est le cœur gros qu'ils se rendirent à l'aéroport. Chloé serrait dans ses bras ses deux ours, l'ancien et le nouveau. Lorsqu'ils la confièrent à l'hôtesse qui allait s'occuper d'elle dans l'avion, Coco faillit pleurer.

— J'espère que tu reviendras bientôt, chuchota-t-elle à Chloé en l'embrassant. Ça ne va plus être pareil, sans toi.

La petite la regarda alors gravement.

— Est-ce que mon papa sera là, quand je reviendrai ?

— Je l'espère.

— Je pense que papa et toi, vous devriez vous marier.

Entre elle et Coco, le courant était immédiatement passé et toutes les deux s'aimaient vraiment.

— Nous en parlerons un de ces jours, affirma Leslie en serrant sa fille dans ses bras. Tu vas me manquer, petit singe. Dis bonjour à ta maman de ma part et appelle-moi ce soir.

— Je te le promets, répondit tristement Chloé.

— Bon voyage et à bientôt, dit-il en l'embrassant une dernière fois.

Après avoir franchi la porte d'embarquement, la fillette se tourna vers eux, un large sourire aux lèvres, et agita la main. Coco lui envoya des baisers, et Leslie et elle restèrent immobiles jusqu'à ce qu'elle s'éloigne, tenant la main de l'hôtesse.

Ils ne quittèrent l'aéroport que lorsque l'avion eut disparu dans le ciel. Les premières minutes dans la voiture furent silencieuses ; tous les deux pensaient à Chloé. La maison allait leur sembler bien vide !

— Elle me manque déjà, soupira tristement Coco.

Elle n'avait jamais vécu tant de temps avec un enfant, et maintenant, elle ne pouvait imaginer la vie sans Chloé.

— A moi aussi, répondit Leslie. J'envie les gens qui vivent avec leurs enfants. Monica a de la chance de l'avoir tout le temps.

Pourtant, il n'avait jamais envisagé de l'épouser…

— Si jamais j'ai un autre enfant, continua-t-il, je ne m'en séparerai pas. Chaque fois que nous nous quittons, j'ai le cœur brisé.

Il resta sombre tout le long du trajet. Pour ne pas rentrer tout de suite dans la maison vide, ils décidèrent d'aller au cinéma et virent un film d'action, qui leur changea les idées. Lorsqu'ils regagnèrent la maison, Coco alla nager dans la piscine, pendant que Leslie s'installait dans le bureau pour étudier un scénario et décider s'il allait accepter le rôle qu'on lui proposait. Ils se retrouvèrent un peu plus tard dans la cuisine et fixèrent mélancoliquement le reste du gâteau. Finalement, Leslie prépara du thé et s'assit en face de Coco.

— A voir nos têtes, je suppose qu'on peut considérer cette visite comme un succès, déclara-t-il en souriant. Nous avons passé deux semaines formidables.

— Avec une enfant comme Chloé, il ne pouvait pas en être autrement, répondit Coco en buvant son thé. J'espère que l'enfant de Jane et de Liz sera aussi mignon, dans six ans.

— Qu'est-ce que tu penses de la suggestion de Chloé de nous voir mariés ? demanda-t-il comme si de rien n'était.

Il se comportait en homme ordinaire et non comme une grande star du cinéma.

— Je trouve qu'elle a de drôles d'idées parfois, des idées surprenantes même, ajouta-t-il avec une assurance feinte.

Coco réprima un sourire. Cette sorte de timidité, de modestie, faisait partie de son charme, que ce soit à l'écran ou dans la vie. C'était d'ailleurs ce qui l'avait séduite en premier chez lui.

Elle lui adressa un sourire tendre.

— Ce n'est pas inintéressant, répondit-elle, mais c'est peut-être un peu prématuré. Nous devons d'abord décider du lieu où nous vivrons, et ce n'est pas un mince problème.

Aux yeux de Coco, c'était un point capital. Cela faisait trois mois qu'ils vivaient ensemble. C'était un bon début. Jamais elle ne s'était aussi bien entendue avec quelqu'un, pas même avec Ian. Mais Leslie était une star et elle se demandait comment cela se passerait s'ils étaient constamment harcelés par les paparazzis, surtout s'ils habitaient à Los Angeles. Elle tenait à préserver leur intimité et, si ce n'était pas le cas, elle craignait que leur couple n'y résiste pas.

En dehors de cette question fondamentale, tout se déroulait parfaitement. Ils n'eurent qu'un léger désaccord concernant les chiens. Un soir, ces derniers revinrent tout trempés de la piscine et sautèrent sur le lit. C'était la quatrième fois, protesta Leslie. Mais à part ce petit incident, leur harmonie était parfaite. Ils s'aimaient et étaient heureux de vivre ensemble. Elle s'intéressait à ses projets et lui donnait son avis sur les scénarios qu'on lui envoyait, car il aimait avoir son opinion. Tout en elle lui plaisait. De son côté, elle l'adorait. Le seul obstacle à leur bonheur était sa célébrité et ils étudiaient la façon dont ils pourraient s'en accommoder.

Ils se posaient cependant quelques questions car, dans la mesure où, depuis qu'ils se connaissaient, ils vivaient en solitaires, ils ignoraient s'ils aimeraient les mêmes personnes lorsqu'ils sortiraient. Par ailleurs, ils n'avaient fait aucun voyage ensemble et ne s'étaient trouvés face à aucune crise. Coco ne savait pas comment était Leslie, lorsqu'il tournait un film et qu'il était stressé ou fatigué. Ce qu'ils savaient, en revanche, c'est que, jusqu'alors, vivre ensemble ne leur avait posé aucun problème. Ils étaient parfaitement complémentaires. Ils étaient ouverts et prévenants, faisaient attention l'un à l'autre et s'amusaient bien, ayant tous les deux le sens de l'humour. Restait à savoir comment ils résisteraient à l'épreuve du temps. Ce qui ennuyait le plus Coco, c'était que Leslie habite à Los Angeles. Mais apparemment, il était prêt à y renoncer. Il avait laissé entendre qu'il accepterait de déménager à San Francisco ou à Santa Barbara. Il avait même dit que chaque fois qu'il le pourrait, il serait heureux de passer du temps à Bolinas. Leslie était un homme sensé et pratique, et il souhaitait trouver un compromis qui satisfasse Coco, car il avait depuis longtemps décidé que la jeune femme était faite pour lui et qu'elle serait une épouse parfaite. Mais elle avait besoin d'un peu de temps. Pour elle, trois mois étaient trop courts pour prendre une décision qui engagerait toute leur vie.

— Je ne suis pas certain que la question de savoir où nous habiterons soit si importante, fit-il tranquillement remarquer.

Il ne souhaitait pas la brusquer, mais il savait exactement ce qu'il voulait. La façon dont Coco s'était comportée avec sa fille l'avait conforté dans cette idée. Et maintenant, il voulait en discuter avec elle.

— Tu ne peux pas cesser d'aimer un homme ou le quitter parce que tu n'apprécies pas la ville où il habite, souligna-t-il avec raison.

— Il ne s'agit pas de la ville, mais du genre de vie inhérent à ton métier, répliqua-t-elle, l'air contrariée. Je ne sais pas ce que c'est, de vivre avec une star de

165

cinéma. J'ignore ce que cela implique. C'est effrayant, Leslie. La presse, les paparazzis, la tension, la renommée... J'ai besoin de bien réfléchir à tout cela avant de prendre une décision. Je ne veux gâcher ni ta carrière ni ma vie. J'adore ce que nous vivons en ce moment, mais c'est comme un conte de fées. Nous nous cachons. Dès que l'on connaîtra notre histoire, tout le monde en parlera et cette perspective me terrorise. Je ne veux pas te perdre, mais certains feront tout pour nous séparer et il est tout à fait possible qu'ils réussissent.

— Laisse venir et voyons comment cela tournera. Pourquoi ne m'accompagnerais-tu pas en Italie ? Je resterai à Venise au moins un mois, peut-être deux. Tu pourrais trouver quelqu'un pour promener les chiens à ta place. Tu veux bien y réfléchir ? Auparavant, nous pourrions rester quelques jours à Los Angeles, pour voir comment cela se passe.

En réalité, il mourait d'envie d'être vu au bras de Coco. Il aurait voulu partager son bonheur avec la planète entière.

— Je t'aime, Coco, murmura-t-il. Quoi qu'il arrive et quelle que soit la façon dont les journalistes s'empareront de notre histoire, la seule chose qui compte, c'est que je sois avec toi.

Les larmes aux yeux, elle parvint à lui sourire.

— Je suis morte de peur. Que se passera-t-il, s'ils me harcèlent ou si je fais quelque chose de stupide qui te desservira ? Je n'ai jamais été sous les projecteurs, mais je sais ce que les clients de mon père ont subi. Je ne veux pas que cela nous arrive. Tout est simple, en ce moment, mais ça ne le sera plus lorsque les gens seront au courant de notre liaison.

Il ne leur restait plus que deux semaines pour profiter de cette vie idyllique. Ensuite, Leslie repartirait pour Los Angeles, afin de travailler sur son film. Leur histoire serait alors rapidement dévoilée et ils seraient donnés en pâture à une certaine presse. Elle le savait et Leslie ne pouvait pas le nier. Il s'en inquiétait d'ailleurs pour elle. Il vivait dans un monde où il était difficile de préserver son intimité et son anonymat. Dès son retour à Los Angeles, puis sur le lieu du tournage, à Venise, tous leurs faits et gestes feraient la une des journaux à scandale. Coco verrait alors si elle pouvait le supporter.

— Traitons une chose à la fois, lui répondit-il.

A cet instant, le téléphone portable de Coco se mit à sonner. C'était Jane. Depuis qu'elle s'était disputée avec leur mère, elle appelait sa sœur plus souvent. D'une certaine façon, cet événement leur avait fait du bien. Leslie se leva et contourna la table pour embrasser Coco, avant de quitter la cuisine. La jeune femme ne lui avait pas donné la réponse qu'il attendait concernant leur mariage, mais il savait qu'il lui faudrait du temps pour s'adapter à la vie qu'il menait. Elle paraissait déjà moins affolée qu'au début, mais la partie n'était pas gagnée. Pour l'instant, il la laissait discuter avec sa sœur, mais il reviendrait à la charge.

Coco lui fut reconnaissante de ne pas insister davantage. Elle était suffisamment bouleversée à l'idée qu'il quitterait bientôt San Francisco. Elle demanda à Jane comment se passait sa grossesse. Cette dernière lui assura que tout allait bien. Liz et elle étaient très excitées et elles avaient du mal à croire que dans cinq mois, il y aurait un bébé chez elles. Coco était tout aussi surprise. Jamais elle n'avait imaginé que sa sœur puisse devenir mère et elle n'y parvenait toujours pas. Elle la connaissait trop bien... ou alors pas assez.

— En tout cas, je peux te dire que ta maison est parfaite pour une petite fille de six ans. La fille de Leslie est restée ici pendant deux semaines et elle l'a adorée. Nous nous sommes bien amusés.

A l'autre bout du fil, il y eut un bref silence.

— A ce propos, comment ça s'est passé ? demanda Jane.

167

— Fantastique. C'est la plus adorable petite fille que j'aie jamais vue. J'espère que tu en auras une comme elle.

— On dirait qu'elle t'a conquise, remarqua Jane sans avoir l'air d'y toucher. J'espère qu'elle n'a rien cassé.

Se sentant soudain un peu nerveuse, surtout après la conversation qu'elle venait d'avoir avec Leslie, Coco chercha à masquer sa gêne sous un flot de paroles.

— Bien sûr que non ! Elle est très bien élevée. Nous l'avons emmenée partout. Au zoo, dans les cable-cars, dans le quartier chinois, à Sausalito et au musée de cire. Nous avons passé de super moments, avec elle.

Jane ne croyait toujours pas que les soupçons de Liz étaient fondés, mais ce qu'elle entendait lui mit soudain la puce à l'oreille.

— « Nous » ? Aurais-tu omis de me dire quelque chose, Coco ? Vous avez une liaison, Leslie et toi ? demanda-t-elle carrément.

Cette fois, ce fut au tour de Coco de garder le silence pendant un long moment. Elle aurait pu mentir à sa sœur, ça n'aurait pas été la première fois, mais après sa conversation avec Leslie, il lui sembla qu'elle devait dire la vérité.

— Oui, dit-elle seulement.

Elle n'avait aucune idée de ce qui allait se passer. Sa sœur allait sans doute se montrer étonnée, mais peut-être l'approuverait-elle, puisque Leslie était son ami. Pour une fois, Jane ne pourrait pas dire que son choix était malheureux.

Mais elle se trompait.

— Tu es devenue folle ? s'écria Jane. As-tu la moindre idée de qui il est ? C'est une star mondialement connue. La presse va te manger toute crue. Tu n'es qu'une petite promeneuse de chiens de rien du tout. Est-ce que tu as seulement imaginé ce que les journalistes allaient en faire ?

— Je suis aussi la fille de Buzz Barrington et de Florence Flowers, ainsi que ta sœur. J'ai grandi dans ce monde.

— Et tu l'as laissé tomber pour devenir une hippie. Il a eu des liaisons avec la moitié des plus belles femmes de la planète et quasiment toutes les vedettes de cinéma. Ils ne feront qu'une bouchée de toi. Et tu risques de devenir rapidement un boulet, pour lui. Comment as-tu pu faire une chose aussi stupide ? Je te demande de t'installer chez moi pour prendre soin de mon chien et tu couches avec mon invité, qui se trouve être une star. A quoi avez-vous pensé, tous les deux ?

Comme d'habitude lorsqu'elle morigénait sa sœur, Jane se montrait méchante et dépourvue de toute compassion. Coco l'écoutait, les larmes aux yeux.

— En fait, nous sommes tombés amoureux, murmura-t-elle, haïssant sa sœur et ses paroles, craignant pardessus tout qu'elle ne dise vrai.

— Comment peux-tu être aussi sotte ? Je n'ai jamais rien entendu d'aussi idiot. Il t'oubliera dès qu'il se remettra au travail. Il couchera avec sa partenaire et les tabloïds en feront leurs choux gras. Et c'est toi qui en pâtiras. Crois-moi, je connais bien Leslie.

A cet instant, ce dernier entra dans la cuisine et remarqua aussitôt l'accablement de Coco. Il devina que Jane faisait une nouvelle fois des siennes. Elle était son amie, mais il n'ignorait pas à quel point elle pouvait être garce, particulièrement envers sa petite sœur. Il caressa les épaules de Coco, mais celle-ci eut un mouvement de recul qui l'inquiéta. Jamais elle ne s'était comportée ainsi, auparavant.

— Nous verrons ce qui se passera quand il retournera à Los Angeles, se borna à dire Coco.

Ne voulant pas s'immiscer dans leur conversation, Leslie quitta à nouveau la cuisine. Il se montrait toujours très discret.

— Il ne se passera rien, crois-moi, répliqua Jane sans la moindre pitié. Le jour de son départ marquera la fin de votre histoire. Je suis certaine qu'il l'a déjà programmée, même si tu l'ignores encore. Tu n'as rien à attendre d'un type comme lui. C'est sûrement un très bon coup au lit, mais tu ferais mieux de prendre tes jambes à ton cou. Tu ne seras qu'un boulet, quand il aura regagné son milieu.

Coco n'osa pas lui répondre qu'ils venaient de parler mariage. Les propos de sa sœur la rendaient malade. Jane avait raison. Elle ne faisait que se leurrer elle-même si elle pensait pouvoir survivre dans l'univers de Leslie.

— J'espère que tu vas comprendre ton erreur, te réveiller et retrouver le sens des réalités. Au moins, ne t'humilie pas en t'accrochant à lui. Quand il partira, reste digne. Tu n'aurais jamais dû avoir une liaison avec lui pendant son séjour chez moi. Je te croyais plus maligne que ça. J'étais persuadée que tu ne te ferais pas avoir par un don Juan comme lui.

C'était cruel, mais Jane était impitoyable. Surtout vis-à-vis de Coco. Elle l'avait toujours été. Enceinte ou non, rien n'avait changé.

Accablée de chagrin, Coco n'avait qu'une envie : raccrocher.

— Je te remercie, murmura-t-elle. A bientôt.

Les joues ruisselantes de larmes, elle coupa la communication. Pour rien au monde elle n'aurait donné à Jane la satisfaction de l'entendre pleurer. Leslie revint à cet instant dans la cuisine.

— Que s'est-il passé ? Qu'est-ce qu'elle t'a encore fait ? J'avais de l'amitié pour elle, mais je commence à la détester depuis que je sais comment elle se comporte avec toi. Elle te traite comme une moins que rien et je trouve cela odieux.

En l'espace de quelques minutes, Jane pouvait la réduire en miettes, songea Leslie. Il aurait voulu lui rendre la monnaie de sa pièce.

Lorsqu'il prit Coco dans ses bras pour la réconforter, elle éclata en sanglots.

— Elle a raison, gémit-elle en pleurant contre lui. Elle pense que je suis nulle, sans intérêt et que je serai un boulet pour toi, un trophée à ajouter à la liste de tes conquêtes. Elle m'a rappelé que tu étais sorti avec les plus belles femmes du monde. Selon elle, la presse me dévorera toute crue, mais elle est persuadée que tout sera fini entre nous quand tu partiras.

Coco avait débité d'un trait tout ce que sa sœur lui avait assené. Elle semblait inconsolable, mais les yeux de Leslie étincelaient de fureur.

— Je te jure que je vais la tuer, gronda-t-il. Comment ose-t-elle être aussi méchante ? Tu es belle et intelligente, et je rêve d'être vu avec toi. Je ne t'arrive pas à la cheville et ta sœur est vraiment ignoble. Elle est jalouse de toi, parce que tu seras toujours plus jeune qu'elle. Oublie ce qu'elle t'a dit, Coco. Rien n'est vrai. Nous ne romprons pas quand je m'en irai. Au contraire, tout commencera pour nous. Je veux que tu viennes avec moi et que tous voient la chance que j'ai d'être avec toi. Ils tomberont tous amoureux de toi. Hormis les idiots, je ne vois pas qui pourrait ne pas t'aimer. Tu n'as qu'à demander à Chloé. On ne trompe pas un enfant, et encore moins le mien.

Tout ce qu'il disait lui faisait du bien et c'était ce qu'elle avait besoin d'entendre, mais les propos de sa sœur l'avaient profondément blessée.

— Tu te trompes, protesta-t-elle. Je risque de nuire à ta carrière.

Mais elle le disait avec moins de certitude, maintenant. Leslie avait su la réconforter.

— Non, c'est te perdre qui nuirait à ma carrière, parce que je me mettrais à boire.

Elle pouffa de rire à travers ses larmes, mais Jane l'avait profondément déstabilisée en lui disant tout ce qu'elle ne voulait pas entendre, tout ce qu'elle redoutait.

— C'est un monstre, affirma Leslie. Ne lui parle plus. Elle nous doit des excuses à tous les deux. Je t'aime, un point c'est tout.

Et pour le lui prouver, ils montèrent dans leur chambre. Il fallut à Leslie plus d'une heure pour apaiser Coco. La jeune femme lui dévoila tout ce qu'avait dit Jane. A mesure qu'elle se confiait, la fureur de Leslie augmentait. Il faillit téléphoner à Jane pour lui dire ce qu'il pensait de ses attaques innommables, mais il préféra rassurer Coco. Après tout, l'opinion que Jane avait de lui était le cadet de ses soucis.

Finalement, à force de paroles réconfortantes et de baisers, Coco se détendit. Le fixant en silence, elle le laissa la déshabiller. Sa sœur lui avait dit qu'elle n'était qu'un trophée pour lui, elle ne s'en souvenait que trop bien.

Comme il l'embrassait dans le cou, elle sentit un frisson la parcourir.

— Qu'est-ce que tu fais ? demanda-t-elle doucement.

— J'ai pensé que nous pourrions encore faire toutes ces choses dégoûtantes dont a parlé Chloé. Je veux être certain d'avoir tout compris. Il faut beaucoup de pratique, pour bien les réussir.

Coco ne put s'empêcher de rire. Et lorsqu'il eut fini de la déshabiller, elle ne se souciait plus des propos de sa sœur. Leslie était l'amour de sa vie.

11

Les deux dernières semaines de Leslie à San Francisco passèrent trop vite. Leslie et Coco profitèrent le plus possible l'un de l'autre et ne se quittèrent quasiment pas. Leslie avait beaucoup à faire avant le début de son nouveau film, mais il essaya de rester avec Coco tant qu'il le put. Il ne devait passer qu'une dizaine de jours à Los Angeles avant de partir pour l'Italie et continuait à pousser Coco à l'y rejoindre. Elle finit par lui promettre de venir.

Elle n'avait plus reparlé à sa sœur. Jane l'avait rappelée le lendemain, mais Coco n'avait pas décroché. Elle en avait suffisamment entendu. Jane raconta alors à Liz ce qui s'était passé. La jeune femme ne fut pas surprise d'apprendre que Leslie et Coco avaient une liaison, en revanche la réaction de Jane la contraria.

— Pourquoi cette nouvelle te met-elle dans un tel état ? lui demanda-t-elle en remplissant leurs bols de café.

— Leslie est mon ami, pas le sien, répliqua Jane.

— Il est peut-être ton ami, mais maintenant il est aussi le nouvel amour de Coco, et l'amitié et l'amour n'ont rien à voir. De plus, Leslie est quelqu'un de bien et je ne crois pas qu'il joue avec les sentiments de ta sœur, si c'est ce que tu crains. C'est un homme droit et responsable.

— Il a sans cesse des liaisons, insista Jane.

Liz considéra sa compagne avec inquiétude. Elle imaginait à quel point ses propos avaient pu être blessants pour Coco et Leslie.

— Comme beaucoup de gens, rétorqua-t-elle. Tu as peur qu'il veuille seulement s'amuser avec elle, c'est cela ? Tu protèges ta sœur ou tu ne veux pas qu'elle fréquente tes amis ? Si c'est le cas, tu es injuste avec elle. Elle nous a rendu service. Et si nous avons invité Leslie à passer quelque temps chez nous, ce qui est arrivé entre eux les regarde, pas nous.

Jane lança un regard noir à son amie.

— Il va la ridiculiser.

— Je ne suis pas d'accord avec toi, répondit fermement Liz. Et ce n'est pas à toi d'en décider. Ils sont majeurs, ils savent ce qu'ils font et ce qu'ils veulent. Exactement comme nous.

— Pourquoi es-tu toujours du côté des autres ? D'abord, tu as pris le parti de ma mère, et maintenant celui de Coco. Chaque fois qu'elles font quelque chose de stupide ou de choquant, tu les soutiens ! s'écria Jane d'une voix irritée.

— Je t'aime, mais je ne suis pas toujours d'accord avec toi. Dans ce cas précis, je pense que tu as tort.

— Qu'est-ce qu'il lui veut ? Ce n'est qu'une promeneuse de chiens.

— Ne sois pas si snob ! Coco vaut bien plus et tu le sais parfaitement. Et quand bien même ce serait vrai, il a le droit de tomber amoureux d'elle. Par ailleurs, je suis certaine qu'il peut faire son bonheur, si elle arrive à supporter tout ce qu'implique sa célébrité.

— Elle en est incapable, affirma Jane d'un ton péremptoire. Elle n'en aura pas le cran. Elle a fui Los Angeles, elle a lâché ses études de droit. C'est une dégonflée.

— C'est faux ! Et quoi qu'ils décident de faire, c'est leur affaire.

174

— Il va la laisser tomber comme une vieille chaussette dès qu'il attaquera son prochain film, c'est-à-dire dans deux semaines. Combien de temps crois-tu que leur idylle durera, après cela ? Il ne tardera pas à coucher avec sa partenaire et oubliera Coco.

— Peut-être pas. Peut-être qu'entre eux, c'est du sérieux, insista Liz.

Pour une raison inconnue, elle en avait la quasi-certitude. Le soin que Leslie et Coco avaient mis à cacher leur liaison lui faisait penser qu'ils s'aimaient vraiment. Et elle espérait ne pas se tromper, car elle avait beaucoup d'affection pour eux.

— En tout cas, continua-t-elle, c'est à Coco de le découvrir.

— Tout comme la moitié de la planète, lorsque la presse à scandale en fera ses choux gras. J'adore Leslie, mais je n'ai pas envie de lire dans les journaux que ma sœur est sa dernière passade.

— J'ai l'impression qu'elle est plus que cela, pour lui. Il t'aime beaucoup et il n'abuserait pas de la confiance de ta sœur juste pour passer un bon moment.

— Ils sont fous tous les deux, s'ils pensent que ça peut marcher. Car même si tu as raison, leur histoire est vouée à l'échec. Coco ne supportera jamais la pression des médias.

— Tu devrais lui faire davantage confiance. Elle n'a pas craqué quand Ian est mort.

— Non, mais elle a vécu comme une recluse pendant deux ans. Et que se passera-t-il quand les paparazzis envahiront les abords de notre maison et de la sienne ? Elle rêve, et lui aussi, s'il pense que Coco peut faire partie de sa vie. La presse va la laminer !

— Si elle le veut vraiment, elle passera outre.

— Elle n'acceptera jamais de vivre à Los Angeles. Et il ne voudra jamais s'installer dans sa cabane de Bolinas. Il a sa carrière, et elle est bien plus importante que la sienne.

— Qui vivra verra, se contenta de répondre Liz. De toute façon, là n'est pas la question. Il faut qu'elle puisse compter sur nous, pas que tu la démolisses.

— Je ne l'ai pas démolie, protesta Jane tout en étant bien consciente que c'était ce qu'elle avait fait.

Liz le voyait dans ses yeux. L'expression de Jane disait à quel point elle se sentait coupable.

— Je lui ai seulement dit ce que je pensais.

— Souvent, avec toi, cela revient au même. Tu ne sais pas à quel point tes paroles peuvent être blessantes. Tu peux te montrer extrêmement mordante.

— Très bien. Je vais l'appeler, promit Jane.

Elles quittèrent l'appartement peu après. Leur film avançait bien et elles espéraient rentrer plus tôt que prévu. Finalement, Coco serait restée chez elles pendant toute la durée de leur absence. Mais elles savaient maintenant pourquoi elle ne s'en était pas plainte.

Dans la matinée, Jane tenta de joindre sa sœur, sans succès. Elle essaya encore dans l'après-midi, mais en vain. Après deux jours d'essais infructueux, Jane comprit que Coco ne voulait pas lui parler. Maintenant qu'elle était calmée, elle s'en voulait. Elle décida alors de téléphoner à Leslie.

Lorsqu'il reconnut son numéro sur l'écran, il décrocha, mais sa voix était glaciale.

— Que veux-tu ? demanda-t-il sèchement.

Jane comprit immédiatement combien elle avait blessé sa sœur et fut aussitôt sur la défensive.

— Coco m'a dit que vous aviez eu une liaison, cet été ?

En dépit des propos de Liz, elle était toujours convaincue qu'il ne s'agissait que d'une aventure, aussi prenait-elle un ton léger.

— Ce n'est pas ce que je dirais, répliqua-t-il froidement. Je suis tombé amoureux de ta sœur. C'est vraiment quelqu'un de bien. Non seulement elle est intelligente, mais en plus elle est très gentille. N'oublie

176

pas qu'elle t'a rendu un fier service durant ces trois mois. Tu n'avais pas à lui asséner toutes ces monstruosités. C'est parfaitement ignoble de ta part. Je ne sais pas quelle mouche t'a piquée, Jane, mais tu as intérêt à te calmer. Si tu lui parles encore une fois de cette façon, tu pourras me rayer de la liste de tes amis. Tu n'as pas à blesser les autres par pur plaisir. Qu'est-ce que c'est ? Une sorte de sport ? Liz comme Coco n'ont pas une once de méchanceté. Tu devrais prendre exemple sur elles.

Leslie avait frappé juste. Jane eut l'impression d'avoir été giflée. Leslie ne supportait pas qu'elle démolisse sa sœur et qu'elle lui prête de fausses intentions. Il n'allait pas quitter Coco, l'oublier ou la tromper. Jamais il n'avait été aussi amoureux.

— Tu n'as pas à me dire comment je dois parler à ma sœur, riposta Jane. Je lui ai donné mon avis et je reste sur mes positions. Ne me raconte pas de salades, Leslie. Tu coucheras avec ta partenaire dès que le tournage commencera. Et tu oublieras très vite Coco.

— Ta confiance m'honore, répliqua-t-il, furieux. Tu n'as pas à m'insulter et à nous juger. Tant que tu n'auras pas changé et que tu seras aussi mauvaise, je ne te parlerai plus. Tu devrais imiter Liz et avoir plus de cœur. Tu as peut-être beaucoup de talent, mais tu as aussi une grande gueule. Et si j'apprécie ton talent, je ne supporte plus tes jugements à l'emporte-pièce. Laisse Coco tranquille.

— Pourquoi ? Parce que je lui ai dit la vérité ? Tu réagis ainsi parce que j'ai mis en plein dans le mille. On dirait que j'ai cassé ta baraque.

— Tu as tout faux, rétorqua calmement Leslie. J'aime ta sœur et j'espère bien la convaincre de venir vivre avec moi à Los Angeles.

— N'y compte pas. Elle ne supporte pas Los Angeles et tout ce qui s'y rattache. Petite, elle a été traumatisée de grandir parmi des gens célèbres. Elle nous déteste tous et cela risque de finir de la même façon avec toi. Elle n'y arrivera pas. Et je connais bien Coco, elle n'essaiera même pas.

— Je lui fais davantage confiance que toi, affirma-t-il froidement.

Mais intérieurement, il priait pour que Jane se trompe. Elle avait le don pour frapper là où cela faisait mal.

— Elle te décevra, Leslie, ajouta Jane, comme elle nous a tous déçus. Elle a peut-être entamé quelque chose avec toi, mais elle ne finira pas. Elle abandonnera. Elle manque de ce qu'il faut pour aller jusqu'au bout et supporter ton mode de vie. C'est pour cette raison qu'elle promène les chiens au lieu d'être avocate, et qu'elle vit dans sa bicoque, parmi des surfeurs qui ont quitté le monde réel il y a quarante ans. Elle sera comme eux un jour. C'est d'ailleurs déjà le cas.

Il y avait de l'amertume dans la voix de Jane.

— Pourquoi es-tu si contrariée qu'elle promène des chiens et qu'elle ait abandonné ses études de droit ?

A son tour, il frappait juste. Jane était tellement obsédée par la réussite qu'elle ne pouvait accepter les choix de Coco.

— Pour ma part, poursuivit-il, cela ne me gêne pas le moins du monde. J'apprécie qu'elle ne soit pas comme vous. Elle n'a ni votre dureté, ni votre méchanceté. Elle est douce, délicate, et a trouvé sa propre voie.

— Merci de la voir sous cet angle. Mais crois-moi, je la connais mieux que toi. Je l'aime, mais on ne peut pas compter sur elle. Il n'y a rien à faire.

— Tu te trompes. J'estime, au contraire, la connaître mieux que toi. Elle est bien meilleure que toi ou moi. Elle est fidèle à ce qu'elle est. Elle fait ce en quoi elle croit et elle le vit.

— Si tu l'imagines capable de supporter ton style de vie, tu seras déçu. Elle disparaîtra dès qu'elle devra affronter les photographes ou qu'elle te verra dans les bras d'une actrice et prendra ses jambes à son cou.

— Je ferai mon possible pour que cela n'arrive pas, assura Leslie.

Mais il était inquiet, et Coco aussi. Ce n'était pas facile d'être une star ni d'en aimer une.

— Bonne chance, fit Jane d'un ton sarcastique.

Lorsqu'ils raccrochèrent, ils étaient aussi contrariés l'un que l'autre. Leslie détestait la façon dont Jane traitait sa sœur et la manière dont elle en parlait. Elle n'avait aucune charité, aucune compassion. Elle était sans pitié. De son côté, Jane ne supportait pas que Leslie prenne la défense de Coco. Pour qui se prenait-il ? Ce soir-là, lorsqu'elle rapporta leur discussion à Liz, elle était encore furieuse. Au moins, songea cette dernière, Leslie était un adversaire à sa taille, ce qui n'était pas le cas de Coco.

Dans l'après-midi, Leslie et Coco allèrent se promener avec Sallie et Jack et, quand ils revinrent, Leslie raconta à Coco sa conversation avec Jane. Elle l'écouta sans dire un mot. Il prit soin de ne pas lui rapporter tous les propos de sa sœur, pour ne pas lui faire davantage de mal, mais il fit en sorte qu'elle comprenne qu'il avait pris sa défense. Il jugeait qu'il était temps que quelqu'un le fasse. Ils marchaient main dans la main.

— Il ne fallait pas, dit-elle doucement. Je peux me défendre toute seule.

Mais pas aussi bien que moi, songea Leslie, qui se rappelait ce qu'avait dit Jane. Heureusement, pensa-t-il, qu'elle avait quitté la maison de leurs parents alors que Coco était encore une enfant.

— Tu ne devrais pas avoir à te défendre contre ta sœur. La famille n'est pas faite pour cela, ou du moins, elle ne le devrait pas.

— Mes parents et elle étaient pareils, constata Coco. J'ai été heureuse de les quitter.

— Je te comprends ! Je déteste sa façon de parler de toi et ses sous-entendus. Elle est persuadée que je m'amuse avec toi, que ce n'est qu'une passade. Elle est odieuse ! Tu es la femme de mes rêves, chuchota-t-il en se penchant pour l'embrasser.

Ils restèrent enlacés un long moment, sans se préoccuper des gens qui les dépassaient en courant ou en marchant, souriant au beau couple qu'ils formaient. Personne ne reconnut Leslie.

Ce soir-là, Liz les appela et s'excusa de la part de Jane. Elle leur expliqua que le tournage la mettait sous tension et que sa grossesse la perturbait. Liz était désolée que sa compagne se soit montrée aussi dure. Elle était persuadée que Leslie aimait vraiment Coco et elle leur souhaitait beaucoup de bonheur.

Leurs derniers jours ensemble passèrent à la vitesse de l'éclair. La veille de son départ, Leslie invita Coco à dîner. Il avait retenu une table à l'abri des regards et l'avait réservée au nom de Coco.

Tous les deux étaient tristes. Ils venaient de vivre trois mois magiques et ils savaient que ce ne serait plus jamais la même chose. Ils allaient replonger dans la vraie vie et ce serait peut-être difficile. Coco s'en effrayait, mais Leslie aussi. Il ignorait comment Coco allait réagir. Cette séparation de plusieurs mois allait être très dure pour tous les deux. Ils la redoutaient et Leslie était abattu à la perspective de se retrouver aussi loin d'elle lorsqu'il partirait pour Venise, dans dix jours.

— Quand viendras-tu à Los Angeles ? lui demanda-t-il pour la centième fois.

— Erin, l'amie de Liz, peut me remplacer pendant trois jours, à la fin de la semaine.

Ses paroles soulagèrent Leslie. Jane avait réussi à l'inquiéter et il avait craint que Coco ne vienne pas.

— Elle s'occupera de Sallie et de Jack, mais Jane ne veut pas qu'elle s'installe chez elle.

— Je tâcherai de me libérer le plus souvent possible, mais ce ne sera pas facile.

Il ne voulait pas la quitter, fût-ce une minute. Il espérait que le producteur et le réalisateur ne l'accapareraient pas trop. Il allait avancer le plus possible avant l'arrivée de Coco.

— Tu verras bien comment ça se passe, une fois que tu auras commencé. Je pourrais t'attendre à l'hôtel.

Leslie avait retenu une suite à l'hôtel Bel-Air, où ils étaient descendus la dernière fois.

— Je pourrais aussi aller voir ma mère, si elle n'est pas trop absorbée par son livre.

Coco savait que, lorsque sa mère écrivait, elle ne recevait personne.

— Je l'appellerai dès que tu auras ton planning, poursuivit-elle. Tu passes avant elle, ajouta-t-elle en lui souriant.

Leslie se sentit fondre. Leur dernière nuit fut douce et tendre, et ils firent plusieurs fois l'amour. Coco resta éveillée jusqu'à l'aube. Elle regarda le soleil se lever, pendant que Leslie dormait entre ses bras. Elle n'arrivait pas à imaginer ce que serait sa vie, sans lui. Elle allait se sentir bien seule et elle savait que même sa petite maison de Bolinas ne lui procurerait plus le même réconfort. Désormais, Leslie faisait partie intégrante de son existence, il en était un élément indispensable. Mais elle était consciente qu'il avait beaucoup d'autres occupations. Les moments qu'ils avaient partagés dans la maison de San Francisco étaient inestimables et rien que pour cela, elle en était reconnaissante à Jane, même si sa sœur ne croyait ni en leur amour ni en leur avenir. Elle avait envoyé un SMS à Coco pour s'excuser, mais elles ne s'étaient pas parlé depuis leur dispute. La conversation que Jane avait eue avec Leslie avait eu les effets qu'il escomptait. Jane laissait Coco tranquille.

Lorsque le moment du départ arriva, la voiture et le chauffeur arrivèrent bien trop tôt à leur goût. Leslie devait rencontrer la production sur le plateau, car il était resté avec Coco le plus longtemps possible. Sur le seuil de la maison, il embrassa la jeune femme une dernière fois.

— Ne fais pas de bêtises, murmura-t-il en lui souriant. On va se revoir bientôt. Je t'appellerai dès que je le pourrai et, dans quelques jours, tu viendras me retrouver.

— Je t'aime, Leslie, dit-elle, prenant brusquement conscience que désormais il ne lui appartenait plus.

Il regagnait son monde et dorénavant, qu'elle le veuille ou non, elle devrait le partager.

— Je t'aime aussi, répondit-il en l'embrassant encore, avant de courir vers la voiture.

Il ne fallait pas qu'il manque son avion. Le producteur lui avait proposé de lui envoyer un avion privé, mais il avait préféré voyager sur un vol régulier, comme tout le monde. Dans la mesure où Coco n'était pas avec lui, il n'avait pas à la protéger des regards indiscrets.

Tandis que la voiture s'éloignait, elle lui adressa des signes de la main, alors que Leslie lui envoyait des baisers par la vitre baissée. Puis le chauffeur prit la direction de Divisadero et ils disparurent.

Elle rentra dans la maison, submergée par une immense envie de pleurer, et monta aussitôt dans leur chambre, où elle s'étendit sur le lit. Elle se leva une heure plus tard et enfila un jean et un pull. Elle devait travailler, mais Leslie occupait toutes ses pensées. Il lui semblait qu'on lui avait arraché une partie d'elle-même.

Leslie l'appela depuis l'aéroport pendant qu'elle promenait les gros chiens. Comme elle venait de courir, elle était hors d'haleine. Il s'apprêtait à embarquer.

— N'oublie pas que je t'aime, lui rappela-t-il.

— Moi aussi, je t'aime.

Ils parlèrent quelques minutes, jusqu'à ce que Leslie soit installé et que le steward lui demande d'éteindre son téléphone.

C'est machinalement que Coco poursuivit ses activités habituelles. Jusqu'à peu, elles avaient constitué l'essentiel de sa vie, mais maintenant que Leslie était parti, elles lui semblaient dénuées de signification. Elle était étonnée que, quatre mois auparavant, cette existence ait pu lui suffire.

Après avoir promené les chiens de ses clients, elle se rendit dans le centre-ville pour faire du shopping. Si elle le rejoignait à Los Angeles, elle devait être présentable. Or, elle n'avait rien acheté depuis des années. Elle fit les boutiques jusqu'à leur fermeture et, lorsqu'elle rentra, sa camionnette débordait de tous ses achats. Elle voulait que Leslie soit fier d'elle.

12

L'avion décolla de San Francisco à 10 heures du matin et atterrit une heure plus tard à Los Angeles. Leslie devait retrouver Coco à l'hôtel Bel-Air à midi. Il avait mis un chauffeur et une voiture à sa disposition, et il espérait passer deux heures avec elle, entre deux réunions, avant de la retrouver le soir. Le lendemain, ils étaient tous les deux invités à une soirée que le producteur organisait chez lui et qui réunissait toute l'équipe du film. Il y aurait de nombreuses stars, parmi lesquelles Leslie, qui serait l'une des plus importantes. Pour l'occasion, Coco avait acheté une robe de cocktail noire sexy, ainsi que de très belles chaussures.

Quand le chauffeur eut rangé ses bagages dans le coffre, la voiture quitta l'aéroport et prit la direction de l'hôtel. Coco essayait de ne pas penser à la réception du lendemain, mais uniquement au plaisir de retrouver Leslie. Elle se demandait s'il serait différent, ici. Les paroles de Jane avaient semé le doute dans son esprit et elle craignait que sa sœur n'ait raison et que Leslie n'ait changé.

Il avait retenu une suite plus spacieuse encore que la précédente. Les mêmes cygnes avançaient majestueusement sur l'eau et les jardins étaient toujours aussi beaux. L'hôtel était paisible, leur chambre magnifique. Coco était en train d'en faire le tour quand la porte s'ouvrit devant Leslie, rayonnant. Il avait eu très peur qu'elle ne change d'avis à la dernière minute et il la serra contre lui à l'étouffer. Pour l'un comme pour l'autre, ces quatre derniers jours avaient été un calvaire.

— Je pensais que tu ne viendrais jamais, murmura-t-il en resserrant encore son étreinte.

Il s'écarta un peu pour la regarder. Elle était différente, songea-t-il, plus femme. Son jean et son pull en cachemire blanc mettaient en valeur sa silhouette. Elle portait une veste en daim et des chaussures à talons très sexy. Ses cheveux flottaient sur ses épaules et de minuscules diamants étincelaient à ses oreilles. Ne l'ayant jamais vue aussi élégamment vêtue, il fut impressionné par sa classe. Lorsqu'ils avaient dîné dehors, à San Francisco, ils étaient toujours habillés très simplement.

— Waouh ! s'exclama-t-il, admiratif. Tu es ravissante !

— J'ai l'impression d'être Cendrillon à son premier bal et j'ai peur que tout ne disparaisse d'un instant à l'autre.

— Ne t'inquiète pas, si cela arrive, je te chercherai dans tout le royaume.

Il était fou amoureux d'elle. De son côté, Coco le trouvait merveilleux. Sa chemise anglaise, visiblement faite sur mesure, était parfaitement coupée. Il portait un jean et un pull en cachemire, négligemment jeté sur ses épaules. Il s'était fait couper les cheveux et il ressemblait plus que jamais au Leslie Baxter qu'elle avait vu des centaines de fois à l'écran. Mais l'expression de ses yeux lui disait qu'il lui appartenait et c'était tout ce qu'elle voulait savoir.

Elle le remercia d'avoir réservé une suite aussi luxueuse et il lui confia que c'était une attention de son producteur, ajoutant qu'il leur prêtait sa maison de Malibu pour le week-end.

— Nous y serons parfaitement tranquilles, puisqu'elle est à l'écart et qu'elle possède une plage privée.

Il avait pensé à tout, pour qu'elle passe un séjour inoubliable et pour les protéger des regards indiscrets. Il déboucha la bouteille de champagne qui se trouvait sur la table et emplit leurs coupes.

— A nous, lança-t-il gaiement avant de l'embrasser.

Dix minutes plus tard, ils étaient au lit. Il semblait à Coco qu'elle n'avait pas été dans ses bras depuis des siècles. Ils avaient tellement hâte de rattraper le temps perdu qu'ils ne prirent pas la peine de déjeuner et Leslie dut repartir précipitamment pour ne pas arriver trop en retard au studio. Après son départ, Coco prit un bain.

Dans l'après-midi, elle appela sa mère. C'est sa secrétaire qui décrocha, l'informant que Florence travaillait sur son nouveau roman. Coco ne lui indiqua pas qu'elle se trouvait à Los Angeles. Comme il faisait bon, elle passa le reste de l'après-midi à se promener dans le parc et à lire le livre qu'elle avait apporté. Leslie rentra vers 19 heures et ils ne quittèrent pas leur suite. Ils commandèrent à dîner, regardèrent la télévision et parlèrent du nouveau film de Leslie. Il appréciait les autres acteurs, ainsi que le producteur, et connaissait le réalisateur. Il avait déjà travaillé avec lui. Il savait qu'il était très exigeant ; il obtenait ainsi le maximum des acteurs. Cependant, le tournage ne commencerait vraiment qu'à Venise. Il se plaignit un peu de l'une des actrices, mais pas de Madison Allbright, qui avait le rôle féminin principal et qui était extrêmement jolie.

— Je dois m'inquiéter ? demanda Coco, pour qui Madison était synonyme de superstar.

Ils étaient étendus sur le canapé du salon et Leslie avait la tête sur les genoux de Coco. Tandis qu'elle lui caressait les cheveux, il ressemblait à un chat ronronnant de plaisir. Elle lui avait incroyablement manqué, pendant ces quatre jours.

— Bien sûr que non, la rassura-t-il. C'est plutôt moi qui vais m'inquiéter, belle comme tu es, d'avoir à te laisser seule.

Elle avait rangé ses vêtements dans la penderie et demandé qu'on repasse sa robe de cocktail, pour qu'elle

186

soit impeccable le lendemain soir. Leslie ne lui avait pas encore dit qu'il y aurait des journalistes. Il ne voulait pas l'effrayer. Il n'y avait d'ailleurs aucune raison de paniquer. Ils ne verraient en elle qu'une cavalière d'un soir. Ce n'est que lorsqu'ils les auraient vus plusieurs fois ensemble qu'ils comprendraient qu'ils tenaient un scoop et qu'elle était son nouvel amour. Son ex avait un nouveau fiancé, et leur histoire n'intéressait plus personne.

Comme il devait partir tôt, ils se couchèrent de bonne heure. Chloé les appela juste avant qu'ils ne s'endorment. Sa mère était sortie et la baby-sitter lui avait permis de jouer un peu plus tard que d'habitude. La rentrée venait d'avoir lieu et elle voulait leur dire que sa première journée d'école s'était bien déroulée et qu'elle s'était déjà fait des amis. Elle leur donna également des nouvelles de ses ours, et son babillage rappela à Coco les bons moments qu'ils avaient passés ensemble pendant l'été.

Leslie et elle dormirent comme des loirs et c'est le réveil qui les réveilla le lendemain matin à 7 heures. A 8 heures, Leslie devait être au studio, où une longue journée l'attendait. D'ailleurs, il ne pourrait pas revenir à l'heure du déjeuner. Il ne rentrerait que pour se changer et passer prendre Coco, car la soirée commençait à 20 heures. La jeune femme lui assura qu'elle serait prête. Elle passerait chez le coiffeur dans l'après-midi.

Leslie était ennuyé de la laisser seule toute la journée.

— Tu penses que ça ira, aujourd'hui ? lui demanda-t-il.

— Pas de problème, répondit-elle en souriant. J'irai faire les boutiques, ensuite je ferai un tour au musée.

Ayant vécu à Los Angeles, elle connaissait bien la ville. Elle aurait pu aller voir d'anciennes amies, mais elle n'en avait pas envie. Elle venait si rarement qu'elle avait perdu le contact avec presque toutes. De plus, elle menait une vie très différente de la leur. La plupart s'étaient mariées et étaient devenues de tranquilles femmes au foyer ou bien elles travaillaient pour les studios d'Hollywood. Pour rien au monde elles n'auraient voulu quitter Los Angeles. Coco était l'une des rares à être partie.

En la laissant, Leslie l'embrassa et lui dit qu'il avait mis à sa disposition une voiture et un chauffeur. Elle prit une douche, s'habilla et sortit à 10 heures. On ne lui prêta pas attention, et c'est en toute tranquillité qu'elle fit du lèche-vitrines, déjeuna et visita le musée. Elle rentra pour son rendez-vous au salon de coiffure de l'hôtel à 16 heures et fut de retour dans sa chambre à 18 heures. Elle avait juste eu le temps de prendre un bain et de se maquiller, quand Leslie arriva, à 19 heures, l'air épuisé. Il tenait son scénario à la main et il y avait déjà inscrit d'innombrables annotations. Le lendemain, on leur en remettrait une nouvelle version, avec les tout derniers changements.

— Comment s'est passée ta journée ? lui demanda-t-il en l'embrassant.

C'était merveilleux de la retrouver après le travail. La savoir présente lui apportait la sérénité dont il avait besoin pour échapper à la pression du studio. Il adorait qu'elle soit là, à ses côtés. Cela se passait exactement comme il l'imaginait lorsqu'ils en avaient parlé. Mais il n'aurait jamais imaginé que cela pût être aussi agréable.

Coco semblait détendue et heureuse.

— Très bien.

Il la contempla avec admiration. Elle ne portait qu'un string, un soutien-gorge en dentelle noire, ses boucles d'oreilles et ses escarpins. Elle comptait ne mettre sa robe qu'à la dernière minute, pour ne pas la froisser.

— Je trouve ta tenue ravissante, la taquina-t-il.

Elle était sublime, avec ses longues jambes fuselées et son corps aux formes parfaites. La jeune femme qui promenait les chiens à San Francisco s'était transformée en cygne. Il l'adorait décontractée, mais il devait reconnaître que, sophistiquée, elle lui plaisait beaucoup aussi.

Il se précipita dans la salle de bains pour se doucher et se raser. Il en sortit un peu plus tard, les cheveux encore légèrement humides, et mit une chemise blanche, puis un pantalon noir, des mocassins et enfin un blazer noir en cachemire. Pendant ce temps, Coco termina de s'habiller. Sa robe de cocktail était à la fois sage et sexy, avec son décolleté juste assez profond pour révéler la naissance de ses seins. En la voyant ainsi, Leslie poussa un cri d'admiration. Quant à Coco, elle était subjuguée par le charme qu'il dégageait. C'était leur première sortie ensemble dans le monde.

— Tu es absolument renversante, s'exclama-t-il avec émerveillement.

Ils quittèrent alors la suite. Coco tenait à la main une petite pochette en satin noir. Elle avait une allure folle. Lorsqu'ils gagnèrent l'allée où la voiture les attendait, Leslie passa la main sous le bras de Coco. Au même moment, un journaliste les prit en photo. L'espace d'un instant, Coco parut paniquée, puis elle se rasséréna et ils montèrent dans la voiture. Sans faire de commentaires, Leslie lui prit la main et ils bavardèrent pendant tout le trajet.

La maison du producteur se trouvait à proximité, dans Bel-Air. C'était une demeure princière, devant laquelle attendaient des voituriers. La réception était visiblement plus importante qu'ils ne s'y attendaient, mais ce n'était pas étonnant avec le casting prestigieux du film. Par bonheur, il n'y avait aucun photographe. Soulagé, Leslie entraîna très vite Coco à l'intérieur, où ils se retrouvèrent dans un hall au sol de marbre, aux murs ornés de tableaux dignes du Louvre. Tout en se dirigeant vers le salon où se tenait la réception, ils purent admirer deux Renoir, un Degas et un Picasso. Une foule de gens évoluait parmi des objets d'art et des antiquités d'un prix inestimable. Le producteur les accueillit chaleureusement et embrassa Coco sur la joue.

— J'ai beaucoup entendu parler de vous, lança-t-il avec un grand sourire. Je connaissais votre père, il a été mon agent pendant de nombreuses années. Je connais aussi votre mère et votre sœur. Vous appartenez à une famille qui fait partie de la légende hollywoodienne, ma chère.

Leslie lui sourit. A cet instant, une superbe créature s'approcha d'eux. Coco reconnut immédiatement Madison Allbright, la star féminine du film.

— Maddie, je te présente Coco, dit Leslie.

Tandis que les deux femmes se serraient la main, le producteur disparut dans la foule, afin d'accueillir d'autres invités.

— Leslie n'a pas arrêté de parler de vous durant toute la semaine, affirma Madison en souriant à Coco.

Elle portait un jean, des escarpins vertigineux et un haut en paillettes. Elle avait de magnifiques cheveux blonds très longs et était idéalement proportionnée. Elle avait à peu près le même âge que Coco, mais semblait avoir dix-huit ans, avec ses yeux immenses et son expression juvénile.

Les deux jeunes femmes bavardèrent quelques minutes. Coco s'efforçait de ne pas être impressionnée par les gens qu'elle voyait. Elle se rappela que les invités de ses parents étaient tout aussi prestigieux, mais le temps avait passé depuis, et elle se sentait plus nerveuse qu'elle n'en avait l'air. Heureusement, Leslie ne la lâchait pas. Un bras autour de sa taille, il la présentait à tout le monde. Conscient que ce n'était pas facile pour elle, il faisait tout pour qu'elle se sente à l'aise.

Peu avant le dîner, les journalistes firent soudain leur apparition, semblant jaillir de nulle part, et se mirent à photographier les plus grandes stars, parmi lesquelles Leslie figurait en bonne place. Une journaliste s'arrêta devant Leslie et fixa Coco d'un air interrogateur.

190

— Une nouvelle femme dans votre vie ? le questionna-t-elle.

— Pas si nouvelle, assura Leslie en riant. Nous nous connaissons depuis longtemps. Je suis un vieil ami de sa famille.

Sous son bras, fermement passé autour de sa taille, il sentait Coco trembler. Il prit sa main dans la sienne.

— Comment s'appelle-t-elle ? demanda la journaliste.

— Colette Barrington, répondit directement Coco.

— Vous êtes l'une des filles de Florence Flowers ? demanda la journaliste, qui griffonnait hâtivement quelques notes sur son calepin.

— En effet.

La femme eut un sourire carnassier, que Coco connaissait bien.

— J'ai lu tous ses livres et j'adore les films de votre sœur. D'où vient votre robe ?

Coco aurait voulu répondre « de chez moi », mais elle savait qu'elle devait jouer le jeu.

— De chez Oscar de la Renta.

— Très jolie, commenta l'autre sans cesser d'écrire.

Elle se tourna alors vers Leslie pendant qu'on les prenait en photo tous les deux.

— Dites-moi, Leslie, c'est sérieux ?

L'interrogation laissait entendre que Coco n'était peut-être qu'une nouvelle jolie fille figurant à son tableau de chasse.

— Miss Barrington a eu la gentillesse de m'accompagner à cette soirée, ce qui constitue une véritable corvée pour n'importe quelle personne sensée, répliqua Leslie en adressant à la journaliste un sourire éblouissant. Je ne pense pas qu'il faille pour autant détruire sa réputation.

Sa réponse fit rire la journaliste, qui sembla s'en satisfaire, du moins pour le moment.

— Quand partez-vous pour Venise ? demanda-t-elle avec intérêt.

— La semaine prochaine.

Leslie avait l'habitude de ce genre de questions et tenait des réponses toutes prêtes, sachant parfaitement éluder celles auxquelles il ne voulait pas répondre.

— Etes-vous impatient de tourner avec Madison Allbright ?

Leslie prit un air exagérément extasié.

— Très !

La journaliste rit de nouveau.

— Vous avez vu son chemisier ? continua-t-il. Toutes ces paillettes éblouiraient n'importe quel homme. C'est une excellente actrice, ajouta-t-il plus sérieusement, et je suis très heureux de travailler avec elle. Je suis certain que nous allons faire un boulot fantastique.

— Bonne chance pour le film, lança la journaliste avant de s'éloigner, en quête d'une autre proie.

Elle posa les mêmes questions à tous ceux qu'elle approcha, comme la dizaine de ses collègues invités à la soirée. Ils avaient été soigneusement choisis de façon à promouvoir le film. Des photographes prirent plusieurs photos de Leslie et de Coco. On le prit aussi en photo seul, et avec Madison. Tous se prêtèrent de bonne grâce aux demandes des journalistes et des photographes, qu'on pria ensuite de partir. Après leur départ, le dîner fut servi au bord de la piscine. Il y avait des orchidées sur chaque table.

— Tout va bien ? demanda Leslie à Coco lorsqu'ils s'assirent.

Elle avait été parfaite, face à la presse. Elle avait su se montrer polie et aimable, tout en souriant, sans pour autant livrer la moindre information, sinon sur sa robe. Et il était ravi qu'elle ne se colle pas à lui pour l'embrasser, ni ne se love contre lui comme un serpent. C'était ce que faisaient presque toutes les actrices avec lesquelles il était sorti. Coco ne lui disputait pas la première place, n'affirmait pas avoir une liaison avec lui... quoique dans leur cas, cela aurait été vrai. Elle était si élégante et si sereine qu'il était impossible de savoir si elle était juste là pour la soirée, ou plus. Et il lui était très reconnaissant de sa discrétion. Il avait d'ailleurs l'impression qu'elle avait l'habitude de ce genre de situation. Elle s'en sortait bien mieux qu'elle ne le croyait.

— Pas de problème, répliqua-t-elle avec un sourire.

La soirée aurait été parfaite s'il n'y avait pas eu la presse, mais elle était incontournable. Elle s'était doutée que les journalistes seraient là, mais elle avait préféré ne pas interroger Leslie à ce sujet. Elle ne voulait pas se stresser à l'avance.

— Tu es fantastique, souffla-t-il.

Il la présenta ensuite aux convives qui étaient à leur table. Pour la plupart, c'étaient des acteurs qui jouaient dans le film.

Après le dîner, ils furent parmi les premiers à s'en aller. Leslie estimait qu'il s'était suffisamment acquitté de ses obligations et il devinait que Coco était fatiguée. Quatre photographes attendaient dehors. Ils se précipitèrent vers Leslie, qui sourit sans broncher et prit la main de Coco dans la sienne.

— Comment s'appelle-t-elle ? cria l'un des paparazzis.

— Cendrillon ! répondit Leslie. Faites attention, vous pourriez bien être transformé en souris, poursuivit-il en se glissant à l'arrière de la voiture avec Coco.

Dès que la portière fut refermée, le chauffeur démarra. Laissant échapper un soupir de soulagement, Leslie regarda Coco.

— Tu ne t'en doutes peut-être pas, mais je déteste ces soirées. C'est une vraie corvée. Il me semble que mes muscles vont céder si je souris une fois de plus.

— Tu as été formidable, s'exclama-t-elle fièrement.

— Toi aussi. Est-ce que cela a été très éprouvant pour toi ? lui demanda-t-il avec inquiétude.

— Non, répondit-elle franchement. Bizarrement, j'ai trouvé cela drôle, bien qu'un peu trop long. Madison est vraiment très belle.

Elle s'efforça de ne pas avoir l'air tendue, mais elle l'était. Elle n'oubliait pas ce que sa sœur lui avait dit à propos de Leslie et de ses partenaires. Lui aussi s'en souvenait.

— Tu me plais mille fois plus qu'elle. Elle était vulgaire, dans ce chemisier. Et sa nouvelle poitrine est beaucoup trop grosse. Je te jure qu'elle a doublé de volume, depuis la dernière fois que je l'ai vue. Tu étais bien plus jolie et bien plus élégante qu'elle. J'étais extrêmement fier d'être vu à tes côtés, assura-t-il avec amour. Merci de m'avoir accompagné.

— J'ai été heureuse d'être avec toi. Si ce n'est jamais pire que cela, je pourrai le supporter.

La présence de la presse ne l'avait finalement pas autant affectée qu'elle l'avait craint. Mais Leslie se devait d'être honnête envers elle.

— Ça ne se passe pas toujours comme ça. Ce soir, les journalistes se sont particulièrement bien comportés. Ils savaient que sinon on les aurait mis à la porte.

Une fois arrivés à l'hôtel, ils gagnèrent rapidement leur suite, au cas où un photographe les aurait suivis. Heureusement, il n'y en avait aucun. Parfois, Leslie était obligé de faire appel à des gardes du corps, mais pas ce soir. La réception avait été parfaitement organisée.

Après avoir ôté ses chaussures, Leslie s'affala dans le canapé. Puis il sortit de sa poche ce que le producteur lui avait donné.

— Voici les clés de la maison de Malibu ! s'exclamat-il en les montrant à Coco. Elle est à nous pour le week-end, ajouta-t-il d'un air heureux.

On était vendredi soir et il comptait y emmener Coco dès le lendemain matin.

Coco ôta sa robe et le suivit dans la chambre. La réception s'était finalement très bien déroulée. C'était très excitant d'être avec Leslie, et elle avait senti combien il était fier d'elle. Quelques minutes plus tard, ils se glissèrent dans les draps, épuisés et soulagés. Maintenant que les mondanités étaient terminées, ils allaient pouvoir profiter l'un de l'autre tout le week-end. Leslie était tellement fatigué qu'il s'endormit sur-le-champ. Lorsqu'elle déposa un baiser sur sa joue, il ne bougea même pas.

Le lendemain matin, on leur apporta le petit déjeuner en même temps que le journal. Leslie l'ouvrit et le tendit à Coco sans rien dire. Il y avait une grande photo d'eux en train de discuter avec Madison Allbright. Le nom de Coco figurait dessous, sans aucun commentaire.

— C'est parfait ! s'exclama Leslie avec satisfaction.

Ils quittèrent l'hôtel une demi-heure plus tard pour Malibu et trouvèrent facilement la maison du producteur. Donnant directement sur la plage, elle était fabuleuse. De nouveau, Coco eut l'impression d'être Cendrillon. Avec Leslie, elle vivait un perpétuel conte de fées.

— Ce n'est pas exactement Bolinas, commenta-t-elle avec un petit sourire.

C'était une maison immense, conçue par un célèbre architecte. Tout était blanc et bleu, et un lit gigantesque trônait dans la chambre.

Le week-end fut parfait. Ils se promenèrent sur la plage, se reposèrent sur la terrasse, regardèrent des films, firent l'amour et parlèrent d'un million de choses. C'était exactement ce qu'il leur fallait à tous les deux, et Leslie promit de rejoindre Coco à Bolinas le week-end suivant. Il comptait prendre un avion pour Venise depuis San Francisco. C'était plus compliqué pour lui, mais il voulait rester avec elle jusqu'à son départ.

— Tu viendras me voir, une fois que je serai installé ? lui demanda-t-il alors qu'ils se reposaient sur la terrasse après une longue promenade.

— Je ne pense pas que ce soit possible tant que Liz et Jane ne seront pas rentrées, répondit-elle. De plus, je ne sais pas si je pourrais me faire remplacer pendant aussi longtemps, mais j'essaierai. De toute façon, tu seras très occupé.

Il parut déçu. Il voulait qu'elle vienne le retrouver en Italie.

— Certes, mais il faudra bien que je rentre à l'hôtel. Tu pourrais venir et en profiter pour découvrir Venise.

— Je te promets que je vais faire tout mon possible. Liz m'a dit qu'elles seraient de retour dans deux semaines environ, c'est-à-dire huit jours après ton départ. Je vais voir si Erin peut me remplacer.

C'est ce qu'elle faisait, ce week-end. Erin appréciait ces revenus supplémentaires, ainsi que le travail, ce qui était une chance pour eux. Coco espérait que la jeune fille serait libre, car elle savait qu'elle avait un autre emploi à mi-temps. Il allait falloir organiser tout cela.

— Cela va être très dur, sans toi, remarqua Leslie avec tristesse. Je déteste te quitter, avoua-t-il.

Il en allait de même pour Coco. Après le départ de Leslie, elle avait passé quatre jours épouvantables. Et ce n'était que le début, car, avec les tournages, il était très souvent en déplacement parfois plusieurs mois par an.

— Tu vas me manquer aussi, assura-t-elle, s'efforçant de ne pas penser à l'avenir.

Au moins se verraient-ils à Bolinas le week-end suivant, avant son départ.

Il n'osa pas lui demander si, maintenant qu'elle l'avait vu dans son élément, elle accepterait de s'installer avec lui à Los Angeles. Il savait qu'il était trop tôt. Les choses ne se passeraient pas toujours aussi bien que la veille. La soirée avait été parfaitement orchestrée. Lorsqu'on les laissait libres d'agir, les journalistes ne se comportaient pas avec la même retenue. Et il était conscient que Coco détesterait cela. Lui non plus ne le supportait pas, mais il y était habitué, cela faisait partie du jeu. Coco n'était pas obligée de s'en accommoder, lui si.

Ils rentrèrent à l'hôtel le dimanche après-midi. Il n'y avait qu'un seul photographe, mais il les prit en photo lorsqu'ils sortirent de voiture. Coco sentit la contrariété de Leslie, bien qu'il la cachât sous son sourire le plus étincelant. Sa doctrine était que, si on se faisait prendre, mieux valait faire bonne figure que se montrer agressif. C'était pour cette raison qu'on le voyait toujours le sourire aux lèvres dans les journaux.

Le journaliste ne les suivit pas à l'intérieur. L'accès de l'hôtel était refusé aux paparazzis. Ils restèrent dans leur suite jusqu'au départ de Coco. Ils passèrent cette dernière soirée tranquillement, firent l'amour et dormirent un peu. Puis Leslie la réveilla à contrecœur. Elle rassembla ses affaires, prit une douche et s'habilla. Erin ne pouvait pas la remplacer plus longtemps. Ils venaient de passer trois jours merveilleux et Leslie devait retourner au studio où de longues heures de travail l'attendaient.

Il porta lui-même les bagages, pour ne pas appeler un chasseur. Tandis qu'il les tendait au chauffeur, il se tourna pour dire quelque chose à Coco. A cet instant, les flashs crépitèrent et Coco fut aveuglée. Elle sentit que quelqu'un la poussait dans la voiture et se retrouva couchée sous Leslie, qui criait au chauffeur de démarrer. Quelques secondes plus tard, ils roulaient à toute allure. Alors que Leslie se redressait, Coco le regarda hébétée.

— Qu'est-ce que c'était ? demanda-t-elle, abasourdie.

— Des paparazzis. Un régiment. Ma chérie, c'en est fini de ta réputation. On ne croira plus que tu étais ma cavalière d'un soir. La fête va commencer !

Ayant vécu cette situation des dizaines de fois, il paraissait résigné, alors que Coco découvrait un avant-goût de ce qui les attendait.

— Est-ce que je t'ai fait mal, quand je t'ai poussée ? s'inquiéta-t-il.

Elle secoua la tête.

— Tout s'est passé si vite que je n'ai rien senti.

— Je ne voulais pas qu'ils s'acharnent sur toi. Ils l'auraient pu, car ils étaient une dizaine. Il y a eu sans doute une indiscrétion, ou bien ils étaient simplement en chasse. Ils ont eu ce qu'ils voulaient et maintenant ils ne vont plus nous lâcher. Je suis content que tu partes, parce que cela serait devenu invivable pour toi.

Par bonheur, les journalistes ignoraient qu'elle habitait à San Francisco. Leslie paraissait serein et Coco s'efforça de l'imiter. Elle ne voulait pas qu'il sache à quel point elle était contrariée. Désormais, leur secret allait être étalé au grand jour. Il avait eu raison de dire que les choses ne se passeraient pas toujours aussi bien que la veille. Ce qui venait de se produire le prouvait.

Arrivés à l'aéroport, il l'accompagna jusqu'à la porte d'embarquement. Il n'y avait pas de photographes, seulement quelques personnes qui le fixaient avec insistance et qui, en le reconnaissant, commentaient sa présence. Il embrassa une dernière fois Coco et ils se séparèrent. Il lui adressa un signe de la main et elle lui sourit avant de disparaître pour passer le contrôle. Leslie lui manquait déjà et, lorsqu'elle monta dans l'avion, il lui sembla que son carrosse se transformait en citrouille.

13

Au grand étonnement de Coco, sa mère l'appela le lendemain matin, juste avant qu'elle parte travailler.

— Mais qu'est-ce que tu fabriques, Coco ?

Elle n'avait aucune idée de ce que voulait dire sa mère. Etant rentrée très tard, elle avait eu du mal à se réveiller et devait se hâter.

— Je vais m'occuper des chiens. Pourquoi ?

— Tu as dû faire autre chose, ces jours-ci. Je viens de lire un article sur toi et Leslie Baxter, dans lequel on raconte que tu as passé le week-end avec lui à l'hôtel Bel-Air et que tu serais sa nouvelle conquête. Quand est-ce arrivé ? demanda sa mère avec curiosité.

— Cet été, avança prudemment Coco.

Elle ne souhaitait pas en parler avec sa mère et entendre le même genre de commentaires que ceux que Jane lui avait lancés. Florence avait peut-être un peu perdu de sa superbe depuis que ses filles connaissaient sa liaison avec un homme plus jeune qu'elle, mais elle restait la même. Et elle n'avait apprécié aucune des liaisons de Coco. Si jamais elle réagissait différemment cette fois-ci, ce serait une première, mais Coco en doutait.

— Tu ne penses pas qu'il n'est pas fait pour toi ?

— Il est tout à fait normal.

— Ils le sont tous, au départ. Mais, Coco, c'est une très grande star et tu ne l'es pas. Il finira par se lasser et retournera dans son monde. Tu es certainement une bouffée d'air frais, pour lui, mais cela ne durera pas.

Les propos de sa mère se rapprochaient fort de ceux de Jane, mais étaient dits plus gentiment.

— Merci pour ton soutien, répondit sèchement Coco. Mais je n'ai pas envie d'en parler pour l'instant et je vais être en retard à mon travail.

— Eh bien, amuse-toi avec lui, mais ne prends pas cette aventure au sérieux.

— C'est aussi ce que tu penses à propos de Gabriel ?

— Bien sûr que non ! Comment peux-tu dire une chose pareille ? Nous sommes ensemble depuis un an et nous nous entendons très bien. Ce n'est pas une simple passade, répliqua sa mère d'une voix offensée.

— Eh bien, c'est peut-être la même chose pour moi. Nous verrons bien ce qui arrivera.

— Tu auras le cœur brisé quand il te quittera pour une actrice célèbre. D'ailleurs, il est trop vieux pour toi.

Coco leva les yeux au ciel.

— Je n'arrive pas à croire que ce soit toi qui me dises ça ! Je dois partir, maman.

— Très bien. Mais sois prudente. Profites-en tant que ça dure.

Elles raccrochèrent et Coco sortit aussitôt, très contrariée. Pourquoi tout le monde était-il persuadé que son histoire avec Leslie n'était pas sérieuse et qu'il allait la laisser tomber ? Pourquoi une star n'aurait-elle pas le droit de tomber amoureuse et de vivre normalement, et serait-elle obligée d'avoir une liaison avec toutes ses partenaires à l'écran ? Pourquoi sa famille croyait-elle qu'elle ne signifiait rien pour lui ? Cela venait de la mauvaise opinion qu'elles avaient d'elle, non de ce qu'elles pensaient de lui. Elle était tellement insignifiante à leurs yeux qu'elle ne pouvait pas compter pour lui et elles étaient persuadées que leur liaison ne durerait pas parce qu'elle ne le méritait pas.

Ces pensées la déprimèrent toute la journée. Elle ne put appeler Leslie pour lui en parler, car elle savait qu'il était en réunion. Il lui passa un coup de fil en fin d'après-midi et elle comprit à sa voix qu'il était épuisé.

— Bonjour, mon petit chat. Comment s'est passée ta journée ? lui demanda-t-il.

Elle lui raconta aussitôt sa conversation avec sa mère. Jane avait elle aussi tenté de la joindre, mais elle n'avait pas décroché.

— C'est tellement stéréotypé ! fulmina-t-elle. La vedette de cinéma et la promeneuse de chiens... Ma mère semble penser que je ne t'intéresse que parce que je suis jeune et sexy, et encore, pas pour longtemps.

— Ne te sous-estime pas, répondit-il sérieusement. A mon avis, tu mérites le long terme.

— Oh, ça suffit ! rétorqua-t-elle.

Mais elle sourit pour la première fois de la journée.

— Ne te laisse pas abattre, continua-t-il. Il y a pas mal d'inepties dans les journaux, aujourd'hui. En particulier une grande photo où je te pousse dans la voiture, les deux mains sur ton postérieur. C'est l'une de mes préférées.

— Qu'est-ce qu'ils disent ? demanda Coco avec inquiétude.

— L'un des articles parle de toi comme de ma « dernière conquête », un autre comme de ma « nouvelle et mystérieuse petite amie ». Dans l'ensemble, rien d'explosif. Nous n'avons pas été pris en état d'ivresse ni en train de faire l'amour en public, même si on pourrait s'y tromper, sur cette photo. Ils racontent seulement que tu es ma nouvelle passade. Quand on nous aura vus ensemble un certain temps, les rumeurs se tasseront. Pour l'instant, c'est l'attrait de la nouveauté et tout le monde veut savoir où tu habites et qui tu es. Comme tu vis loin de Los Angeles et que je pars bientôt, on nous oubliera vite.

Oui, mais si elle vivait avec lui ? Les paparazzis seraient sans cesse à leurs trousses. C'est pour cette raison qu'elle ne voulait pas vivre à Los Angeles.

— Ne t'inquiète pas, conclut Leslie. De toute façon, cela devait finir par arriver. Désormais, c'est fait. Au début, ce n'est pas très agréable, mais si nous n'apportons pas d'eau à leur moulin, tout se tassera.

Elle le trouvait très optimiste, mais elle n'avait pas envie de se disputer avec lui pour cela. Cependant, cela la préoccupa toute la soirée et quand sa mère l'appela, elle faillit ne pas répondre. Florence voulait la prévenir qu'une journaliste lui avait téléphoné pour savoir où elle habitait. Coco se demanda si c'était la même qui l'avait interrogée lors de la soirée. Sa mère avait fait répondre par sa secrétaire que Coco se trouvait en Europe et n'avait passé que quelques jours à Los Angeles.

— C'est très habile de ta part, maman, merci beaucoup.

Elle lui en était reconnaissante, même si sa mère pensait que Leslie ne s'intéresserait pas à elle très longtemps.

— Cela te permettra d'être tranquille pendant un certain temps. Quand le revois-tu ?

— Le week-end prochain, à Bolinas. Il part lundi à Venise pour le tournage et devrait y rester un mois ou deux.

— Cela risque de mettre fin à votre aventure. Il sera en contact permanent avec ses partenaires féminines, alors que tu seras à des milliers de kilomètres. En général, les amours avec les acteurs ne résistent pas à la séparation. Avec l'éloignement, ils s'amourachent de leurs partenaires et ils oublient celles qu'ils ont laissées derrière eux.

— Merci pour le réconfort, maman, conclut Coco d'une voix triste.

— Quand on sort avec quelqu'un comme lui, il faut être réaliste.

Malgré l'envie qu'elle en avait, Coco s'abstint de lui demander si elle-même était très réaliste concernant son jeune amant. Elle respectait trop sa mère pour cela.

— Qui est l'actrice principale de son nouveau film ? demanda celle-ci avec curiosité.

Coco lui répondit que c'était Madison Allbright.

— Il ne pourra probablement pas résister, commenta sa mère. N'importe quel homme aurait du mal à repousser une fille aussi ravissante.

— Merci, maman.

Elle raccrocha, très déprimée, et resta ensuite étendue pendant des heures, sans pouvoir trouver le sommeil. Lorsqu'elle se leva, elle était obnubilée par Madison All-bright. Elle passa une semaine très pénible, à se faire du souci, sans oser lui en parler. Pendant leurs conversations téléphoniques, elle ne faisait aucune allusion à l'actrice. Si elle l'avait fait, elle aurait fondu en larmes.

Leslie arriva le vendredi soir. Il entra avec les clés qu'il avait conservées et trouva Coco dans la baignoire, les cheveux enveloppés dans une serviette de bain. Dès qu'il la vit, il sourit, se déshabilla et la rejoignit.

— Je rêvais de ce moment, chuchota-t-il avec ravissement avant de l'embrasser.

En dépit des craintes qui avaient tourmenté Coco pendant toute la semaine, ce fut une nuit parfaite. C'était comme si Leslie n'avait jamais quitté San Francisco.

Ils partirent pour Bolinas le lendemain matin, avec les chiens. Souvent, à la fin du mois de septembre, il faisait plus chaud qu'en été et c'était justement le cas. Les nuits étaient tièdes et embaumées, ce qui était rare, et jamais ils n'avaient été plus amoureux l'un de l'autre. Leslie ne semblait pas avoir succombé aux charmes de Madison Allbright. Bien sûr, le tournage n'avait pas encore commencé, mais Coco était moins inquiète. Lorsqu'il était dans ses bras, elle ne doutait pas que Leslie l'aimait autant qu'elle l'aimait. Il le lui répétait

203

sans cesse et elle n'avait aucune raison de ne pas le croire. Cédant à ses supplications, elle finit par lui promettre de le rejoindre en Italie.

Il lui avait apporté tous les articles les concernant et on les voyait sur de nombreuses photos. Il était clair que la presse s'intéressait à eux.

Le dimanche matin, ils en parlèrent pendant le petit déjeuner.

— C'était inévitable, assura Leslie avec philosophie. Ils sont toujours à la recherche d'un scoop et rien ne vaut des ragots et des histoires bien croustillantes.

Coco examina de nouveau les clichés.

— Je n'ai vraiment rien de croustillant... Lorsqu'ils sauront que je promène des chiens, ils vont apprécier.

Pour l'instant, les journalistes s'intéressaient au fait qu'elle était la fille de Florence Flowers. Elle avait d'ailleurs raconté à Leslie qu'ils avaient contacté sa mère.

— Je te trouve très croustillante ! lui chuchota-t-il en se penchant pour l'embrasser. A ton avis, qu'est-ce que leur dira Jane, s'ils l'appellent ?

— Elle leur expliquera que je suis une hippie, quelqu'un sur qui on ne peut pas compter, et autres gentillesses, répondit tristement Coco.

— Si elle fait ça, je la tue, affirma Leslie. Tu sais, je crois qu'elle est tout simplement jalouse de toi.

Il se tut un instant pour contempler pensivement l'océan, avant de reprendre :

— Je suis certain qu'elle est en rogne parce que tu es belle, que tu fais ce que tu veux et que tu auras toujours onze ans de moins qu'elle. Elle est assez narcissique pour le prendre comme une insulte. Peut-être était-elle déjà jalouse de toi quand tu étais petite, mais tu ne l'as jamais su. Je ne crois pas qu'elle soit furieuse que tu aies laissé tomber le droit ou que tu te sois installée à Bolinas. Ce ne sont que des prétextes. Je pense qu'elle t'en veut d'être ce que tu es et qu'elle n'est pas. Tu es douce, gentille et compatissante. Tout le monde t'adore. Jane a une pierre à la place du cœur. Il le fallait, pour se hisser au niveau qu'elle a atteint. Seule Liz est chaleureuse et douce, dans son univers. Sans elle, Jane serait insupportable. Tout le monde vous apprécie, Liz et toi. Ce doit être dur à avaler pour Jane. Sans compter qu'elle a été l'enfant unique et adorée de ses parents pendant onze ans jusqu'à ton arrivée. A ses yeux, tu as tout fichu en l'air. Je suis persuadé que derrière toutes les accusations stupides dont elle t'abreuve, c'est cela qu'elle ne t'a pas pardonné. Et c'est pour cela qu'elle te rabaisse sans cesse et te traite comme si tu avais cinq ans.

Les propos de Leslie avaient un parfum de vérité, même pour Coco. En tout cas, ils éclairaient l'agressivité que Jane lui avait toujours témoignée, aussi loin que remontaient ses souvenirs.

— Le pire, reconnut-elle, c'est que, devant elle, je me conduis effectivement comme si j'avais cinq ans. Quand j'étais enfant, elle me terrorisait. Elle me menaçait sans cesse de me faire gronder par maman ou papa, et me traitait comme son esclave. Elle le fait d'ailleurs toujours, précisa-t-elle en soupirant. Et je la laisse faire. Il n'y a pourtant pas de raison pour qu'elle m'en veuille. Elle a toujours été la préférée de maman, et papa la portait aux nues, surtout quand elle a commencé à produire des films. Et avant, il était très fier qu'elle se soit inscrite à l'école de cinéma de l'université de Californie. En revanche, il n'a pas été impressionné par mon inscription à Princeton, qu'il considérait comme sans intérêt. J'ai un peu remonté dans son estime quand j'ai entamé des études de droit à Stanford. Je n'en avais pourtant pas la moindre envie, mais je voulais qu'il soit content. J'aurais préféré suivre un master en histoire de l'art et travailler dans un musée, mais il disait que cela ne me rapporterait pas un sou et que c'était stupide.

— Pourquoi ne pas le faire maintenant ? suggéra Leslie, les yeux brillants. Tu pourrais aussi être vétérinaire, la taquina-t-il.

Elle aimait tous les chiens dont elle s'occupait, mais il savait qu'elle avait aussi une passion pour l'art. Sa maison était remplie de livres spécialisés.

— Qu'est-ce que cela m'apporterait, maintenant ? Il est un peu tard pour entreprendre des études.

— C'est faux. Ce serait formidable pour toi ! Tu pourrais t'inscrire à l'université de Los Angeles, si tu venais habiter avec moi. Ou bien à Stanford, ou encore à Berkeley, si nous nous installions ici.

Il tentait toujours de la convaincre de vivre avec lui. Ce serait plus facile pour lui à Los Angeles, mais pour elle, il était prêt à emménager à San Francisco.

— Peut-être, dit-elle pensivement. J'ai toujours été intéressée par la restauration des œuvres d'art. J'avais choisi cette option, à la faculté. Je trouvais cela fascinant.

Elle ne l'avait jamais avoué à personne avant lui. Ian n'était intéressé que par les activités de plein air. Quant à son père, en dehors du droit, tout n'était que perte de temps.

— Tu pourrais t'inscrire, suggéra Leslie. Tu verras plus tard à quoi cela peut te servir. Peut-être à rien, mais au moins, tu auras essayé.

Grâce à lui, Coco reprenait confiance en elle et son explication sur l'animosité de Jane à son égard avait touché une corde sensible.

— Si tu t'intéresses à la restauration, reprit Leslie, tu te plairas beaucoup à Venise. Les Vénitiens se battent depuis des années pour sauver leur ville des eaux. C'est un véritable bijou.

Contrairement à elle, il y était déjà allé. Elle avait visité Florence, Rome et Pompéi. Elle s'était même rendue à Capri, avec ses parents, mais elle ne connaissait pas Venise.

— Je n'irai pas là-bas pour admirer les œuvres d'art, lui répondit-elle avec un sourire, mais pour te voir.

— L'un n'empêche pas l'autre. De toute façon, je tournerai une grande partie du temps. Tu pourras visiter les églises, elles sont innombrables et toutes plus belles les unes que les autres.

Cela semblait très excitant. Elle lui promit une nouvelle fois de le rejoindre quand Jane et Liz seraient rentrées. Ils ne savaient toujours pas où ils vivraient, ni même s'ils vivraient ensemble. Pourtant, petit à petit, ils faisaient des projets. Coco pensait que si cela devait arriver, chaque chose venait en son temps. Si elle quittait San Francisco, elle arrêterait son travail. Heureusement, son père lui avait légué de quoi vivre confortablement, car elle ne voulait pas dépendre de Leslie.

Dans l'après-midi, Leslie lui demanda à nouveau quand elle le rejoindrait à Venise et elle lui promit de venir rapidement. Avec un peu de chance, ils se retrouveraient dans quelques semaines. Jane et Liz ne lui avaient pas encore précisé la date de leur retour, mais Coco avait déjà posé des jalons auprès d'Erin pour la remplacer. Elle comptait passer une semaine ou deux en Italie, même si Leslie espérait qu'elle resterait plus longtemps.

Ils rentrèrent à San Francisco en début de soirée. C'est Leslie qui avait pris le volant. Coco contemplait les falaises et cette vue de l'océan qu'elle aimait tant, songeant combien elle avait de la chance d'habiter là. Elle ne se sentait pas encore prête à tout quitter. Depuis trois ans, elle était heureuse à Bolinas. Ce serait un gros sacrifice d'abandonner son nid face à la mer. Là-bas, personne ne l'importunait ni ne faisait la loi. Elle n'avait pas à se soucier des journalistes lorsqu'ils se promenaient sur la plage. C'était un lieu absolument paisible. Mais elle était consciente que désormais, elle s'y sentirait très seule, sans lui. Car, même si son univers se trouvait à des années-lumière du sien, dorénavant Leslie faisait partie de sa vie. Elle se demandait si, plus tard, il pourrait encore venir à Bolinas, entre deux films. Il avait apprécié les moments passés avec elle cet été, mais il était habitué aux grandes villes et à une existence trépidante. Elle savait que ce serait à elle de s'adapter aux exigences de sa carrière d'acteur.

Ce soir-là, ils regardèrent un vieux film qu'elle n'avait jamais vu et qu'elle apprécia énormément. Leslie lui apprit qu'il s'agissait d'un classique. En matière de cinéma, il était extrêmement cultivé et Coco était heureuse qu'il lui transmette son savoir. Il n'était pas simplement un bel acteur accumulant les succès, il était passionné par son métier. Il s'intéressait à tout ce qui touchait au cinéma, qu'il s'agisse d'œuvres importantes ou plus confidentielles, s'efforçant de comprendre ce qui les rendait uniques. Il lui avait avoué qu'il aurait aimé devenir un Laurence Olivier, mais qu'il ne le serait jamais. Du moins faisait-il son possible pour être le meilleur dans son domaine. Il jouait fréquemment dans des films dont le succès était lié à son physique et à son charme. Il aurait souhaité interpréter des personnages plus graves et Jane était persuadée qu'il en était capable. Mais il était particulièrement doué pour la comédie. Il y apportait une touche d'humour personnelle que le public adorait.

Ce soir-là, ils se couchèrent tard. Assis dans la cuisine, ils parlèrent de son prochain rôle. Il fit part à Coco des idées auxquelles il pensait pour lui donner davantage d'épaisseur, et elle trouva certaines d'entre elles excellentes. Tout ce travail de préparation et de réflexion impressionnait Coco, qui lui demanda si tous les acteurs en faisaient autant.

— Pas tous, admit-il en riant. Seulement les bons !

Il avoua qu'il était inquiet à l'idée de travailler avec Madison Allbright, dont on disait qu'elle ne connaissait jamais ses répliques. Cela lui rendrait les choses plus difficiles. Sans compter qu'il s'était déjà disputé plusieurs fois avec le réalisateur à propos du personnage qu'il incarnait. Tous les deux le voyaient différemment. Jusque-là, le scénariste défendait le point de vue de Leslie, ce qui agaçait le réalisateur. Sachant qu'il allait devoir se battre, Leslie comptait beaucoup sur le soutien que lui apporterait Coco durant son séjour.

Ils se couchèrent à 2 heures du matin. Leslie devait se lever à 7 heures. Au réveil, ils firent une dernière fois l'amour, puis ils prirent leur douche. Ensuite, Leslie avala rapidement son petit déjeuner et partit après avoir passionnément embrassé Coco. Il lui promit de l'appeler dès son arrivée. Après son départ, la maison sembla affreusement silencieuse à Coco. Et ce fut encore pire lorsqu'elle rentra déjeuner. Elle détestait le savoir aussi loin, mais elle n'ignorait pas que si elle voulait faire partie de sa vie, elle devrait s'y habituer. Elle pourrait l'accompagner, mais cela impliquerait qu'elle n'aurait pas de travail, ni même de vie à elle. La perspective de tout abandonner pour vivre dans son ombre l'effrayait. Pourtant, il lui répétait depuis des mois que ce n'était pas ce qu'il voulait, qu'elle devait être son égale et non une groupie ou une esclave.

Ce soir-là, un calme insupportable régna dans la maison. Coco regarda l'un de ses films préférés, avec Leslie dans le rôle principal. Elle espérait se sentir moins seule, mais ce fut pire. Assise sur le lit de sa sœur, les yeux fixés sur l'écran, elle prit soudain conscience qu'elle aimait une star.

— Oh, mon Dieu... s'écria-t-elle.

Elle était follement amoureuse d'un des acteurs les plus connus au monde. Il n'était peut-être pas Laurence Olivier, mais aux yeux de ses fans, il était encore meilleur. Tous les propos de sa sœur lui revinrent à l'esprit et elle se demanda alors si elle avait perdu la raison et ce qu'il faisait avec elle. Elle n'était rien ni personne, juste une promeneuse de chiens qui vivait dans

une cabane à Bolinas. Peut-être Jane avait-elle raison...
Effondrée, elle pleura jusqu'à ce que le sommeil
l'emporte. Leslie l'appela au milieu de la nuit et cela la
réconforta un peu. Il venait d'arriver à Venise et semblait épuisé par le voyage.

Coco lui fit part de ce qu'elle avait ressenti en prenant
soudain conscience de ce qu'il était et de ce qu'elle
n'était pas.

— Ce sont des bêtises, lui assura-t-il. Je t'aime et c'est
la seule chose qui compte.

Mais après qu'ils eurent raccroché, la même question
lancinante revint l'obséder : « Pour combien de temps ? »

Si Jane avait raison, quelle actrice fascinante et fabuleuse allait prendre sa place ? A cette idée, Coco fris-
sonna de peur.

14

Jane et Liz arrivèrent une semaine après le départ de Leslie pour Venise. Coco retourna à Bolinas la veille de leur arrivée et passa leur rendre les clés le lundi matin en allant au travail. Elle avait laissé les lieux aussi propres que possible et avait mis des fleurs dans les vases. Son attention avait touché Liz, qui l'avait appelée pour la remercier.

Le lundi, quand Jane lui ouvrit la porte, Coco la fixa, stupéfaite. Sa sœur portait un caleçon noir et un pull moulant de la même couleur, qui mettaient en valeur l'énorme protubérance à la hauteur de son ventre. Enceinte de cinq mois, elle était toujours aussi mince qu'avant, mais on aurait dit qu'elle avait glissé un ballon de basket dans son caleçon. En la voyant, Coco éclata de rire.

— Qu'est-ce qu'il y a de drôle ? s'enquit Jane d'une voix maussade.

— Rien. Je te trouve seulement très mignonne.

Liz parut alors derrière Jane, un large sourire aux lèvres.

— Impressionnant, n'est-ce pas ? remarqua-t-elle fièrement, en embrassant Coco.

— Extraordinaire, répondit celle-ci en lui tendant les clés.

— Merci d'avoir gardé la maison tout ce temps, poursuivit Liz. Comme tu peux le constater, nous sommes rentrées un mois plus tôt que prévu. Le tournage s'est bien passé.

— Tout s'est bien passé pour moi aussi, commença Coco, qui rougit immédiatement. Je veux dire... eh bien... ça m'a bien plu.

— Je m'en doute, remarqua Jane d'un ton acide. Où est Leslie ?

— A Venise. Il doit y rester jusqu'à Thanksgiving, et peut-être même jusqu'à Noël.

— Cela vous donnera le temps de reprendre vos esprits, ajouta méchamment Jane. Maman m'a envoyé tous les articles. Tu as braqué les projecteurs sur toi, en te rendant à Los Angeles. Et si vous restez ensemble, cela ne fera qu'empirer. J'espère que tu t'y es préparée.

— Nous traitons chaque chose en son temps, répliqua Coco, reprenant la formule de Leslie.

— Tu veux dîner avec nous, demain ? proposa sa sœur.

— Je suis prise, désolée.

Elle n'avait pas hésité une seconde à refuser l'invitation. Elle n'avait aucune envie de se faire massacrer par Jane ou de l'entendre lui répéter que Leslie la quitterait dès qu'il tomberait amoureux de sa partenaire, à Venise. Cette idée la préoccupait suffisamment pour qu'elle n'ait pas envie de l'entendre de la bouche d'une autre.

— Une autre fois, alors. A propos, nous aurions besoin que tu restes ici, le week-end prochain, lança Jane avec désinvolture.

Elles étaient toutes les trois sur le seuil de la maison. Il n'était pas venu à l'esprit de Jane de demander à Coco si elle était libre. Comme d'habitude, elle le supposait.

— Je ne peux pas, rétorqua Coco, savourant ces mots peu familiers.

Elle avait eu un certain mal à les prononcer, mais elle y était arrivée. Jane serait toujours la grande sœur autoritaire pour elle.

212

— J'ai besoin de toi, insista Jane. Nous devons aller à Los Angeles pour le montage et pour visiter deux maisons à louer. Et je veux faire la connaissance du petit ami de maman. Je suppose que tu ne l'as pas encore rencontré ?

— Non, confirma Coco. Quand je suis allée à Los Angeles, maman travaillait sur un livre, si bien que je ne suis pas allée la voir.

Toutes les deux savaient que lorsqu'elle écrivait, leur mère ne prenait aucun appel et ne recevait personne. Elles se demandaient si ces règles s'appliquaient à Gabriel. En tout cas, elles s'appliquaient à elles.

— Maman a fini son livre, c'est pourquoi elle a accepté de nous voir, expliqua Jane. Il faut vraiment que tu t'occupes de Jack, ce week-end. Emmène-le à Bolinas, si tu veux. Dès que nous aurons trouvé une maison, il nous suivra.

Coco hocha la tête sans répondre. Elle savait que le montage les retiendrait à Los Angeles pendant plusieurs mois.

— Mais nous devons prendre l'avion ce week-end, insista sa sœur, et nous sommes obligées de le laisser ici.

Coco regarda sa sœur dans les yeux.

— Je ne serai pas là.

— Pourquoi ? s'étonna Jane.

Pour autant qu'elle s'en souvienne, c'était la première fois que Coco lui refusait quelque chose. Leslie avait bien travaillé. Liz n'intervint pas, mais elle avait envie d'applaudir et souriait à Coco, par-dessus l'épaule de Jane, pour l'encourager.

— Je pars à Venise vendredi pour deux semaines. Je suis sûre qu'Erin acceptera de s'occuper de Jack. Elle me remplace lorsque je m'absente. Je voulais vous demander si je pouvais laisser Sallie chez vous, mais j'ai l'impression que ce ne sera pas possible.

Liz s'empressa aussitôt de répondre :

— Bien sûr que si ! Erin pourra les promener tous les deux et ainsi, Jack ne se sentira pas seul, puisque Sallie sera avec lui.

Les deux chiens avaient vécu quatre mois et demi ensemble et ils s'entendaient très bien. Jane fixait sa sœur en silence, avec une désapprobation teintée d'incrédulité. Les esclaves ne se rebellaient pas, ne partaient pas, ne prenaient pas d'initiatives. Elle allait devoir reconsidérer sérieusement les choses.

— Est-ce que tu as pensé à ce qui allait se passer à Venise, quand tu devras affronter les paparazzis ? demanda-t-elle froidement.

On aurait dit qu'elle voulait punir Coco de son indépendance.

— Oui, répliqua calmement la jeune femme. Nous ferons du mieux que nous pourrons. Nous comptons profiter d'une pause pour passer quelques jours à Florence.

— Génial ! s'exclama Liz avec enthousiasme.

Jane fixait sa sœur, se demandant visiblement ce qui pouvait avoir causé une telle métamorphose. Chez Jane, la transformation était visible et purement physique. Coco avait changé de façon moins évidente, mais beaucoup plus profonde. En tout cas, la grossesse n'avait pas adouci Jane. Elle était toujours aussi dure.

— Nous avons eu les résultats de l'amniocentèse, annonça brusquement cette dernière. Le bébé va bien… C'est un garçon, ajouta-t-elle d'un air légèrement déçu.

Toutes les deux auraient voulu une fille. Liz s'empressa de préciser que cela n'avait pas d'importance, du moment qu'il était en bonne santé.

— Ce sera certainement plus difficile à gérer, remarqua Jane en souriant. Les garçons ne sont pas exactement ma spécialité.

Coco éclata de rire.

— Je suis sûre que tu t'en sortiras très bien.

En son for intérieur, elle était soulagée que ce soit un garçon : sa sœur était trop inflexible pour être la mère d'une fille. En fait, elle ne l'imaginait pas en mère du tout. Pour tous, cette nouvelle avait été une grande surprise et leur mère ne s'en était pas encore remise. La perspective d'être grand-mère ne l'enchantait guère. Elle avait l'impression de se sentir plus vieille. Elle n'avait d'ailleurs jamais vraiment apprécié les enfants, même quand elle était plus jeune et que c'étaient les siens. Et elle les appréciait encore moins depuis qu'elle fréquentait un homme qui avait vingt-quatre ans de moins qu'elle.

— Comment allez-vous l'appeler ? demanda Coco

Jane et Liz en avaient longuement discuté et pensaient lui donner le nom du père de Jane.

— Nous lui donnerons probablement le prénom de papa. Mais nous voulons d'abord voir à quoi il ressemble.

— J'ai hâte qu'il arrive, moi aussi, affirma Coco avec sincérité.

Elle avait encore du mal à se faire à l'idée qu'elles allaient avoir un bébé. Jamais elle n'aurait imaginé un tel événement.

— La grossesse te va à merveille, ajouta-t-elle. La seule différence, c'est ce ballon de basket, sous ton pull.

— Le docteur dit qu'il est vraiment gros.

L'espace de quelques secondes, Jane parut anxieuse. Elle appréhendait l'accouchement. Cela la terrifiait. Heureusement, Liz serait à ses côtés.

— Le père mesure un mètre quatre-vingt-quinze, expliqua Jane, qui était elle aussi plutôt grande.

Coco les quitta peu après pour se rendre à son travail. Elle leur laisserait Sallie le jeudi après-midi, car Jane et Liz partaient pour Los Angeles le lendemain.

Lorsqu'elle passa déposer Sallie, Jane était sortie. Liz l'invita à prendre une tasse de thé. Coco venait de terminer son travail et elle partait le lendemain à l'aube.

215

— Comment ça va, avec Leslie ? lui demanda Liz.

— Incroyablement bien, répondit Coco avec un sourire radieux. Je n'arrive toujours pas à croire à mon bonheur !

— Il a de la chance de t'avoir, affirma Liz avec conviction.

Elle ne voyait pas du tout les choses comme Jane et avait toujours désapprouvé la façon dont son amie traitait Coco. Les relations qu'entretenaient les deux sœurs la chagrinaient et elle espérait toujours que Coco briserait un jour ses chaînes. Malheureusement, elle n'en était pas encore là.

— Jusque-là, la presse nous a relativement laissés tranquilles, avança Coco. Les journalistes me font peur, mais ils ne se sont pas trop mal conduits avec nous. Jane pense qu'ils vont me manger toute crue, mais je ne vois pas pourquoi. Je ne sors pas de prison et ne me drogue pas. Ce qui me fait peur, c'est qu'elle est persuadée qu'il me laissera tomber pour une autre, avoua Coco. Les tentations sont nombreuses dans son métier, et c'est un homme.

— Certes, mais un homme qui semble fou amoureux de toi, lui rappela Liz.

Jane lui avait rapporté la façon dont Leslie l'avait remise à sa place, et pour Liz, c'était plutôt bon signe.

— Il y a aussi des mariages heureux à Hollywood, continua-t-elle. On n'en entend pas parler, parce que la presse ne s'intéresse qu'aux drames. Aie un peu confiance en toi et en Leslie. C'est quelqu'un de bien.

Ces propos firent plaisir à Coco, qui se détendit.

— J'ai hâte de le retrouver, dit-elle avec un sourire heureux.

— Tu mérites bien tes vacances ! Je ne me rappelle pas la dernière fois que tu t'es arrêtée.

Il lui semblait que cela remontait à trois ans, lorsque Coco était partie en vacances avec Ian. Elle reprenait enfin goût à la vie... Il était temps !

— Je suis impatiente d'entendre tout ce que tu auras à me raconter, à ton retour.

Elles parlèrent ensuite du bébé. Liz était folle de joie. Et d'après elle, il en était de même pour Jane. Elle paraissait s'habituer à l'idée que c'était un garçon. Elles étaient en train de transformer la chambre d'amis en nursery et comptaient engager une nourrice lorsqu'elles seraient à Los Angeles. Coco était ravie, elle aussi. Elle ne se serait jamais attendue à avoir un jour un neveu.

Elle s'en allait au moment où Jane rentra. Pour une fois, elle avait l'air détendue et heureuse. Souriante, Coco lui dit qu'elle était passée déposer Sallie.

— Amuse-toi bien, à Venise, lui lança gentiment Jane.

Visiblement de bonne humeur, elle lui expliqua qu'elle revenait d'une consultation chez le médecin. Tout allait bien. Elle commençait à remplir un album avec les premiers clichés de l'échographie. Intérieurement, Coco s'en étonna tant cette sentimentalité ressemblait peu à sa sœur. Peut-être serait-elle une bonne mère, après tout ? Pour l'une comme pour l'autre, le modèle maternel n'était pas une référence, car leur mère était responsable, mais avait été bien plus focalisée sur sa carrière et sur son mari que sur ses enfants. Elle avait réussi à établir une certaine relation mère-fille avec Jane, mais n'y était jamais parvenue avec Coco. Elles avaient trop peu de points communs. Coco avait toujours été l'excentrique de la famille. Elle était arrivée trop tard et était trop différente.

— Appelle-nous à ton retour ! lui demanda Jane lorsqu'elle partit.

Tandis qu'elle roulait en direction de Bolinas, Coco pensait à Leslie et à tout ce qu'ils pourraient faire ensemble à Venise. Elle avait hâte de le voir tourner et de profiter pleinement de lui pendant les quelques jours de congé qu'il pourrait prendre. Il lui avait déjà promis qu'ils iraient en gondole sous le pont des Soupirs, la légende assurant que les amoureux qui passaient dessous restaient à jamais unis. L'idée avait ravi Coco.

Ce soir-là, sa mère l'appela pour l'inviter à passer le week-end chez elle, et à faire la connaissance de Gabriel en même temps que Jane et Liz. Coco lui expliqua qu'elle partait retrouver Leslie à Venise.

— Tu es sûre que c'est une bonne idée ? demanda Florence d'une voix sceptique. Tu ne devrais pas lui courir après, ma chérie. Il risque de s'imaginer que tu t'accroches.

Coco leva les yeux au ciel.

— Je ne m'accroche pas, maman. Il veut que je vienne.

— Très bien, si tu en es certaine. Mais il doit être très occupé, s'il tourne un film. Les hommes n'apprécient pas que les femmes se pendent à leurs basques. Ils ont l'impression d'étouffer.

Coco ne lui demanda pas si Gabriel se sentait « étouffé » par elle. Elle ne voulait pas s'énerver en se disputant avec Florence, surtout que sa mère, comme Jane, sortait toujours victorieuse de ces discussions.

— Merci pour ton conseil, conclut-elle sèchement.

Mais qu'avait-elle fait pour mériter cela ? Jane était persuadée qu'elle n'était qu'une conquête parmi d'autres pour Leslie, et pas la plus séduisante, de surcroît. Elle était même certaine que sa sœur ne tarderait pas à être remplacée par une femme plus glamour et plus belle. Quant à sa mère, elle croyait qu'elle s'accrochait à une star du cinéma qui ne tenait pas vraiment à la voir. Pourquoi ne pouvaient-elles imaginer qu'elle était digne de lui et qu'il l'aimait vraiment ?

— Comment va Gabriel ? demanda-t-elle pour changer de sujet.

— Merveilleusement bien, fit sa mère d'une voix heureuse.

Elle ne doutait pas que son amant l'adorait, alors qu'elle n'arrivait pas à admettre que Leslie était tout aussi amoureux de Coco.

— Nous dînons avec Jane et Liz, ce week-end, continua-t-elle.

Sachant combien sa fille aînée pouvait être dure et critique, elle appréhendait un peu ce repas. D'un autre côté, elle était très excitée à l'idée que Gabriel allait rencontrer Jane et Liz. Elle avait hâte de leur faire partager son bonheur. Coco la trouva naïve. Elle savait que Jane saisirait la moindre occasion de prendre Gabriel en défaut et s'en servirait plus tard contre sa mère.

— Passe une bonne soirée, lui dit-elle avant de raccrocher.

En y réfléchissant, elle constata avec regret que sa mère avait encore réussi à marquer un point. A présent, elle se demandait avec inquiétude si elle ne s'imposait pas à Leslie. Peut-être était-il moins désireux de la voir qu'elle ne le prétendait.

— Je ne dois pas les écouter, se dit-elle en bouclant sa valise vers minuit. Maman et Jane racontent des sottises. Elles me détestent... Elles m'ont toujours détestée et je me moque bien de ce qu'elles racontent. Il m'aime, je l'aime et c'est tout ce que j'ai besoin de savoir. Il veut me voir et nous allons passer de merveilleux moments ensemble, à Venise.

Lorsqu'elle sortit sur la terrasse pour contempler les étoiles, elle pria pour que tout se passe bien. Après cela, elle alla se coucher, se répétant que vingt-quatre heures plus tard, elle serait à Venise avec l'amour de sa vie. C'était aussi simple que cela. Qu'il soit une star de cinéma ou non n'avait aucune importance. Elle ne devait plus se poser de questions ni penser aux propos de sa mère. Elle allait s'envoler pour l'Italie et y passer les jours les plus heureux de son existence.

15

Coco prit le même vol que Leslie deux semaines plus tôt. La seule différence était qu'il voyageait en première classe, et elle en classe économique. Leslie avait voulu lui offrir un billet de première classe, mais elle avait refusé, préférant payer sa place elle-même.

Coincée dans un espace réduit, elle trouva bien longues les douze heures de vol. Ayant dormi par intermittence, elle se sentait sale et mal coiffée en arrivant à Paris. L'escale dura quatre heures. Lorsqu'elle monta dans l'avion qui devait l'emmener à Venise, elle commençait à avoir sérieusement sommeil. Aussitôt après le décollage, elle s'endormit, et le steward dut la réveiller au moment de l'atterrissage. Pour elle, c'était le milieu de la nuit et il lui semblait voyager depuis une éternité.

Avant de quitter l'avion, elle eut le temps de se brosser les dents, de se passer le visage à l'eau fraîche et de se recoiffer. Elle s'était changée à Paris et avait quitté le vieux sweat-shirt qu'elle portait pour un joli pull et un pantalon en cuir noir.

En sortant de l'aéroport, elle aperçut immédiatement Leslie, qui l'attendait. Il était midi et le soleil était haut dans le ciel, en cette fin du mois d'octobre. Fou de joie, il la serra dans ses bras, puis il prit son gros sac et l'entraîna hors du terminal, jusqu'à la limousine qui les attendait. Pendant que le chauffeur s'occupait de récupérer les bagages, Leslie embrassa passionnément Coco dans la voiture. Entre deux baisers, il lui répétait combien il était heureux de la voir. Ils avaient l'impression d'avoir été séparés pendant des mois, alors qu'ils s'étaient quittés quinze jours plus tôt.

— J'avais tellement peur que tu ne viennes pas, lui avoua-t-il. Je n'arrive pas à croire que tu es là ! conclut-il avec enthousiasme.

— Moi non plus. Comment se passe le tournage ?

— Nous avons deux jours de liberté. Et je pense qu'il en ira de même la semaine prochaine. Nous en profiterons pour aller à Florence. J'ai déjà réservé une chambre, précisa-t-il avec un sourire radieux.

Le chauffeur revint avec les valises, les déposa dans le coffre et reprit le volant. Ils se trouvaient dans une Mercedes, que le producteur avait fait venir d'Allemagne spécialement pour Leslie. Il raconta à Coco que le tournage se déroulait normalement, bien qu'il ait déjà eu quelques problèmes avec Madison Allbright, mais il ne rentra pas dans les détails. Maintenant qu'elle était là, il ne voulait penser qu'à Coco.

Entre l'aéroport et l'immense parking où ils devaient laisser la voiture, la distance était relativement courte. Leslie avait loué un hors-bord, un grand *motoscafo*, qui les emmènerait au Gritti Palace, où il séjournait. Le reste de l'équipe était dans des établissements plus petits. Seuls Leslie et Madison Allbright avaient une suite au Gritti, considéré comme l'hôtel le plus luxueux de Venise. Madison aurait voulu descendre au Cipriani, mais le producteur avait estimé que c'était trop loin et trop difficile d'accès. Leslie était ravi d'être où il était.

Le *motoscafo* prit le Grand Canal et Coco admira les églises, les dômes, les basiliques, les vieux palais qui se déroulaient devant elle, et enfin la place Saint-Marc, extraordinaire sous le soleil d'octobre. C'était le plus bel endroit que Coco ait jamais vu. Devant son émerveillement, Leslie sourit.

— C'est beau, n'est-ce pas ? affirma-t-il en la prenant dans ses bras et en l'embrassant.

Il ne pouvait imaginer un lieu plus magnifique à partager avec elle. Il avait déjà retenu une gondole pour les emmener le soir même sous le pont des Soupirs, avant d'aller dîner au restaurant. Il avait mille projets en tête.

Lorsqu'ils arrivèrent au Gritti Palace, Leslie la conduisit dans leur suite. En réalité, on lui en avait attribué plusieurs, réunies de façon à former un appartement royal. Cela faisait partie de son contrat. Coco n'avait jamais rien vu d'aussi beau et luxueux. Des fenêtres, la vue était spectaculaire.

Pendant que deux femmes de chambre défaisaient les bagages de Coco, un serveur en livrée apporta un grand plateau d'argent sur lequel se trouvait une collation pour Coco, ainsi qu'une bouteille de champagne. C'était du Cristal de Roederer.

— On nous gâte, quand nous tournons à l'étranger, fit Leslie d'un air un peu embarrassé.

— C'est ce que je vois, répondit Coco en riant.

Elle tenta de ne pas oublier qu'elle n'était là que pour une semaine ou deux. Ensuite, le beau carrosse qu'elle partageait avec lui se transformerait de nouveau en citrouille. Avec Leslie, elle se sentait l'âme d'une Cendrillon. Et elle avait du mal à croire que la pantoufle de vair lui reviendrait. Cela n'arrivait que dans les contes de fées, cependant elle était réellement en train d'en vivre un.

Lorsqu'ils se furent assis dans l'énorme canapé de satin jaune, le serveur tendit une tasse de thé à Coco, puis lui présenta une assiette de délicieux petits sandwiches avant de s'esquiver discrètement.

— J'ai l'impression d'être Cendrillon, avoua-t-elle en levant des yeux incrédules vers Leslie. Il y a à peine une minute, j'étais à Bolinas. Comment ai-je pu me retrouver ici ?

Elle ne s'était pas attendue à un tel accueil. Elle n'avait pensé qu'à le retrouver, mais il ne lui était jamais venu à l'esprit qu'il était entouré d'un tel luxe pendant le tournage. Elle n'aurait jamais imaginé que les producteurs se donnaient autant de mal pour lui rendre la vie agréable. C'était d'ailleurs plus qu'agréable... somptueux !

— Ce n'est pas une existence trop pénible, n'est-ce pas ? remarqua-t-il avec un sourire malicieux. Pourtant, j'étais vraiment malheureux, jusqu'à présent. Ce n'était pas drôle, sans toi.

Il lui fit alors visiter la suite. Il y avait une immense chambre à coucher princière, aux meubles exquis et anciens, et au plafond orné de fresques. Leslie disposait aussi de deux salons et d'une salle à manger assez vaste pour accueillir une vingtaine d'amis. La suite comprenait également un petit bureau, une bibliothèque et plusieurs salles de bains en marbre. Parmi elles, il y en avait une en marbre rose qu'il lui réservait, avec une vue magnifique sur Venise. Toutes les pièces étaient fleuries.

— Il me semble que je rêve ! s'écria-t-elle tout en le suivant.

Pour le lui prouver, il l'entraîna vers l'immense lit à baldaquin et elle retrouva le Leslie qu'elle connaissait et aimait. Malgré le luxe dont il était entouré, il était aussi amoureux et espiègle qu'il l'avait été chez Jane et à Bolinas. Leslie avait une grande qualité : il aimait la vie qu'il menait et tout ce qu'elle impliquait, mais il n'était pas imbu de lui-même. Et ce qui lui importait par-dessus tout, c'était d'être avec Coco.

Ils firent l'amour, puis dormirent une partie de l'après-midi, après quoi ils prirent un bain dans l'immense salle de bains rose. Ensuite ils se préparèrent, car Leslie voulait montrer à Coco quelques-unes des merveilles de Venise. Ils sortirent de l'hôtel et son *motoscafo* privé les déposa place Saint-Marc. De là, ils se promenèrent dans d'étroites ruelles, entrèrent dans des églises, achetèrent des glaces à un vendeur ambulant et traversèrent les ponts minuscules qui enjambaient les petits canaux. Coco était totalement perdue, mais cela n'avait aucune importance, puisqu'elle était avec Leslie. Lui commençait à se familiariser avec la ville, mais il s'y égarait encore fréquemment sans que cela soit le moins du monde effrayant. Dans cette ville, où que vous fussiez, tout était magnifique, et d'une manière ou d'une autre, vous finissiez par aboutir à l'endroit désiré. Le temps était froid et ensoleillé, et quand la nuit commença à tomber, ils regagnèrent le *motoscafo,* qui les ramena à l'hôtel.

De retour dans leur suite, Coco contempla la ville, puis elle se tourna vers Leslie avec, dans les yeux, tout son amour pour lui.

— Merci de m'avoir invitée, murmura-t-elle doucement.

Ce séjour avec lui dans l'endroit le plus romantique qu'elle avait jamais vu ressemblait à une lune de miel.

— Je ne t'ai pas invitée, lui rappela-t-il en la fixant avec la même passion qu'elle. Je t'ai suppliée de venir. Je voulais partager tout cela avec toi. Avant ton arrivée, je faisais juste mon boulot.

La remarque fit sourire Coco. Travailler à Venise était l'idéal.

Cette fois, lorsqu'ils quittèrent l'hôtel, elle ne vit pas le *motoscafo,* mais une immense gondole qui les attendait. Le gondolier portait un maillot rayé, une courte veste bleu marine parce que la soirée était fraîche, et le traditionnel chapeau plat que portaient tous les gondoliers. L'embarcation était une merveille laquée noir et or, telle que l'étaient toutes les gondoles depuis des centaines d'années. Comme promis, ils passèrent sous le pont des Soupirs, tandis que le gondolier chantait. Ils avaient vraiment l'impression de vivre un rêve.

— Ne respire plus et ferme les yeux, chuchota Leslie.

Elle s'exécuta et il embrassa doucement ses lèvres en retenant lui-même son souffle. Lorsqu'ils ne furent plus sous le pont, elle ouvrit les yeux et lui sourit.

— Le sort en est jeté, s'exclama-t-il, l'air ravi. Selon la légende, nous resterons ensemble jusqu'à la fin de nos jours. J'espère que tu n'y vois pas d'inconvénient.

Elle se mit à rire, tandis qu'il s'installait de nouveau près d'elle. De quoi aurait-elle pu se plaindre ? D'être avec l'homme le plus romantique de la planète ? Ou dans la ville la plus belle qu'elle avait jamais vue ?

— Je n'en vois aucun. Et d'ailleurs, je voudrais que nous passions notre lune de miel ici, murmura-t-elle. Je veux dire... si nous nous marions.

Ils glissaient sous un autre pont et elle était aux anges. Comment aurait-il pu en être autrement avec lui ?

— Je remarque que maintenant, c'est toi qui en parles, fit-il, comblé.

Ils venaient de s'arrêter devant des marches de pierre qui menaient à un restaurant aux lumières accueillantes. Le gondolier les aida à descendre, puis Leslie passa un bras autour de la taille de Coco et ils entrèrent.

— Le portier de l'hôtel m'a assuré que c'était un endroit calme et discret, fréquenté par les Vénitiens, lui dit-il. Et d'après lui, on y mange très bien.

La salle était petite et à moitié pleine. Le maître d'hôtel les conduisit jusqu'à une charmante petite table, à l'arrière du restaurant. Ils n'attirèrent pas l'attention et dînèrent comme tous les autres clients, sans être dérangés. Leslie raconta à Coco que jusque-là, la presse avait été plutôt sympathique et ne les avait pas importunés. Madison avait fait un peu parler d'elle quand son agent avait contacté un magazine people pour leur dévoiler des histoires idiotes. Cela les avait un peu gênés, mais il n'y avait pas eu de conséquences, car la presse européenne ne semblait pas avoir été alertée. Leslie ne précisa pas la nature exacte de ces « histoires idiotes », seulement qu'elles étaient sans intérêt et typiques de Madison. D'après lui, elle jouait les divas chaque fois qu'elle tournait un film. Cela ne le gênait pas, tant qu'elle apprenait ses répliques, arrivait à l'heure et ne ralentissait pas le travail d'une manière ou d'une autre. Il se plaisait à Venise, mais il espérait rentrer rapidement pour retrouver Coco. Il lui apprit qu'ils tenaient les délais. Dans la semaine, ils tourneraient sur la place Saint-Marc et à l'intérieur de la basilique. Les autorisations avaient été longues à obtenir, mais leur assistant de production italien avait été génial et il leur avait fait avoir tout ce dont ils avaient besoin.

Ils bavardèrent ainsi durant tout le dîner. De temps à autre, Coco ressentait un petit coup de barre en raison du décalage horaire, mais elle apprécia énormément la soirée, tout comme la promenade qu'ils firent ensuite sur la place Saint-Marc. Quand ils reprirent la gondole pour regagner l'hôtel, elle avait du mal à garder les yeux ouverts, et elle bâillait lorsqu'ils entrèrent dans leur suite. Il était minuit et cela faisait longtemps qu'elle n'avait pas dormi.

Elle s'endormit avant que Leslie puisse faire l'amour avec elle. Il la contempla un long moment, le sourire aux lèvres, avant de se blottir contre elle. Depuis qu'elle l'avait rejoint, il avait le sentiment de vivre un rêve. Ils dormirent jusqu'à midi. Lorsqu'ils ouvrirent les yeux, le soleil entrait à flots dans la chambre et ils ne commencèrent la journée qu'après avoir fait l'amour.

Leslie emmena Coco déjeuner au Harry's Bar, qui était l'un de ses lieux préférés. Elle prit un risotto avec beaucoup de safran qui était la spécialité du chef et Leslie une salade au homard. Durant le repas, ils discutèrent de ce qu'ils allaient faire dans l'après-midi. Il avait à nouveau loué une gondole, plus romantique que le *motoscafo*. Ils visitèrent le palais des Doges et admirèrent le clocher de la basilique et le campanile. Puis ils flânèrent dans les Jardins royaux et entrèrent dans plusieurs belles églises avant de regagner l'hôtel. Une fois de plus, la journée avait été parfaite. Ils décidèrent de dîner dans leur chambre, car le lendemain, Leslie devait être à 6 heures sur le lieu du tournage. Coco avait promis de l'accompagner, du moins le premier jour. Ensuite, elle irait explorer Venise toute seule, car elle ne voulait pas déranger Leslie pendant son travail.

Leslie se comportait très simplement. Pour une star de sa renommée, il était étonnamment peu exigeant et dénué de toute prétention. Il préférait qu'on ne s'occupe pas trop de lui, contrairement à Madison Allbright. Celle-ci était venue avec son coiffeur, deux maquilleuses, sa sœur, deux assistantes et sa meilleure amie. Avant de signer un contrat, elle donnait aux producteurs la longue liste de ses exigences. Elle était également accompagnée de son garde du corps personnel et de son coach, et avait demandé que tous soient logés dans le même hôtel qu'elle. Elle ne se faisait jamais beaucoup d'amis sur les plateaux, mais elle était actuellement en tête du box-office mondial, aussi personne ne discutait avec elle. On lui accordait ce qu'elle voulait, pour éviter les scènes qu'elle n'hésitait jamais à déclencher.

— Elle est assez épuisante, avoua Leslie à Coco lorsqu'ils se rendirent sur le lieu du tournage.

Il était tôt et il faisait froid. Coco portait une veste bien chaude en peau de mouton et des bottes de cow-boy. Avec sa peau dépourvue de tout maquillage, ses grands yeux verts et ses cheveux cuivrés, elle incarnait tout ce qu'il aimait chez une femme : elle était droite, simple, naturelle, et ne se donnait pas de grands airs. Il émanait d'elle une gentillesse qui l'embellissait encore davantage. Ils formaient un couple extraordinaire, lorsqu'ils arrivèrent sur le lieu du tournage et montèrent dans la caravane de Leslie, sous les arcades de la place Saint-Marc. Coco se demanda comment on l'avait amenée là. Elle permettait à Leslie de se détendre ou de travailler entre deux scènes.

227

Le coiffeur et la maquilleuse l'attendaient. Tout en buvant du café, Leslie bavarda un instant avec eux. Assise dans un coin, Coco les observait en silence.

Bien que les acteurs aient dû arriver de bonne heure, le tournage ne commença qu'à 9 heures, après le petit déjeuner qu'ils prirent ensemble. On frappa enfin à la porte pour dire à Leslie que c'était à lui. Auparavant, les techniciens avaient réglé les lumières avec sa doublure, un jeune Italien qui avait la même taille, la même couleur de cheveux et le même teint que lui. Pour cette scène, Leslie portait un costume noir et un pull à col roulé, ainsi que des chaussures en daim noir. En le voyant quitter la caravane, Coco le trouva beau et sexy. Il était à peine maquillé et on l'avait soigneusement coiffé.

Assis près du cameraman, le réalisateur lui donna ses instructions. Il savait exactement sous quels angles il souhaitait tourner et parlait calmement aux acteurs. Grâce à sa sœur, Coco était déjà allée sur des plateaux, mais il régnait ici une intensité et un sérieux nouveaux pour elle. Les acteurs qui jouaient dans ce film étaient les plus grandes stars du moment. Il ne fallait pas rater une prise et tous avaient à l'esprit que si le film était un succès, il y avait une fortune à gagner et des oscars à remporter.

On avait demandé à Coco de s'installer à un endroit où elle ne dérangerait personne. Elle n'avait d'yeux que pour Leslie. Madison n'apparut qu'une heure plus tard, vêtue d'une robe de cocktail rouge très sexy, en partie déchirée. Elle portait un manteau, sous lequel on pouvait admirer son célèbre décolleté et ses longues jambes. En chaussures à talons aiguilles, elle devait traverser la place en courant, car quelqu'un tentait de la kidnapper. Leslie se lançait alors à sa poursuite pour la secourir. L'intrigue était assez compliquée, mais Coco avait lu le scénario et elle avait aidé Leslie à apprendre ses répliques. Elle se rappelait cette scène, mais c'était bien différent maintenant que les acteurs lui insufflaient, grâce à leur jeu, une tension tangible. Tandis que les carabiniers commençaient à refouler les curieux, quelqu'un offrit une chaise à Coco. Quelques instants plus tard, une femme blonde vint s'asseoir près d'elle. Coco savait seulement qu'elle faisait partie de l'entourage de Madison.

— Elle est excellente, n'est-ce pas ? dit-elle à Coco pendant une pause. Je me tuerais si j'essayais de courir avec ces talons.

Pour toute réponse, Coco se mit à rire.

La femme ne lui demanda pas qui elle était ou la raison de sa présence. Il y avait tellement de gens, sur le plateau, que personne ne posait ce genre de questions. Comme sa voisine et tous les autres, Coco avait un laissez-passer autour du cou, prouvant qu'elle faisait partie de l'équipe des acteurs ou qu'elle avait été invitée.

— Ils vont bien ensemble, vous ne trouvez pas ? demanda la femme, qui observait attentivement Madison et Leslie.

Coco n'y avait pas réfléchi, mais elle dut admettre que c'était vrai. Dans cette scène, Madison glissait lentement contre Leslie, épuisée par sa course. Pour la retenir, il la prenait dans ses bras. Légèrement mal à l'aise, Coco reconnut qu'ils étaient très bien assortis. C'était d'ailleurs pour cette raison qu'on les faisait jouer ensemble.

— Vous avez vu les photos d'eux dans les magazines, la semaine dernière ? demanda la femme sans avoir l'air d'y toucher. Ça a l'air chaud, entre eux. Ce genre d'histoire incite les gens à aller voir le film. Et qui sait ce qui se passera d'ici la fin du tournage ?

Coco sourit faiblement, tandis que la femme sortait avec obligeance un magazine de son sac et le lui tendait.

La gorge serrée, Coco examina la couverture. On y voyait Leslie et Madison en train de s'embrasser. Au-

229

dessous, la légende indiquait : « Ils sont trop amoureux pour se retenir. Pour Leslie et Madison, c'est le début d'une nouvelle idylle en Italie. »

Coco ne voulait pas lire l'article, pourtant elle feuilleta le magazine, comme envoûtée. Il s'ouvrit immédiatement à la bonne page. Il y avait d'autres photos de Leslie et de Madison. Sur deux d'entre elles, ils s'embrassaient. Sur une autre, ils semblaient tous les deux pétrifiés, comme si on les avait surpris en train de faire quelque chose d'interdit. Complètement retournée, Coco parcourut les quelques lignes. On précisait que Leslie avait rompu en mai avec sa précédente petite amie, qui l'accusait d'être homosexuel. Selon l'auteur de l'article, il ne l'était visiblement pas, car il entamait une liaison torride avec Madison Allbright, pendant qu'ils tournaient en Italie. Il n'y avait aucune allusion à Coco ou à son apparition au côté de Leslie, à Los Angeles. Quelques minutes plus tard, elle rendit le magazine à la femme et la remercia. Elle était au bord de la nausée.

C'était ce que sa sœur avait prévu. Voilà ce qui se passait quand on tombait amoureuse d'une grande vedette qui à chaque film couchait avec sa partenaire. Il ne lui avait pas fallu longtemps, puisqu'ils n'étaient à Venise que depuis deux semaines. Il ne pourrait nier ce qui figurait dans ce magazine people. Il embrassait passionnément Madison. Comme paralysée, Coco observait Leslie, tout en se demandant pourquoi il avait eu le mauvais goût et la cruauté de la convier à Venise, alors qu'il avait une liaison avec l'actrice. D'accord, il l'avait invitée avant son départ des Etats-Unis, mais il aurait pu tout annuler, s'il avait eu un peu de cœur. Et il faisait l'amour avec elle depuis deux jours ! Quel genre d'homme se comportait ainsi ? Apparemment, une star de cinéma. Elle était bien obligée d'admettre que Jane avait raison.

Glacée, elle le regarda tourner pendant encore trois heures. Tout ce qu'elle souhaitait, c'était rentrer à l'hôtel et faire ses bagages. Leslie Baxter pouvait aller au diable, songea-t-elle, les larmes aux yeux. Quant à elle, il ne lui restait plus qu'à se réfugier à Bolinas, pour y pleurer à son aise.

Lorsqu'ils eurent terminé, Leslie adressa quelques mots à Madison, qui éclata de rire. Il la serra ensuite brièvement dans ses bras. Bien qu'au bord de la nausée, Coco ne fit pourtant aucun commentaire lorsqu'il vint la chercher pour regagner la caravane, où on leur servirait le déjeuner.

Après avoir ôté sa veste, Leslie s'effondra sur une chaise.

— Comment était-ce ? lui demanda-t-il. Au début, je me sentais complètement idiot. Je trouve toujours que cette course effrénée est ridicule, mais le réalisateur n'a pas voulu y renoncer. Je préférais nettement la scène qui a lieu sous les arcades. Ce serait mieux, aussi, si elle n'avait pas la poitrine à l'air.

Avec ce que l'article du magazine people lui avait appris, Coco n'en croyait pas ses oreilles. Il était soudain devenu un étranger pour elle.

— J'ai l'impression que cela ne t'a pas plu, ajouta-t-il avec inquiétude.

Le silence de Coco pouvait aisément être interprété comme une critique de son jeu.

Elle s'assit en face de lui, se demandant si elle devait lui livrer le fond de sa pensée tout de suite, ou attendre qu'ils soient rentrés à l'hôtel.

— J'ai trouvé que les scènes étaient bien.

Leslie attachait beaucoup d'importance à son opinion. C'est d'ailleurs pour cette raison qu'il lui avait demandé de lire le scénario.

— Qu'est-ce que tu n'as pas aimé, exactement ?

Il remarqua sa pâleur, ses traits tirés. Elle venait de décider qu'elle allait tout lui dire maintenant. Ensuite, elle retournerait à l'hôtel et quitterait Venise sur-le-champ.

— Ce que je n'ai pas du tout apprécié, expliqua-t-elle, c'est l'article que quelqu'un m'a fait lire pendant le tournage.

— Quel article ?

Il semblait étonné, ce qui troubla encore plus Coco. Leslie s'était toujours montré franc avec elle, du moins l'avait-elle cru. Et maintenant, il jouait les innocents.

— Je ne me rappelle pas le nom du magazine. D'ordinaire, je ne lis pas ce genre de torchons. Il affirmait que Madison et toi, vous avez une liaison. Tu aurais pu me prévenir, cela m'aurait épargné le déplacement.

Leslie contempla un instant la pointe de ses chaussures, puis il se leva et la fixa gravement.

— Je vois, dit-il. J'imagine ce que tu as éprouvé. Si cela ne t'ennuie pas, je voudrais que tu viennes avec moi une minute. J'ai comme l'impression que la personne qui t'a remis ce magazine fait partie des charmants amis de Madison Allbright. Je me trompe ?

— Je ne crois pas. Elle ne s'est pas présentée, mais je l'ai vue arriver avec elle.

— Comme par hasard ! C'est soit sa sœur, soit l'une de ses quatorze assistantes, ou encore sa meilleure amie.

Il avait ouvert la porte de la caravane et fit signe à Coco de le suivre. Elle hésita un instant, mais il semblait tellement furieux qu'elle ne discuta pas. Elle descendit les quelques marches et le suivit jusqu'à une autre caravane, beaucoup plus vaste que la sienne.

Il frappa à la porte et, sans attendre d'y être invité, il l'ouvrit et entra, tirant Coco derrière lui. La pièce était bondée et empestait le parfum bon marché et la fumée. Certains riaient, d'autres téléphonaient. La femme qui lui avait prêté le magazine sourit à Coco lorsqu'ils passèrent à côté d'elle. Leslie savait que Madison se tenait à l'écart, à l'arrière. Après s'être frayé un chemin dans l'assistance, il frappa à une porte, qu'il poussa brutalement en entendant le son de sa voix. Dès qu'il eut franchi le seuil, il foudroya Madison du regard. Elle était assise sur un canapé, avec un homme vêtu d'un débardeur et d'un jean, à la poitrine et aux bras couverts de tatouages. Elle leva vers Leslie des yeux surpris.

— Salut ! Quelque chose ne va pas ?

Tout s'était pourtant bien passé, ce matin.

— On peut le dire. L'une de tes amies a donné à lire à Coco le reportage répugnant paru dans ce magazine people que tu as invité la semaine dernière pour nous pourrir la vie.

— Je ne l'ai pas invité, s'écria-t-elle d'une voix innocente. C'est mon attachée de presse qui l'a fait. Je ne peux pas l'empêcher de contacter qui elle veut.

— Bien sûr !

Leslie se tourna vers Coco. Il était livide.

— Mlle Allbright, ou peut-être son attachée de presse, a demandé au magazine people le plus miteux qui soit de venir nous photographier. Quelqu'un... évidemment on ignore qui... a laissé échapper que Madison et moi aurions une liaison, histoire de donner plus de piment au reportage.

Il se détourna de Coco pour foudroyer sa partenaire du regard.

— Mais il se trouve que je ne couche pas avec elle. Cela n'est jamais arrivé et cela n'arrivera pas, malgré sa beauté renversante, ses fabuleux implants et ses jambes superbes, martela-t-il. Car elle est mariée à son coiffeur, que voici, précisa-t-il en désignant l'homme aux tatouages. Il travaille avec elle chaque fois qu'elle tourne un film, parce que cela fait partie de ses contrats et parce qu'il tient à rester près d'elle. Et enfin, pour terminer, Madison Allbright est enceinte de cinq mois. Le secret est bien gardé, car cette révélation risquerait de ternir son image de bombe sexy, tout comme son mariage est resté confidentiel. Alors, maintenant que la situation est éclaircie et que tu m'as pourri la vie avec

233

ces idioties, tu voudras bien confirmer à mon amie que j'ai dit la vérité. A ce propos...

Se tournant vers Coco, il continua :

— La photo qui nous montre en train de nous embrasser a été prise pendant le tournage. Quelqu'un a sans doute été payé pour cela. Sûrement une personne de ton entourage, ajouta-t-il durement à l'intention de Madison. Mais je ne veux pas de ce type de publicité. De plus, je suis amoureux de cette jeune femme et ni l'un ni l'autre ne voulons que ce genre de rumeur nous gâche l'existence.

Il fulminait littéralement. Tandis que Madison le regardait, l'air un peu gênée, son coiffeur de mari toussota avant de quitter la pièce. Il ne paraissait pas le moins du monde jaloux de Leslie et n'avait apparemment rien à ajouter à ce qui avait été dit. En passant, il sourit à Coco avant de rejoindre le troupeau des parasites qui se trouvaient à côté. Les conflits entre vedettes étaient fréquents et Madison savait les provoquer. Son mari ne s'en mêlait jamais et, dans la mesure où leur union restait secrète, il préférait faire profil bas. Elle devait s'en sortir elle-même.

— Allons, Leslie, dit-elle. Reconnais que ce genre d'histoire augmente l'intérêt du public pour un film.

Madison sourit à Coco, qui semblait stupéfaite. Jamais elle ne s'était trouvée au cœur d'un tel conflit.

— Mais si vous dites à qui que ce soit que je suis enceinte, je vous tuerai, ajouta Madison d'une voix calme.

C'était pour cette raison qu'elle portait un manteau sur sa robe rouge moulante. La seule personne à savoir la vérité était son habilleuse. Madison avait signé son contrat pour le film avant d'être enceinte et elle ne voulait pas perdre son rôle. A la place, c'est Leslie qui avait failli perdre Coco.

— Soyons clairs, dit-il en fixant l'actrice avec fureur. Nous allons encore devoir travailler ensemble pendant des mois, cela fait partie du métier. N'essaie pas de détruire ma vie privée durant cette période. Si c'est le cas, je détruirai la tienne.

— OK, assura-t-elle en se levant. Mais promets-moi de ne révéler à personne que je suis mariée et enceinte. Ce n'est pas bon pour mon image. Les sex-symbols ne sont pas censées avoir des époux ou des enfants.

Coco entrevit un faible renflement, sous son peignoir. Elle portait un corset très serré sous ses robes, et l'ôtait dès qu'elle rentrait dans sa caravane.

— Comment expliqueras-tu l'arrivée du bébé ? demanda Leslie.

Il était visiblement estomaqué par ses mensonges. Coco sentait qu'il n'aimait pas Madison et il était facile d'en deviner la raison.

— Je dirai qu'il est à ma sœur, répliqua froidement Madison.

— Et où comptes-tu accoucher ?

— Tout est arrangé, affirma Madison en fixant Coco.

Madison était belle, mais Coco prenait maintenant conscience qu'il n'y avait rien de sympathique en elle. Seule sa carrière l'intéressait. Si elle devait piétiner les autres pour atteindre le sommet, peu lui importait.

— Chérie, lança-t-elle à Coco, faites-lui une petite gâterie. Il a besoin de se détendre, avant la prochaine prise.

Avant qu'elle puisse répondre, Leslie poussa Coco vers la porte. Peu après, ils se retrouvèrent dans la caravane de Leslie. Les yeux de Coco reflétaient un profond regret. Cette scène avait été pénible pour tous les deux.

— Je suis désolée, Leslie, murmura-t-elle d'une voix triste. Je pensais… Quand j'ai vu ce magazine…

Leslie s'assit lourdement sur une chaise. Il semblait encore bouleversé.

— Je sais, ne t'inquiète pas pour ça. Tu n'avais aucun moyen de deviner que tout cet article n'était qu'un ramassis de mensonges. Cette fille vendrait sa mère pour faire parler d'elle. Mais tu dois savoir une chose, continua Leslie. Ce n'est certainement pas la dernière fois que cela arrivera. Madison est une garce et elle rejouera le même genre de tour. Mais sache que je ne te ferai jamais un coup pareil. J'ai bien trop d'estime pour toi et, par ailleurs, je t'aime. Si j'avais une liaison avec une autre femme, ou si je le voulais, je te le dirais et je sortirais de ta vie. Tu n'apprendrais pas la nouvelle par la presse à scandale. Je me suis peut-être mal conduit par le passé, mais je n'ai jamais infligé une telle épreuve à quiconque et je ne vais certainement pas commencer maintenant. Je suis navré que tu aies dû subir cela.

Tendant la main vers Coco, il l'attira sur ses genoux. Elle semblait extrêmement gênée.

— Je regrette d'avoir causé un tel esclandre. Je ne voulais pas vous brouiller, tous les deux.

Cette histoire ne faciliterait assurément pas sa relation avec Madison, mais il était plutôt content d'avoir eu une explication avec elle. Si Madison lançait encore de fausses rumeurs, elle devrait se choisir une autre victime. Il ne la laisserait pas détruire sa relation avec Coco.

— Je t'aime. Pourquoi diable voudrais-je d'une telle fille ?

Dans sa caravane, elle s'était révélée sous son vrai jour. Elle ressemblait à une prostituée de bas étage.

— Dans ce milieu, cela arrive fréquemment, Coco. C'est une usine à rumeurs et la plupart de ceux avec qui tu travailles sont prêts à tout pour t'écraser. Pendant un tournage, il est très rare de trouver des gens bien qui ne saisiront pas la moindre occasion pour faire parler d'eux. Il va falloir t'y habituer.

— J'essaierai.

La façon d'agir de Madison et la réaction de Leslie lui avaient ouvert les yeux.

Il éclata d'un rire brusque.

— Je crois que j'ai un peu perdu mon sang-froid... Tu as remarqué comment son mari s'est esquivé ? A propos, sa suggestion de « petite gâterie » me semble une très bonne idée. Tu crois qu'on a le temps ?

Sa remarque les fit rire. Puis, retrouvant son sérieux, Leslie fixa Coco dans les yeux.

— Tu viens de subir ton baptême du feu. Bienvenue dans le show-business.

— Je crois que je me suis plantée lamentablement, observa Coco.

Elle était encore secouée par tout ce qui venait de se passer. Lorsqu'elle avait cru qu'il avait une liaison avec Madison, elle avait été prête à s'en aller. Que se serait-il passé si elle avait quitté Venise sans lui parler ? A l'avenir, elle se souviendrait de la leçon.

— Bien au contraire ! s'exclama-t-il. Je trouve que tu t'en es étonnamment bien tirée. Et je ne crois pas que cette méchante petite sorcière s'en prendra encore à nous.

Mais ils savaient tous les deux que si Madison n'était plus en mesure de leur nuire, tôt ou tard quelqu'un d'autre prendrait le relais. Coco commençait à comprendre la manière dont fonctionnait ce milieu. Tout y était bon pour faire parler de soi et tous les coups étaient permis.

Tout en déjeunant tranquillement dans la caravane, ils parlèrent du film et des endroits que Coco souhaitait voir à Venise. Elle comprit alors que sa sœur s'était trompée. Elle avait dû faire face aux médisances dont Jane lui avait parlé mais, contrairement à ses prévisions, elle ne s'était pas effondrée et Leslie l'avait épaulée. Elle avait été choquée, mais pas anéantie. Jusque-là, tout allait bien.

16

Chaque jour, Coco resta plusieurs heures sur les lieux du tournage à regarder jouer Leslie. Entre Madison et lui, la tension était manifeste, ce qui accentuait parfois l'atmosphère chargée d'électricité voulue par l'intrigue. Mais cela devenait pénible lors des scènes d'amour. Leslie n'appréciait pas sa partenaire et cela se voyait. Mais ils devaient travailler ensemble et aucun des deux ne souhaitait que leur mésentente nuise au film. A cette occasion, Coco comprit de nouveau que c'était du cinéma, pas de l'amour. Le jeu de Leslie était excellent, bien meilleur que celui de sa partenaire, qui oubliait constamment ses répliques.

Lorsqu'elle était lasse de les regarder, Coco flânait dans Venise. Leslie prétendait d'ailleurs qu'elle avait visité toutes les églises de la ville. Elle passa des heures dans les musées. A la fin de la semaine, elle avait arpenté chaque centimètre de Venise et quand Leslie rentrait, le soir, elle lui racontait tout ce qu'elle avait vu. Il était épuisé par les longues journées de tournage, les discussions avec le réalisateur et la tension qui continuait de régner entre Madison et lui. Mais, quelle que soit sa fatigue, il était toujours ravi de retrouver Coco à l'hôtel. Tous deux étaient impatients de passer un week-end à Florence. Leslie avait loué une voiture et comptait la conduire lui-même.

La veille de leur départ, il se plaignit de la présence de paparazzis sur le plateau. Certains d'entre eux venaient de Rome et de Milan. Il soupçonnait Madison ou son attachée de presse de les avoir prévenus, tout en sachant que c'était prévisible. Nombreux étaient ceux qui les avaient vus sur la place Saint-Marc, cette semaine-là. Quand des stars américaines tournaient un film dans une ville italienne, il était logique que la presse locale finisse par se montrer.

— Je suis content que tu ne sois pas venue aujourd'hui, lui déclara-t-il. Je ne veux pas qu'ils t'importunent, toi aussi.

Il lui raconta que les carabiniers avaient maintenu les photographes à l'écart du plateau, mais une dizaine d'entre eux l'attendaient devant sa caravane. Si Coco avait été là, ils les auraient harcelés tous les deux. D'après Leslie, les paparazzis anglais et italiens étaient les pires et les plus tenaces. Lorsqu'il tournait en France, il trouvait que la presse était plus respectueuse.

Ce soir-là, ils regardèrent la carte et établirent leur itinéraire jusqu'à Florence. Ils comptaient s'arrêter à Padoue et à Bologne. Coco voulait voir la chapelle des Scrovegni, à Padoue, pour y admirer les fresques de Giotto qu'elle avait autrefois étudiées et dont elle avait parlé à Leslie. Elle souhaitait aussi jeter un coup d'œil aux vieilles murailles qui entouraient la ville, et à la cathédrale. A Bologne, elle désirait entrer dans la basilique de San Petronio et à la pinacothèque, s'ils en avaient le temps.

Ils ne devaient arriver à Florence qu'en fin d'après-midi et ne pourraient sans doute pas tout voir, tant il y avait de lieux où ils voulaient se rendre : la Galerie des Offices, le palais Pitti, le Palazzo Vecchio et la cathédrale.

Lorsqu'ils quittèrent Venise, le temps était magnifique. Le *motoscafo* les emmena jusqu'au parking, où les attendait la voiture de location, une Maserati. Leslie prit le volant et ils roulèrent à toute allure. Ils s'arrêtèrent à Padoue et à Bologne, puis foncèrent jusqu'à Florence. Leslie avait retenu une suite à l'hôtel Excelsior, mais Coco insista pour s'arrêter d'abord à la Galerie des Offices, tant elle était impatiente d'admirer les œuvres prestigieuses qu'elle contenait. Elle y était allée avec ses parents, quelques années auparavant, mais Leslie n'y avait jamais mis les pieds. Avec elle, il découvrait un nouveau monde. Lorsqu'ils arrivèrent à l'hôtel, ils étaient détendus et heureux.

Ils dînèrent dans un restaurant recommandé par la direction, puis se promenèrent, dégustant une glace, écoutant des musiciens, avant de regagner l'hôtel. Les richesses de Florence étaient différentes de celles de Venise, et Coco aurait voulu qu'ils puissent aussi aller à Rome.

— Attends que le film soit fini, la taquina Leslie. Ensuite, tu pourras tout voir.

Mais ils savaient tous les deux qu'elle était obligée de rentrer. Elle ne pouvait pas abandonner ses clients, d'autant qu'Erin ne la remplaçait que pendant quinze jours. Ils prirent alors soudain conscience qu'ils ne se reverraient pas jusqu'à ce que Leslie retourne à Los Angeles. Et ce ne serait pas avant un mois, peut-être deux si Madison continuait de ne pas apprendre ses répliques. Il devenait de plus en plus difficile de travailler avec elle. Elle avait promis au réalisateur de passer le week-end à étudier le scénario et Leslie espérait qu'elle le ferait. Sa poitrine ne suffirait pas pour assurer le succès du film et il ne voulait pas qu'elle le gâche.

Coco et Leslie passèrent une nuit paisible. Le lendemain, au moment où ils allaient partir, ils furent surpris de voir surgir le directeur de l'hôtel, qui se confondit en excuses, assurant qu'il ignorait comment c'était possible, mais quelqu'un avait informé la presse que Leslie était là. Une meute de paparazzis les attendait dehors. La sécurité avait réussi à les refouler hors de l'établisse-

ment, mais Leslie et Coco ne pourraient pas partir inco-
gnito. La présence de Leslie Baxter à Florence
constituait une grande nouvelle. A ces mots, le visage de
Leslie se durcit. Par bonheur, leur voiture était garée
dans le garage de l'hôtel.

Le directeur leur suggéra de s'esquiver par l'entrée de
service, à l'arrière du bâtiment, en se cachant derrière
des chapeaux et des lunettes de soleil. Peut-être
parviendraient-ils ainsi à échapper aux paparazzis.

Un chasseur emporta les bagages, pendant que Coco
mettait des lunettes de soleil et un foulard sur sa tête.
Tous deux savaient que seul Leslie intéressait les paparazzis, mais s'ils le trouvaient, ils la trouveraient aussi. Et
comme elle avait déjà été vue avec lui à Los Angeles, il
apparaîtrait clairement que leur liaison était sérieuse.
Leslie espérait la protéger encore un certain temps, car
dès qu'ils la traqueraient, s'ils parvenaient à savoir où
elle habitait, ils la harcèleraient aussi à Bolinas. Il était
bien obligé de les supporter, mais il voulait que Coco
soit épargnée.

Ils prirent l'ascenseur, qui les amena au sous-sol, puis
ils traversèrent le parking souterrain. Outre ses lunettes
noires et son foulard, Coco avait mis une casquette que le
directeur lui avait dénichée. Ils s'engouffrèrent dans la
voiture et sortirent par-derrière, précédés par le camion
du blanchisseur et la fourgonnette du fleuriste. Quand les
paparazzis s'aperçurent qu'ils avaient quitté l'hôtel, ils
étaient partis depuis longtemps. Ils regagnèrent tranquillement Venise, soulagés et ravis d'avoir berné la presse.

— On est les meilleurs ! s'exclama Leslie en lui souriant.

Ils arrivèrent à Venise suffisamment tôt pour se rendre
au Lido en bateau et boire un verre au Cipriani, un
hôtel splendide d'où l'on jouissait d'une vue imprenable
sur Venise. Ils retournèrent ensuite à leur hôtel et dînèrent dans leur suite. Ils avaient passé un merveilleux
week-end. Coco était heureuse d'être encore cinq jours

avec Leslie. Pour l'un comme pour l'autre, ce séjour était magique. Avant de se coucher, ils appelèrent Chloé, qui leur raconta tout ce qu'elle faisait à l'école. Elle demanda à son père quand il viendrait la voir. Leslie lui avait promis de fêter Thanksgiving à New York avec elle et sa mère si le tournage finissait à temps. Après avoir raccroché, il regarda Coco d'un air contrit et s'excusa.

— C'était idiot de ma part, non ? J'aurais dû te demander d'abord ce que tu faisais. Mais j'essaie toujours de passer Thanksgiving avec elle.

— Ne t'inquiète pas, lui répondit-elle avec un sourire. Pour cette fête, je suis chez ma mère. Et d'habitude, c'est aussi chez elle que nous célébrons Noël, mais cette année, nous irons chez Jane. Sa grossesse sera trop avancée pour qu'elle se déplace.

— Je viendrai te voir immédiatement après Thanksgiving, promit-il. Avec un peu de chance, on aura terminé, ici. Je serai libre au moment du montage, à Los Angeles. Et il devrait en être de même à Noël. Je ferai tout pour être près de toi, c'est juré.

Radieuse, elle se blottit dans ses bras.

Toute la semaine, ils s'efforcèrent de passer ensemble le plus de temps possible. Elle assistait à une partie du tournage et profitait de son temps libre pour retourner dans les endroits qu'elle préférait. Maintenant, elle se retrouvait parfaitement dans Venise, et Leslie en était impressionné. Elle connaissait la ville bien mieux que lui. Il n'avait pas une minute de libre, sauf le soir.

La veille de son départ, ils allèrent dîner dans un petit restaurant typique, situé dans une ruelle. Une gondole passa les prendre. Coco remarqua que ce n'était pas la même que d'habitude. Le gondolier les déposa sur un vieux débarcadère et, de là, ils se rendirent au restaurant, que Coco n'eut aucun mal à trouver, grâce à sa parfaite connaissance de la ville. C'était un endroit charmant, disposant d'un jardin, bien qu'il fasse trop froid pour dîner dehors. Leur repas fut le meilleur qu'ils aient jamais pris à Venise et ils étaient d'excellente humeur en partant, malgré la perspective de leur séparation, le lendemain. Heureusement, ils savaient que Leslie rentrerait bientôt. Cette semaine, le tournage s'était bien passé. Madison avait travaillé durant le week-end et elle connaissait ses répliques par cœur.

En quittant le restaurant, Leslie prit Coco dans ses bras et l'embrassa passionnément. Son séjour à Venise avait été une parfaite réussite.

— As-tu idée de mon amour pour toi ? murmura-t-il avant de l'embrasser encore.

— Presque autant que je t'aime, répondit-elle en souriant.

C'est alors qu'ils furent aveuglés par des flashs, tandis qu'on les poussait sans ménagement. Et avant même qu'ils réalisent ce qui leur arrivait, ils furent cernés par une nuée de paparazzis brutaux et agressifs. C'était une embuscade. Prévenus par quelqu'un, les photographes étaient venus en nombre. Leslie et Coco avaient une bonne distance à parcourir pour parvenir à l'embarcation. Leslie voulait l'arracher à cette meute, mais il ignorait comment s'y prendre. Leur seul espoir de fuite résidait dans la gondole et il ne connaissait pas le chemin. Trente photographes au moins étaient là.

Coco leva vers lui des yeux terrifiés. Il lui cria de lui montrer le chemin à suivre. Il était complètement désorienté.

— Par ici !

Ils devaient se frayer un chemin parmi cette foule de paparazzis qui les harcelait et les bousculait. Le photographe le plus proche avait une cigarette coincée entre les lèvres. Il était si près que des cendres tombèrent sur le manteau de Coco, quand Leslie le repoussa.

— Allons, les gars, lança-t-il fermement en anglais. Ça suffit... *Basta* !... Non ! hurla-t-il à l'un d'entre eux, qui les attrapait par leurs vêtements pour les retenir.

A cet instant, la horde sembla se muer en un monstrueux serpent, qui les coinça contre un mur. Coco heurta violemment la pierre. Leslie commençait à s'affoler. Il avait déjà subi des agressions semblables, la plupart du temps en Angleterre, et il savait qu'inévitablement, quelqu'un serait blessé. Il ne voulait pas que ce soit Coco mais il ne voyait pas le moyen de la libérer.

— Arrêtez ! s'écria-t-il avec force.

Et, les repoussant brutalement, il saisit Coco par le bras et l'entraîna parmi la troupe de paparazzis, qui n'avaient pas cessé de prendre des photos depuis qu'ils les avaient trouvés. La course vers le bateau leur parut durer un siècle et fut très pénible. Le gondolier avait l'air effrayé. Les trois *motoscafi* qui étaient amarrés près de la gondole avaient certainement transporté les paparazzis jusque-là. Soudain, Leslie reconnut des voix anglaises parmi eux. Apparemment, il y avait aussi des Français et des Allemands. Ils étaient venus nombreux pour les agresser et Coco et lui n'avaient aucune chance de leur échapper.

Deux des paparazzis sautèrent dans la gondole avant eux, risquant de faire chavirer l'embarcation. Se défendant comme s'il s'agissait de pirates, le gondolier leur décocha des coups de rame et les fit tomber à l'eau, tandis que les autres poussaient des cris indignés. Leslie savait qu'ils n'auraient pas réagi ainsi si Coco ou lui avaient été à la place de leurs camarades. Il lui fit un bouclier de son corps, tandis qu'elle s'accroupissait derrière la banquette. Le gondolier s'écarta du quai et la meute des photographes sauta dans les *motoscafi*, afin de bloquer leur fuite. Le gondolier insulta copieusement les pilotes, qui haussèrent les épaules et lui adressèrent des gestes obscènes. Ils avaient été payés pour faire un travail et ce qui se passait ensuite n'était pas leur problème.

— Tu vas bien ? lança Leslie à Coco.

Les flashs continuaient de crépiter. En arrivant au Grand Canal, les paparazzis manquèrent de faire chavirer la gondole. Terrorisée, Coco avait l'impression qu'elle allait mourir. Leslie et le gondolier étaient impuissants. L'acteur priait le ciel qu'un bateau de police intervienne, mais il n'en voyait aucun. Ils se dirigèrent vers l'hôtel Gritti aussi vite qu'ils le purent, entourés des *motoscafi* des paparazzis. Ces derniers parvinrent à l'embarcadère avant eux. Leslie se prépara à sauter de la gondole. Une courte distance séparait l'hôtel du quai, mais la tâche n'allait pas être facile. Il se demanda s'il n'était pas préférable de s'arrêter et de les laisser les photographier, mais ils étaient allés trop loin et étaient devenus complètement hystériques. Il devait mettre Coco à l'abri le plus vite possible.

Il sortit de la gondole le premier, puis il l'aida à grimper sur le quai. Les photographes formaient déjà un mur entre l'hôtel et eux. Leslie comprit qu'il devrait le briser pour la mettre en sécurité. Coco venait de monter sur l'embarcadère et se redressait, quand l'un d'eux, qui se trouvait encore sur un bateau, lui saisit la cheville pour tenter de la stopper. Coco faillit tomber dans l'eau, mais elle bascula dans la gondole en criant. Leslie la rejoignit aussitôt, la souleva, quitta la gondole et courut vers le salut, la jeune femme dans ses bras. Ses années de rugby lui furent alors d'un précieux secours. Brisant la barrière des paparazzis, il fonça à l'hôtel, la meute sur les talons. Le portier et les agents de sécurité tentèrent de les refouler. Il y eut une mêlée furieuse dans le hall, tandis que Leslie grimpait l'escalier quatre à quatre, portant toujours Coco. L'un des agents de sécurité le suivit, l'air inquiet.

— Vous allez bien, monsieur ? demanda-t-il.

Leslie était devant la porte de la suite et Coco se mit debout. La jeune femme tremblait de tous ses membres. Il y avait du sang sur son manteau et sur la veste de Leslie. Elle s'était blessée quand l'un des photographes l'avait fait tomber dans la gondole.

— Allez chercher un médecin ! ordonna Leslie d'une voix ferme.

L'agent de sécurité s'exécuta aussitôt, leur assurant auparavant que quelqu'un veillerait devant leur porte toute la nuit. Il allait appeler la police en même temps que le médecin, et était navré de tout ce qui venait de se passer.

Leslie aida Coco à s'asseoir, puis courut prendre une serviette dans la salle de bains. Il lui ôta alors avec délicatesse son manteau et, comme elle grimaçait de douleur, il remarqua que son poignet faisait un angle bizarre. Il comprit aussitôt qu'il était certainement cassé.

— Mon Dieu ! Oh, ma chérie... Je suis tellement désolé... Je n'aurais jamais imaginé... Nous aurions dû aller ailleurs... ou rester ici...

Il était presque en larmes et elle pleurait. Il la prit dans ses bras et la serra contre lui, tandis qu'elle tremblait violemment. Il était clair qu'elle était en état de choc. Jusqu'à l'arrivée du médecin, il la berça en lui murmurant des paroles apaisantes et en lui répétant combien il l'aimait. Après qu'il eut expliqué à ce dernier ce qui s'était passé, le praticien examina la jeune femme avec douceur. Un vilain bleu commençait à marquer son dos, dû au choc qu'elle avait subi lorsqu'elle avait été poussée contre le mur. Elle avait une entaille à la main qui nécessita sept points de suture et le poignet fracturé. Quand le médecin le lui annonça, Leslie en fut malade.

Le médecin fit venir un chirurgien pour plâtrer le poignet de Coco. Auparavant il s'était occupé de sa main, après l'avoir anesthésiée localement. Ils ne voulaient pas l'emmener à l'hôpital et prendre le risque de l'exposer à la meute. En arrivant, le chirurgien avait d'ailleurs remarqué plusieurs paparazzis faisant le guet devant l'entrée de l'hôtel. Les deux médecins déclarèrent que Coco souffrirait pendant quelques jours, mais qu'elle pouvait voyager sans problème. Leslie avait hâte qu'elle parte car, maintenant que les paparazzis étaient à leurs trousses, ils ne les lâcheraient plus. Leur romance à Venise se terminait de façon catastrophique.

Leslie la veilla toute la nuit. Il avait surélevé son bras en le posant sur un oreiller. Elle ouvrit vaguement les yeux lorsqu'il changea les poches de glace sur sa main, mais les calmants faisaient leur effet. Elle finit par émerger au petit matin et se remit à pleurer.

— J'ai eu si peur ! se plaignit-elle en levant vers lui un regard empreint de terreur. J'ai cru qu'ils allaient nous tuer.

— Moi aussi, répondit-il, l'air triste. Cela pourrait arriver. Ils sont tellement excités qu'ils deviennent fous.

Il ne s'était jamais senti aussi vulnérable. Il avait voulu lui offrir une dernière promenade romantique en gondole, mais cela les avait privés de toute protection.

— Je suis désolé, Coco. J'aurais voulu t'éviter ça. Quelqu'un a dû les avertir de notre présence, pendant que nous étions au restaurant. Ils paient bien, pour obtenir ces informations, et on ne sait jamais d'où vient la fuite. Le malheureux gondolier était tout retourné.

Il lui avait laissé un gros pourboire pour le dédommager, mais Leslie doutait que cela ait pu compenser la frayeur qu'il avait eue. Lui aussi avait été terrifié.

— Qu'est-ce qui est arrivé à mon poignet ? demanda Coco en fixant son plâtre.

Avec tous les calmants qu'on lui avait administrés, elle ne gardait aucun souvenir des soins qu'on lui avait prodigués.

— Il est cassé, expliqua Leslie d'une voix rauque.

Il avait des cernes sous les yeux et il n'était pas rasé.

— Il faudra que tu ailles à l'hôpital, une fois rentrée à San Francisco, continua-t-il. Ils n'ont pas voulu t'y emmener, la nuit dernière, de peur des paparazzis. On t'a fait sept points de suture à la main, ainsi qu'une piqûre antitétanique. Je ne savais pas si tu étais vaccinée.

247

Il était navré de n'avoir pu lui éviter ce cauchemar, malgré toutes les précautions qu'il avait prises. Et il savait que c'était l'une des raisons pour lesquelles elle hésitait à s'installer avec lui.

— Merci, murmura-t-elle.

Elle posa ensuite sur lui des yeux tristes.

— Comment peux-tu supporter cela ? demanda-t-elle d'une voix brisée.

— Je n'ai pas le choix. Même si j'arrêtais tout, ils continueraient de me harceler. C'est le revers de la médaille.

Aux yeux de Coco, c'était un obstacle majeur, entre eux.

— Et si nous avons des enfants ? Que se passera-t-il, s'ils les harcèlent ainsi ?

Ses yeux reflétaient encore la terreur qu'elle avait éprouvée, et Leslie ne pouvait l'en blâmer. Cette nuit avait été l'une des pires qu'il ait jamais vécues. Et pour comble de malchance, l'agression s'était produite quand elle était avec lui. Il s'en voulait horriblement.

— En ce qui concerne Chloé, j'ai toujours fait très attention, dit-il calmement.

Cependant, il avait été tout aussi prudent avec Coco. Malheureusement, ils s'étaient retrouvés dans un endroit où ils étaient particulièrement vulnérables.

— Et elle est encore trop petite pour m'accompagner à des réceptions, expliqua-t-il.

Pourtant, le restaurant où ils avaient dîné était sans prétention et situé dans une rue calme de Venise. Tous deux étaient conscients que ce genre d'agression pouvait se produire n'importe où.

— Je suis vraiment désolé, Coco, conclut-il. Je ne sais pas quoi dire d'autre.

Elle revoyait sans cesse cet homme lui saisir la cheville et la faire tomber dans la gondole... Ce souvenir l'obsédait et elle savait qu'il resterait à jamais gravé dans sa mémoire.

— Je t'aime, dit-elle tristement. J'aime tout, en toi. Il n'y a pas meilleur que toi. Mais je ne crois pas que je pourrai vivre dans cette tension permanente. Je serais terrifiée dès que je devrais aller quelque part et je serais malade d'inquiétude pour nos enfants et pour toi.

— Je te comprends, ma chérie, reconnut-il à regret.

Lorsqu'il la reprit dans ses bras, elle fondit en larmes.

— Je t'aime tant ! sanglota-t-elle. Mais j'ai trop peur.

— Je sais, mon bébé, je sais, chuchota-t-il.

Il était navré de ce qu'elle avait vécu et, malheureusement, il ne pouvait lui promettre que cela ne se reproduirait plus. Cela aurait été malhonnête de sa part. Affronter les paparazzis faisait partie de sa vie, mais il ne pouvait le lui imposer à elle aussi. Contrairement à lui, elle avait le choix. Il espérait seulement qu'elle accepterait de vivre avec lui lorsqu'elle serait remise.

— Pour l'instant, tu vas rentrer. Nous discuterons de tout cela plus tard, quand je reviendrai.

Dans l'état où elle était, il ne voulait surtout pas qu'elle prenne une décision. Il craignait qu'elle ne veuille rompre, tout en sachant qu'au final, c'était peut-être ce qu'elle ferait.

Il appela le réalisateur pour lui raconter ce qui s'était passé la veille et lui dire qu'il serait absent du tournage, ce jour-là. Le réalisateur l'assura de toute sa sympathie et lui demanda s'il avait besoin de quelque chose. Leslie lui répondit qu'il souhaitait qu'on lui envoie une coiffeuse, avec tout un assortiment de perruques. Il contacta ensuite le directeur de l'hôtel, afin que des gardes du corps accompagnent Coco à l'aéroport.

Puis il aida la jeune femme à prendre une douche, car elle devait éviter de mettre son plâtre sous l'eau. Après quoi, il l'aida à s'habiller. Il avait décidé de ne pas l'accompagner à l'aéroport, afin de ne pas attirer l'attention des photographes. Désormais, ils reconnaîtraient

Coco, mais avant tout, c'est Leslie qui les intéressait et si elle était seule, ils la laisseraient tranquille. Elle partirait cependant avec les gardes du corps de l'hôtel. Son séjour se terminait tristement et, en l'aidant à s'habiller, il ne put s'empêcher de se demander s'il la reverrait.

La coiffeuse ne tarda pas à arriver. Coco s'assit devant la table de toilette et Leslie croisa son regard dans le miroir. Il devina qu'elle était toujours en état de choc.

La coiffeuse avait apporté plusieurs perruques à longs cheveux blonds. Il n'y avait qu'un seul modèle de cheveux noirs et courts. La coupe était parfaite et l'épaisseur suffisante pour cacher la longue chevelure cuivrée de Coco. Lorsque la coiffeuse eut fixé la perruque sur sa tête, Leslie ne put s'empêcher de sourire. L'effet était stupéfiant. Avec ces cheveux noirs, il était impossible de la reconnaître.

— On dirait Elizabeth Taylor jeune, s'exclama-t-il.

Coco le regarda sans répondre. Elle se souciait peu de savoir à qui elle ressemblait. Elle était affreusement triste de le quitter et elle avait pris conscience de tout ce qui l'attendait si elle restait avec lui. Il y avait eu les articles parus dans ce magazine people, puis cette fausse liaison avec Madison et enfin le cauchemar qu'ils avaient vécu la nuit précédente, et qu'il lui serait difficile d'oublier.

Après le départ de la coiffeuse, Leslie se tourna vers Coco et la fixa longuement.

— Coco, je veux que tu saches que je t'aime mais que je ne veux pas gâcher ta vie. Je sais combien tout ceci te fait horreur.

Elle lui adressa un petit sourire mélancolique.

— Je suppose qu'il faut traiter les problèmes l'un après l'autre.

Il sourit, car elle venait d'utiliser sa formule favorite.

— Je voudrais pouvoir partir avec toi. Je t'en prie, ne prends pas de décision hâtive. Nous en discuterons à mon retour.

Il savait qu'elle avait toutes les raisons de rompre, et il ne pourrait lui en vouloir si elle le faisait. Mais il espérait qu'elle ne s'y résoudrait pas. Il avait changé son billet pour qu'elle voyage en première classe et bénéficie de tout le confort possible. Au moins pourrait-elle dormir durant le vol.

— Je t'aime, lui répondit-elle. Mais j'ai besoin de réfléchir.

Il acquiesça, sachant qu'il n'y avait rien d'autre à faire. Coco paraissait encore très secouée et il savait que son poignet la faisait souffrir. Ce qu'ils avaient vécu avait été très éprouvant, mais elle seule avait été blessée. Cette idée le rendait malade.

On frappa à la porte. Les gardes du corps attendaient Coco dans le couloir. C'étaient quatre hommes costauds, conduits par un chasseur qui prit les bagages de la jeune femme. Tous allaient quitter l'hôtel par une porte de service, située à l'arrière du bâtiment, comme à Florence. Leslie était souvent contraint d'échapper aux paparazzis de cette façon.

Avant de la quitter, il la serra longuement dans ses bras sans rien dire. Il voulait juste sentir sa chaleur et se rappeler chaque détail de son visage.

— N'oublie pas que je t'aime et que je comprendrai ta décision, quelle qu'elle soit.

Mais il redoutait qu'elle ne choisisse la rupture... C'était ce qui était écrit dans ses yeux, lorsqu'elle le regarda.

— Moi aussi, je t'aime. Je n'oublierai jamais Venise, ajouta-t-elle avec embarras. Je sais que cela peut paraître étrange, après ce qui s'est passé, mais je n'ai jamais été aussi heureuse de toute ma vie. Jusqu'à hier soir, tout a été parfait.

En dépit de ses craintes, ces mots redonnèrent un peu d'espoir à Leslie.

— C'est ce dont tu dois te souvenir, répliqua-t-il. Soigne bien ton poignet et va vite voir un médecin, quand tu seras rentrée.

Hochant la tête, elle déposa un baiser sur ses lèvres.

— Je t'aime, murmura-t-elle une dernière fois.

Elle sortit alors de la suite et referma la porte derrière elle. Leslie eut l'impression que son cœur se brisait.

17

Coco rentra à San Francisco dans une sorte de brouillard. Elle songea à appeler Leslie lors de l'escale à Paris, mais y renonça sachant qu'il devait être en tournage. Le voyage lui parut interminable. Son poignet lui faisait mal et elle avait une forte migraine. Tout son corps était douloureux, et elle n'avait qu'une envie : dormir. Mais dès qu'elle s'endormait, elle faisait des cauchemars qui ne concernaient pas seulement les paparazzis, mais aussi Leslie. Elle savait qu'elle ne pourrait pas partager sa vie, cela lui paraissait trop difficile. Par deux fois, elle se réveilla en larmes. Il lui semblait avoir perdu non seulement l'homme qu'elle aimait, mais aussi ses rêves. Et c'était un sentiment affreux.

Avec le décalage horaire, il était 14 heures lorsqu'elle atterrit à San Francisco et 23 heures à Venise. Elle aurait pu l'appeler, mais ne le fit pas.

Elle héla un porteur pour l'aider. Elle se sentait désorientée et comptait prendre un taxi pour aller à Bolinas. Elle était trop épuisée pour attendre la navette. Elle cherchait un taxi lorsqu'elle vit Liz qui courait dans sa direction. Il ne lui vint pas à l'esprit qu'elle venait la chercher. Elle la regarda d'un air absent.

— Bonjour ! Où vas-tu ?

Liz la fixa avec inquiétude.

— Leslie m'a appelée. Il m'a dit ce qui s'était passé. Je suis désolée, Coco.

— Moi aussi, répondit celle-ci, les yeux pleins de larmes. Jane avait raison. C'est trop dur.

— N'importe qui aurait eu peur, assura Liz avec compassion. Leslie le comprend. Il t'aime et il ne veut pas gâcher ta vie.

Elle ne précisa pas que Leslie avait pleuré, à l'autre bout du fil, terrifié à l'idée de la perdre. Et si Liz en croyait ce qu'elle lisait dans les yeux de Coco, ses craintes étaient fondées.

— Pourquoi est-ce arrivé ? demanda tristement Coco. Tout était parfait, avant cette soirée ! Nous avons passé de merveilleux moments, ensemble. Je n'avais jamais été aussi heureuse de ma vie. Leslie est tellement gentil !

— C'est vrai, mais cela fait aussi partie de sa vie. Désormais, tu sais ce que tu devras affronter, si tu restes avec lui.

Cela pouvait même l'aider à prendre la bonne décision.

Coco pensait au moment où elle était tombée dans le bateau. Elle ne parvenait pas à chasser cette image de son esprit.

Liz lui dit de s'asseoir, pendant qu'elle allait chercher la voiture. Elle revint quelques minutes plus tard. Tandis que le porteur déposait ses bagages dans le coffre, Coco semblait toujours plongée dans une sorte de stupeur.

— Comment Jane a-t-elle réagi ? demanda-t-elle quand la voiture s'éloigna de l'aéroport.

Liz lui jeta un bref coup d'œil.

— Je ne lui ai rien dit. C'est à toi de décider. Si tu n'en as pas envie, elle n'a pas besoin de savoir.

Coco hocha la tête. Elle lui était reconnaissante de se montrer aussi compréhensive.

— N'aie pas honte d'avoir eu peur, continua Liz. N'importe qui aurait éprouvé la même chose. Leslie déteste les paparazzis, lui aussi, mais il n'a pas le choix.

— C'est affreux de devoir quitter quelqu'un qu'on aime à cause de cela, soupira Coco.

Malgré son amour pour Leslie, elle ne supportait pas tout ce qu'impliquait son succès. Elle ne voulait pas avoir continuellement à se cacher, à se déguiser ou à passer par la porte de service. Cela lui paraissait impossible à vivre. Et la folie qu'elle avait lue dans les yeux des paparazzis l'avait terrifiée.

— J'ai cru qu'ils allaient nous tuer, poursuivit-elle.

Voyant qu'elle se remettait à pleurer, Liz comprit à quel point elle avait été traumatisée.

— Leslie aussi, apparemment. Il s'en veut énormément.

— Je le sais, murmura Coco. Il a été fantastique avec moi.

— A propos, nous allons chez le médecin.

— Non ! Je veux rentrer chez moi, s'écria Coco d'une voix fatiguée.

— Leslie m'a dit que c'était indispensable. Ils n'ont pas pu te faire de radio, là-bas, puisque tu n'as pas quitté l'hôtel, avec tous ces paparazzis qui stationnaient dehors. Il faut faire examiner ton poignet.

Coco était trop fatiguée pour discuter. Liz avait pris rendez-vous chez un radiologue qu'elle connaissait. Elles s'y rendirent et il confirma qu'il y avait bien une fracture. Selon lui, le médecin italien avait fait du bon travail. Après l'examen, il remplaça le plâtre et, une heure plus tard, elles roulaient vers Bolinas.

— Tu n'es pas obligée de me ramener chez moi, fit Coco d'une petite voix.

Liz lui sourit.

— C'est vrai ! Je pourrais te laisser marcher ou faire du stop. Mais il fait beau et cela me fera du bien d'aller sur la plage.

Pour la première fois depuis longtemps, Coco sourit.

— Merci d'être si gentille avec moi, murmura-t-elle doucement. A propos... Comment va le bébé ?

— Il grossit de jour en jour. Jane est en pleine forme.

Elle était enceinte de six mois, maintenant, mais Coco n'était pas pressée de la voir. Sa sœur devinerait immédiatement qu'il s'était passé quelque chose pendant son voyage et Coco ne se sentait pas d'humeur à discuter avec elle. En revanche, elle était heureuse de s'épancher avec Liz, qui ressemblait davantage à la grande sœur qu'elle aurait voulu avoir.

Peu après, Coco s'endormit et Liz la réveilla avec douceur lorsqu'elles arrivèrent chez elle. Un instant, Coco parut désorientée, puis elle regarda tristement sa maison. Elle aurait voulu revenir en arrière, retrouver Leslie à Venise, et que l'histoire se termine différemment. Pour la première fois, elle n'avait pas envie d'être à Bolinas. Mais la réalité était là et elle savait qu'après ce qu'elle avait vécu, elle pourrait difficilement rester avec lui.

— Viens, dit Liz. Je t'accompagne à l'intérieur.

Pendant que Coco ouvrait la porte, Liz sortit les bagages du coffre et les porta dans la maison. Elles n'étaient pas passées reprendre Sallie, Liz lui ayant assuré que cela ne les dérangeait pas de la garder quelques jours de plus. Coco aurait eu du mal à s'occuper d'elle. Tout ce que Liz avait indiqué à Jane, c'était que sa sœur avait eu un accident en Italie et qu'elle s'était cassé le poignet.

— Merci d'être venue me chercher à l'aéroport, souffla Coco en l'embrassant. J'étais dans un état lamentable. Et je le suis encore, d'ailleurs.

— Repose-toi un peu, tu te sentiras mieux demain. Et n'essaie pas de réfléchir maintenant. Tu verras, tout s'éclaircira lorsque tu auras récupéré.

Quand Liz fut partie, Coco alla dans sa chambre et enfila son vieux pyjama aux couleurs fanées. Il était 17 heures à Bolinas et 2 heures du matin à Venise. Tout ce qu'elle voulait, c'était dormir. Elle n'avait même pas faim. Il était trop tard pour appeler Leslie, mais de toute façon elle ne l'aurait pas fait. Elle ne savait pas quoi lui dire. Liz avait peut-être raison, se dit-elle en se glissant sous les draps. Elle réfléchirait plus tard. Pour l'instant, elle souhaitait seulement sombrer dans l'oubli.

18

Leslie appela Coco le lendemain de son arrivée. Il voulait savoir comment elle allait et prendre des nouvelles de son poignet. Il ne lui dit pas qu'il avait appelé Liz dès son retour, alors qu'il était 4 heures du matin pour lui. Liz lui avait expliqué qu'elles étaient allées chez le médecin et que Coco avait un nouveau plâtre. D'après elle, la jeune femme semblait très secouée et comme sonnée, mais tout finirait par rentrer dans l'ordre. Elle lui avait suggéré de la laisser se remettre, mais il voulait que Coco sache qu'il pensait à elle. C'est pourquoi, dès le lendemain, il lui téléphona, lui répétant qu'elle lui manquait terriblement et lui demandant encore de lui pardonner.

— Ce n'est pas ta faute, répondit Coco.

Mais il sentit quelque chose de différent, dans sa voix, comme si elle s'écartait déjà de lui.

— Comment se passe le tournage ? demanda-t-elle pour changer de sujet.

Elle se sentait affreusement mal après son long voyage, mais elle s'était quand même levée. Erin ne pouvait pas la remplacer plus longtemps et elle ne voulait pas faire faux bond à ses clients. Le médecin l'avait autorisée à travailler si elle s'en sentait capable, mais il lui avait conseillé de se reposer.

— Aujourd'hui, très bien. Hier, Madison ne connaissait pas ses répliques, mais moi non plus, si bien que nous étions parfaitement assortis.

Depuis le départ de Coco, il ne parvenait plus à réfléchir. Il avait le cœur et l'esprit ailleurs.

— J'espère toujours pouvoir rentrer pour Thanksgiving, continua-t-il.

Cela ferait alors près de deux mois qu'il serait à Venise. Il aurait aimé venir la voir, mais il n'osa pas lui en parler. Rien qu'à sa voix, il devinait à quel point elle était encore choquée. D'ailleurs, lui aussi l'était. Tous les journaux, en Europe, avaient publié des photos d'eux. On le voyait alors qu'il essayait de la protéger, et il avait l'air d'un fou. Quant à elle, les yeux agrandis, elle paraissait terrorisée. Il y en avait même une prise au moment où elle tombait dans la gondole.

— Essaie de ne pas trop en faire, lui suggéra-t-il. Tu as subi un sacré choc, l'autre jour.

Il craignait qu'elle n'ait une réaction post-traumatique.

— Je vais bien, assura-t-elle machinalement.

Cette conversation lui broyait le cœur. Après son séjour en Italie, elle l'aimait encore plus, mais les paparazzis lui avaient fait comprendre qu'elle n'était pas assez forte pour supporter le mode de vie de Leslie.

— Appelle-moi quand tu voudras me parler, lui dit-il tristement. Je ne veux pas faire pression sur toi, Coco.

Il fallait lui donner le temps de se reprendre. C'est ce que Liz lui avait suggéré.

— Merci, répondit-elle en s'engageant dans Pacific Heights.

Comme elle aurait voulu qu'ils soient encore chez Jane, que leur histoire débute, au lieu de s'achever !

— Je t'aime, murmura-t-elle.

Mais elle ne voyait pas comment cela aurait pu marcher entre eux, sauf si elle acceptait son existence de folie. Et elle s'en sentait incapable.

— Moi aussi, je t'aime, dit-il seulement, sachant ce qu'elle ressentait.

Elle passa prendre Sallie avant d'aller chercher les autres chiens. Jane vint à la porte pour lui dire combien elle était navrée qu'elle se soit cassé le poignet. En la voyant, Coco sourit car sa sœur était vraiment énorme.

— Tu as grossi, remarqua-t-elle.

Jane passa ses mains sur son ventre. Elle était vêtue d'un caleçon et d'un pull, et Coco la trouva plus jolie que jamais. Elle remarqua qu'il émanait maintenant d'elle une douceur qu'elle ne lui connaissait pas auparavant.

— Encore trois mois à attendre, soupira-t-elle. C'est difficile à croire.

A cette époque, Liz et elle seraient à Los Angeles. Selon Liz, le montage du film serait terminé pour Thanksgiving, ce qui permettrait à Jane de disposer de deux mois pour se reposer et se préparer à la maternité.

— Est-ce que vous fêterez Thanksgiving avec maman, Leslie et toi ? demanda brusquement cette dernière.

— Moi, oui, mais Leslie sera à New York avec sa fille.

Ne voulant pas entrer dans les détails, Coco changea très vite de sujet :

— Au fait, comment as-tu trouvé Gabriel ?

Elle se rappelait que Jane avait fait sa connaissance au moment de son départ. Et depuis, elles ne s'étaient pas parlé.

— Il est jeune ! remarqua Jane en riant. Dieu, qu'il est jeune ! Quant à maman, elle se comporte comme si elle avait seize ans. Le moins que l'on puisse dire, c'est que c'est assez agaçant. Je pense que c'est un type bien, mais je ne sais pas ce qu'il fait avec une femme de son âge. Je suis certaine que cela ne durera pas, mais en attendant, elle en profite.

Le ton badin de Jane surprit Coco. Elle s'était attendue à ce que sa sœur fasse tout pour les séparer et, au lieu de cela, elle avait l'air de s'en moquer.

— Après tout, reprit Jane, nous avons tous nos moments de folie et le droit de gérer notre vie comme nous l'entendons, quelle que soit l'opinion des autres. A propos, comment s'est passé ton séjour en Italie ?

Coco frémit intérieurement, mais elle s'était préparée à cette question.

Elle arbora un large sourire, tout en priant le ciel pour que sa sœur ne la perce pas à jour.

— Formidable ! Sauf pour mon poignet, bien sûr.

— Tu n'as pas eu de chance, mais au moins c'est le gauche.

Jane ne fit aucun commentaire sur Leslie et, un instant plus tard, Sallie grimpait dans la camionnette avec Coco. La jeune femme se demanda si sa sœur avait fini par accepter sa liaison avec Leslie. Pendant toute leur conversation, elle n'avait pas arrêté de se caresser le ventre, comme le font souvent les femmes enceintes, et Coco se demandait si quelque chose avait changé en elle. Elle savait que Liz et Jane allaient repartir à Los Angeles jusqu'à Thanksgiving et elle espérait que d'ici là, elle ne se sentirait pas trop seule et ne sombrerait pas dans la dépression. Elle avait vécu de durs moments après la mort de Ian, et elle avait survécu. Elle surmonterait cette nouvelle épreuve. Elle en était persuadée.

Elle alla chercher les deux gros chiens, puis les plus petits. Ce jour-là et les suivants, elle accomplit machinalement ses tâches quotidiennes. Il lui semblait que quelque chose était mort en elle. Pendant trois semaines, Leslie ne l'appela pas et elle non plus. Il s'efforçait de ne pas exercer de pression sur elle et, de son côté, elle tentait de le faire sortir de ses pensées. Pour cela, il valait mieux ne pas lui parler. Elle ne voulait pas entendre sa voix, cela n'aurait fait que raviver son amour pour lui. Si elle retombait dans ses bras, elle savait que ce qui était arrivé à Venise se reproduirait. Elle ne le supporterait pas. C'était trop effrayant.

Coco ne parla à personne jusqu'à son départ pour Los Angeles. Comme elle ne s'absentait que deux jours, elle confia Sallie à Erin. Elle devait dormir chez Liz et Jane, dans la maison qu'elles avaient louée. Elle ferait la connaissance de Gabriel lors du dîner de Thanksgiving.

Liz vint la chercher à l'aéroport et l'emmena à la maison, où Jane les attendait. C'était la veille de Thanksgiving et elles allaient dîner tranquillement toutes les trois. Liz ne lui posa pas de questions sur Leslie, et Coco ne parla pas de lui. Elle se demandait s'il passait les fêtes à New York avec Chloé et sa mère. Comme il ne lui avait pas téléphoné, elle ignorait s'il avait quitté Venise. Mais elle ne voulait pas le savoir. Depuis ce dernier soir, à Venise, sa décision était prise. Leslie l'avait certainement deviné puisqu'il n'avait pas tenté de la joindre. Ils s'aimaient toujours, mais Coco était persuadée que cela ne pouvait marcher.

Quand Liz et Coco arrivèrent, Jane était étendue sur le canapé. A la vue de Coco, elle agita la main. Elle ressemblait à un ballon. Coco l'embrassa en souriant.

— Bon sang, tu es énorme !

Le ventre de Jane semblait avoir doublé de taille en trois semaines.

— Si c'est un compliment, merci, répondit Jane avec une petite grimace. Sinon, va te faire voir ! Tu devrais essayer, un de ces jours.

Coco se crispa légèrement. Elle avait écarté toute idée de mariage et d'enfants et la remarque de sa sœur lui fit aussitôt penser à Leslie.

— Je préfère ne même pas penser à la taille qu'il aura dans deux mois, reprit Jane.

Le dîner fut joyeux et détendu. Le film était bouclé, si bien que Liz et Jane allaient pouvoir rentrer définitivement à San Francisco la semaine suivante. Au milieu du repas, Jane se tourna brusquement vers Coco pour lui demander comment allait Leslie. Elle venait de s'apercevoir que sa sœur n'avait pas parlé une seule fois de lui.

Sachant ce qui allait suivre, Coco s'arma de courage. Elle jeta un coup d'œil à Liz, qui n'avait visiblement pas trahi sa confiance. Elle avait eu besoin de ces trois semaines pour se calmer et était maintenant prête à affronter sa sœur.

— Je suppose qu'il va bien, se borna-t-elle à dire.

Jane fronça les sourcils.

— Tout va bien, entre vous ?

— En fait, non, répondit doucement Coco. C'est fini. Tu avais raison. A Venise, jusqu'à la veille de mon départ, nous avions eu de petits accrochages avec les paparazzis, mais le dernier soir, nous sommes tombés dans une véritable embuscade. Et comme tu me l'avais prédit, continua-t-elle stoïquement, je me suis effondrée. Cela m'a terrorisée. Je m'en suis sortie avec un poignet cassé et sept points de suture. Mais, après ça, j'ai estimé que ça suffisait. Je ne peux pas vivre de cette façon. Alors voilà... je suis à nouveau seule.

Il y eut un long silence. Coco s'attendait à une avalanche de « je te l'avais bien dit », mais Jane se contenta de tendre la main pour effleurer son plâtre. On lui avait retiré les fils, et l'entaille sur sa main avait guéri. Il ne restait qu'une petite cicatrice. Ce n'était rien, comparé à l'état de délabrement de son cœur. Il lui semblait qu'on l'avait fracassé.

— Les paparazzis t'ont cassé le poignet ? demanda Jane avec incrédulité.

Elle fixait sa sœur avec une compassion mêlée de surprise.

— Pas intentionnellement. Je sortais de la gondole, sur l'embarcadère du Gritti, et l'un d'entre eux m'a pris la jambe pour me retenir. Je suis tombée dans le bateau et, en essayant de me protéger, je me suis cassé le poignet et blessée à la main. Avant cela, ils nous avaient poursuivis lorsque nous étions sortis du restaurant et m'avaient poussée contre un mur. Ensuite, comme nous avions réussi à gagner la gondole, ils ont failli la faire chavirer en nous pourchassant en *motoscafi*. Et finalement, lorsque nous avons accosté, ils ont voulu nous empêcher de sortir de la gondole. C'était horrible.

— Tu plaisantes ! s'exclama Jane. Ce que je voulais dire, quand je t'en ai parlé, c'est qu'ils allaient te suivre partout et violer ton intimité, toi qui es si réservée. Je savais que tu détesterais cela. Je n'avais jamais imaginé qu'ils te harcèleraient de cette façon ! Où était Leslie, pendant ce temps ?

Elle voulait savoir si Leslie l'avait livrée en pâture à ces requins. Si c'était le cas, elle allait l'appeler et lui passer un sacré savon.

— Il était avec moi. Il a fait ce qu'il a pu, mais nous étions complètement impuissants. Au début, nous nous trouvions dans une petite rue et nous ne pouvions même pas atteindre la gondole. Ils étaient trente contre nous.

— Seigneur ! Moi aussi, je me serais effondrée après un tel cauchemar ! C'est après cela que tu as rompu ?

— Plus ou moins. Il sait ce que j'éprouve et que ce n'est pas comme cela que je veux vivre, expliqua Coco sur le ton le plus neutre possible.

Mais il y avait une fêlure dans sa voix, dont Jane et Liz devinèrent la cause. Coco était toujours amoureuse de Leslie. Seulement, elle avait pris une décision et voulait s'y tenir, même si c'était très dur. Car cette rupture était affreusement douloureuse. Jamais elle n'avait fait quelque chose d'aussi difficile.

Jane était horrifiée par le récit de sa sœur et peinée par son expression douloureuse.

— Personne ne le souhaiterait, lui assura-t-elle en l'embrassant. Leslie a dû se sentir horriblement coupable.

— Oui. Et il a été formidable avec moi. Quand je suis tombée, il m'a prise dans ses bras et il a réussi à écarter les photographes et à rentrer dans l'hôtel. Le lendemain, il a tout organisé pour que je parte sans encombre. Je portais une perruque noire et j'avais quatre gardes du corps.

— Seigneur, c'est abominable ! J'ai déjà entendu parler d'agressions de ce genre, mais elles sont rares. La plupart du temps, ils se contentent de te bousculer et de te photographier. Je suis étonnée que Leslie n'en ait pas massacré un.

— Il ne pensait qu'à moi. Je saignais énormément.

Jane lança un coup d'œil angoissé à Liz, qui se taisait.

— Pourquoi ne m'en as-tu pas parlé, à ton retour ?

— J'étais trop bouleversée, soupira Coco. Et... j'avais peur de ce que tu dirais, ajouta-t-elle franchement. Tu m'avais prévenue dès le début, et tu avais raison.

— Non, je n'avais pas raison ! répliqua Jane. J'aurais dû me taire. Leslie m'a passé un savon, à cause de ça. Et à juste titre. Tout comme Liz. J'avais peur que tu ne parviennes pas à gérer la situation ou que tu ne sois qu'une passade pour lui. Je t'ai toujours considérée comme une gamine. Leslie mène une vie de star hollywoodienne et je n'arrivais pas à t'imaginer dans cette jungle. Mais vous vous aimez, Coco. Ce qui est arrivé en Italie est rarissime. Si c'est nécessaire, je suis sûre qu'il mettra des gardes du corps à ta disposition. Tu ne peux pas rompre au moindre problème.

Jane s'en voulait terriblement d'avoir tenu des propos qui, peut-être, avaient influencé la décision de sa sœur. Elle avait compris que leur histoire était sérieuse quand Leslie lui avait téléphoné pour remettre les pendules à l'heure. Aujourd'hui, elle était absolument persuadée qu'il était profondément amoureux de Coco et il était évident que c'était réciproque.

— Je ne suis pas taillée pour cette existence, affirma simplement la jeune femme. Je deviendrais folle. J'aurais peur de tout, peur de sortir avec mes enfants, si nous en avions. Comment pourrais-je supporter que l'un de ces fous fasse du mal à l'un d'entre eux ? Qu'est-ce que tu dirais, si tu savais ton bébé en danger ?

— Je trouverais un moyen de le protéger, mais je n'abandonnerais pas Liz, répondit Jane. Tu aimes Leslie, Coco, j'en suis sûre. Tu risques de perdre quelque chose de très précieux.

265

— Ma vie l'est aussi. L'un de nous aurait pu être tué, ce soir-là. Ensuite, je n'ai pas cessé de penser à toutes ces histoires affreuses que papa nous racontait au sujet de ses clients. Je n'ai jamais voulu appartenir à ce monde et je ne le veux toujours pas.

D'un geste impatient, elle essuya ses joues ruisselantes de larmes.

— Leslie n'a pas le choix, continua-t-elle. Il est obligé de supporter cela, mais moi, j'en suis incapable, acheva-t-elle d'une voix éteinte.

— Je suis certaine que Leslie veillera à ce que cela ne se reproduise plus, affirma Jane.

Coco fixa un instant son assiette sans répondre, puis elle leva les yeux vers sa sœur, en secouant la tête.

— J'ai trop peur, avoua-t-elle tristement.

Jane tendit le bras pour lui caresser la main. Son geste émut Liz, que les propos de sa compagne avaient touchée. Elle s'était montrée dure, mais sa prochaine maternité l'avait considérablement adoucie.

— Donne-toi le temps de la réflexion, suggéra Jane, tenant toujours la main de sa sœur dans la sienne. Quand revient-il ?

— Je n'en sais rien. Je ne lui ai pas parlé depuis trois semaines. Il devrait rentrer ces temps-ci, je crois, s'ils n'ont pas pris de retard.

— Ne laisse pas ces salauds te démolir ! Ne leur permets pas de tout te prendre !

Mais il était trop tard. Coco savait qu'elle ne ferait pas marche arrière. Elle n'avait jamais voulu que les choses se terminent ainsi, mais depuis l'agression dont elle avait été victime, elle craignait pour sa vie, si elle restait avec Leslie. Il l'avait bien compris et n'avait pas essayé de la faire changer d'avis. Son amour pour elle était si grand qu'il préférait la laisser partir, si c'était mieux pour elle.

Coco aida Liz à débarrasser, pendant que Jane regardait la télévision, assise sur le canapé.

— Qu'est-ce que tu lui as fait ? chuchota Coco dans la cuisine. Elle est devenue gentille !

Liz se mit à rire.

— Je crois que ce sont les hormoncs. Le bébé l'a rendue humaine.

— Je suis impressionnée, reconnut Coco.

Elles mirent les dernières assiettes dans le lave-vaisselle avant de rejoindre Jane. Elles ne parlèrent plus des paparazzis et, un peu plus tard, elles allèrent se coucher. Elles devaient être à midi chez leur mère, pour le repas traditionnel qui serait comme toujours assez conventionnel. Et, ainsi que Jane le souligna avec un sourire, le jeune producteur plein de talent serait là.

Le lendemain, elles se levèrent tard et, dès qu'elles furent prêtes, elles partirent chez Florence. Jane portait la seule tenue qu'elle pouvait encore mettre, une robe ample en soie bleu pâle, qui s'accordait avec ses longs cheveux blonds. Coco avait une robe blanche en laine et Liz un tailleur-pantalon noir. Florence leur ouvrit la porte, éblouissante dans son tailleur Chanel rose. Au moment où elles s'embrassaient, un bel homme en costume croisé gris et cravate Hermès s'approcha d'elles. Coco devina immédiatement qui il était.

— Bonjour, Gabriel, lui dit-elle avec un sourire chaleureux en lui serrant la main.

Au début, il lui sembla nerveux, mais une fois qu'ils se furent tous assis sous un immense portrait de Florence en robe de bal et parée de tous ses bijoux, il commença à se détendre.

Liz et Gabriel parlèrent de films. Il expliqua que Florence l'avait énormément aidé à travailler le scénario de son prochain film. Quant à elle, elle venait de terminer son livre. Jane était tout excitée par le film que Liz et elle étaient en train de boucler. Il régnait une atmosphère qui rappela à Coco l'époque où son père était vivant et où ils discutaient de livres, de films et de ses clients. Des stars de cinéma et des auteurs célèbres venaient constamment chez eux. Pendant le repas, elle les surprit tous en annonçant qu'elle envisageait de reprendre des études.

— De droit ? s'enquit sa mère, abasourdie.

— Non, maman, répondit Coco avec un sourire. Plutôt quelque chose d'inutile, comme un master en histoire de l'art ou une spécialisation dans la restauration d'œuvres d'art. Mais je n'ai encore rien décidé.

L'idée avait réellement pris forme lorsqu'elle en avait discuté avec Leslie, deux mois auparavant. Et son séjour à Venise l'avait confortée dans ce projet.

— Je ne peux pas continuer à promener des chiens toute ma vie, remarqua-t-elle doucement.

Ces mots firent sourire sa mère et sa sœur.

— L'histoire de l'art t'a toujours tentée, affirma gentiment sa mère.

Au grand étonnement de Coco, personne ne la critiquait. On ne se moquait pas d'elle et on ne la dénigrait pas. Le changement avait été amorcé par Jane, la veille. Coco se demandait si c'était elle qui avait changé, ou Jane et Florence. Peut-être était-ce dû au fait que sa sœur et Liz allaient avoir un bébé et que sa mère était amoureuse. En les regardant, elle fut frappée par l'idée qu'elles avaient une vie, et pas elle. Quatre ans auparavant, elle avait choisi de se retirer dans sa tour, peut-être était-il temps d'aller de l'avant. Elle se sentait prête à se lancer, même si Leslie n'était plus à son côté. Le vilain petit canard se transformait et sa mère et sa sœur avaient la gentillesse de ne pas le souligner.

Assise près de Gabriel pendant le repas, Coco discuta avec lui d'art, de politique et de littérature. Elle le trouvait sympathique mais il n'était pas son genre d'homme. Il était trop dans le style Hollywood, ce qui n'était pas du tout le cas de Leslie. Cependant, il semblait profondément attaché à sa mère et celle-ci irradiait de bonheur. La semaine suivante, ils devaient s'envoler pour Miami, afin de visiter la foire d'art contemporain. Après Noël, ils iraient skier à Aspen. Ils avaient vu tous les derniers spectacles, toutes les dernières pièces. Il l'emmenait aux concerts et à l'opéra. Ils étaient allés à New York deux fois en six mois et avaient assisté à toutes les représentations de Broadway. Il était évident que leur mère était heureuse et, bien que leur différence d'âge les choquât toujours, Jane et Coco reconnurent, sur le chemin du retour, que Gabriel était gentil.

— C'est un peu comme d'avoir un frère, remarqua Coco, ce qui fit rire Jane.

Gabriel avait parlé bébés avec elle, puisqu'il avait une petite fille de deux ans. Il était divorcé et reconnaissait que son mariage avait été une énorme erreur, mais il était content d'avoir sa fille.

— Tu penses qu'ils vont se marier ? interrogea Coco.

— Il se passe des choses bizarres parfois, surtout dans notre famille, répondit Jane.

Décidément, sa sœur s'était considérablement adoucie, songea Coco.

— Mais pour être honnête, continua Jane, j'espère que non. Elle n'a pas besoin de se marier, à son âge. Pourquoi gâcher ce qu'ils ont ? Sans compter que, si ça ne marche pas, ils éviteront les complications et les déchirements qui vont avec le divorce.

— Peut-être, au contraire, a-t-elle vraiment besoin de se marier, avança pensivement Coco. Mais que fera-t-elle d'une enfant de deux ans ? Gabriel lui semble très attaché.

— La même chose que ce qu'elle a fait avec nous, rétorqua Jane avec un petit rire. Elle engagera une nounou.

Sa remarque les fit rire toutes les trois. Elles passèrent la soirée à bavarder agréablement et, le lendemain, Coco repartit pour San Francisco. Liz et Jane lui avaient proposé de rester tout le week-end, mais elle se sentait encore trop fragile pour rester longtemps loin de chez elle.

Avant son départ, Jane lui reparla de Leslie. Coco terminait sa valise. Vêtue d'un vieux pull et d'un jean, elle avait l'air d'une gamine, mais Jane savait que ce n'était plus le cas. Sa sœur avait mûri.

— Attends encore un peu avant de rompre, lui conseilla-t-elle doucement. Il t'aime et c'est un homme bien. Ce qui est arrivé n'était pas sa faute et il a dû en être bouleversé, lui aussi. La dernière chose au monde qu'il aurait voulue, c'est qu'on te fasse du mal. Cela a été un véritable cauchemar pour tous les deux.

— C'est vrai. Mais comment peut-il accepter de vivre ainsi ?

— Il fera tout pour que cela ne se reproduise plus. Cela lui a certainement permis d'en prendre pleinement conscience. Les gens sont cinglés à Los Angeles, c'est pourquoi je suis si contente de rentrer à San Francisco. La vie est peut-être plus excitante, ici, mais ce n'est pas un endroit pour élever des enfants. Tout est dans l'apparence, mais tout est factice. Je ne souhaite vraiment pas que mon bébé grandisse dans ce milieu.

— Je te comprends ! Tu as vu ce qu'ils deviennent, ensuite ? Des tarés ou des hippies !

Jane l'embrassa en riant.

— Tu n'es plus tellement hippie. Peut-être même ne l'as-tu jamais été, mais c'est moi qui te voyais ainsi. Et je suis contente que tu songes à reprendre tes études. Tu pourrais t'inscrire à l'université de Californie, si tu vis ici avec Leslie, remarqua-t-elle avec pragmatisme.

Devant l'air affolé de Coco, elle n'insista pas. Elle espérait que leur rupture n'était pas définitive, car cela l'attristait. Elle regretta que sa sœur parte aussi vite. Elles avaient passé de très bonnes fêtes de Thanksgiving et Gabriel était charmant. Il avait promis de venir à San Francisco avec Florence, pour Noël. Ils descendraient au Ritz-Carlton et sa fille serait avec eux.

Durant le vol, Coco repensa longuement à ces deux jours. Elle continua d'y songer en roulant vers Bolinas.

Elle avait été contente de voir sa famille, mais elle avait besoin d'être seule. Sa rupture avec Leslie était trop fraîche pour qu'elle ait envie de rire et de s'amuser. Elle avait besoin de temps pour faire son deuil. Les propos de Jane sur Leslie l'avaient touchée, mais après ce qu'elle avait vécu à Venise, elle savait qu'elle ne pourrait pas supporter son mode de vie. Elle se rappelait encore la terreur qu'elle avait éprouvée lorsqu'ils avaient été coincés dans cette ruelle de Venise, et plus tard, quand elle était tombée dans la gondole. Si son amour pour Leslie était à ce prix, elle préférait y renoncer.

En arrivant chez elle, elle fut heureuse de retrouver son cocon familier. Comme il faisait froid, elle s'enveloppa dans une couverture et sortit sur la terrasse. Elle aimait la plage en automne, surtout quand le ciel était parsemé d'étoiles comme maintenant. Etendue dans un transat, elle les contempla, se rappelant les moments qu'elle avait passés là avec Leslie. Une larme roula le long de sa joue.

C'est alors que la sonnerie de son téléphone portable retentit. En le prenant, elle constata que le numéro d'appel était masqué.

— Allô ? demanda-t-elle.

— Allô, fit une drôle de petite voix. C'est Chloé Baxter, à l'appareil. C'est toi, Coco ?

Elle se demanda si Leslie était avec elle et s'ils avaient fêté Thanksgiving ensemble. Peut-être était-ce un stratagème pour lui parler. Elle ne s'en serait pas formalisée, car elle était contente d'entendre Chloé.

— Oui, répondit-elle en souriant. Comment vas-tu ? Et comment vont les ours ?

— Très bien, et moi aussi. Comment était la dinde ?

— Délicieuse. Je l'ai mangée avec ma maman et ma sœur, à Los Angeles.

— C'est là que tu es, maintenant ? interrogea-t-elle, intéressée.

— Non, je suis chez moi et je regarde les étoiles. Tu es debout bien tard, dis-moi ! Si tu étais ici, nous ferions griller de la guimauve et on se régalerait.

— Mmm... fit la petite fille, qui pouffa.

— Tu as fêté Thanksgiving avec ton papa ? ne put s'empêcher de demander Coco.

Elle ne voulait pas soutirer des informations à Chloé, mais elle se demandait s'il était près d'elle et s'il savait que sa fille l'appelait. Chloé était très indépendante et elle agissait à sa guise, sans qu'on ait à le lui souffler.

— Oui, répondit la petite. Il m'a rapporté une robe d'Italie. Elle est très jolie. Il vient tout juste de repartir pour Los Angeles, ajouta-t-elle en soupirant.

— Oh !

Du coup, Coco ne savait plus quoi dire. Il y eut un silence, puis Chloé déclara :

— Il dit que tu lui manques beaucoup.

— Il me manque aussi. C'est lui qui t'a dit de m'appeler ?

— Non. Mais j'avais perdu ton numéro, alors je l'ai copié sur son téléphone sans qu'il le sache.

Coco ne put s'empêcher de sourire. C'était bien dans les habitudes de Chloé, d'agir ainsi.

— Il a dit que tu étais fâchée contre lui, continua l'enfant, parce que des méchants vous ont attaqués et que tu as été blessée. Et il m'a dit que tu t'étais cassé le poignet en tombant. Ça doit faire drôlement mal !

— C'est vrai, admit Coco. Et j'ai eu très peur.

— C'est ce que papa m'a dit aussi. Il aurait voulu les arrêter, mais il n'a pas pu. Et maintenant, il est très triste que tu sois fâchée contre lui. Tu me manques, Coco, conclut mélancoliquement la fillette.

Les yeux de Coco s'emplirent de larmes. Cette conversation lui rappelait les bons moments qu'ils avaient passés tous les trois ensemble en août, et c'était dur.

— Toi aussi, tu me manques, assura-t-elle. Et moi aussi, je suis triste.

— S'il te plaît, ne sois plus fâchée contre lui. Je voudrais te voir, quand je viendrai. Je passerai les vacances de Noël avec papa, à Los Angeles. Tu seras là ?

— Je serai avec ma maman et ma sœur, à San Francisco. Ma sœur va bientôt avoir un bébé, alors on restera là.

— On pourrait peut-être venir, si tu nous invites, suggéra Chloé. On pourrait passer te voir sur la plage. Ça me plairait bien.

— A moi aussi. Mais pour l'instant, c'est un peu compliqué, parce que je n'ai pas vu ton papa depuis longtemps.

— Peut-être qu'il t'appellera, remarqua Chloé avec espoir. Il est reparti pour le tournage de son film, mais après il reviendra dans sa maison à Los Angeles. J'espère que je te verrai bientôt. Bon, je te laisse maintenant parce que maman me demande d'aller me coucher, conclut-elle en bâillant.

— Merci pour ton appel, murmura Coco en souriant.

Elle était vraiment touchée. C'était presque aussi bon que d'entendre la voix de Leslie.

— Mon papa dit qu'il ne peut pas t'appeler parce que tu es fâchée, alors je me suis dit que j'allais le faire.

— C'était une très bonne idée. Je t'aime, Chloé. Bonnes fêtes de Thanksgiving.

Chloé émit une sorte de gloussement qui fit rire Coco.

— Bonne nuit, Coco.

Après avoir raccroché, la jeune femme resta sur la terrasse à regarder les étoiles, son téléphone à la main. Elle se demandait si l'appel de Chloé était un signal ou un message qui lui était destiné. Sans doute pas, mais cette conversation lui avait fait du bien et elle y pensa pendant un long moment.

19

Lorsque Leslie revint à Los Angeles, il n'appela pas Coco. Lui aussi était traumatisé par ce qui s'était passé à Venise. Et il tenait trop à Coco pour lui demander de risquer sa vie pour lui. Il ne pouvait exiger d'elle un tel sacrifice, mais il souffrait horriblement et ne pensait qu'à elle.

Coco ne lui téléphona pas non plus, se maudissant chaque jour de sa lâcheté. Elle avait le cœur brisé d'imaginer sa vie sans lui, mais les risques lui paraissaient pires encore. Elle voulait mener une existence normale avec lui, et non se retrouver dans la folie qu'ils avaient vécue à Venise.

Entre eux, il n'y avait plus que le silence et aucune lueur d'espoir. Leur amour n'avait pas suffi. Il ne les avait pas protégés des dangers que la célébrité de Leslie leur faisait courir. Il était donc inutile qu'ils se torturent en restant en contact. Elle n'avait plus rien à lui expliquer, puisqu'ils s'étaient déjà tout dit. Leslie comprenait et acceptait ses raisons. Coco essayait d'oublier ses craintes, mais elles étaient toujours là et ne la quitteraient sans doute pas avant longtemps. Peut-être même jamais. Tout comme elle souffrirait sans doute toujours de l'avoir perdu.

Un soir, elle rencontra Jeff, son voisin, et il lui parla de Leslie, lui disant combien il l'appréciait, trouvant qu'il se comportait comme tout le monde et ne prenait pas de grands airs sous prétexte qu'il était un acteur connu. Il ajouta qu'il regrettait de ne plus le voir. Coco se retint de pleurer. Elle avait eu une mauvaise journée, mais toutes ses journées étaient mauvaises. Elle redoutait particulièrement la période de Noël. Elle allait se sentir très seule, sans lui. Normalement, ils auraient dû passer les fêtes ensemble, mais finalement, il serait avec Chloé à Los Angeles. Quant à elle, elle serait avec sa mère, sa sœur et leurs conjoints.

Même sa maison de Bolinas lui paraissait lugubre, maintenant. Tout lui semblait terne, sans attrait. Elle s'était débarrassée de la combinaison de plongée de Ian, dont la vue la déprimait. Elle avait aussi rangé les photographies de Leslie dans un tiroir, sauf celle qu'elle avait prise de Chloé et de lui, le jour où ils avaient construit le premier château de sable. Chloé était craquante sur cette photo, et elle n'avait pas eu le cœur de la retirer.

La petite ne l'avait pas rappelée. Coco avait envisagé de lui acheter un cadeau, pour Noël, mais elle y avait renoncé. Elle n'avait pas à s'accrocher. Même si Chloé était adorable et qu'elle aimait Leslie, elle devait les laisser s'éloigner d'elle.

Quand Noël arriva, cela faisait presque deux mois que Coco n'avait pas parlé à Leslie. Elle s'efforçait de ne pas compter les jours, mais elle savait que cela en faisait exactement cinquante.

Elle alla passer le réveillon chez Jane. Comme elles avaient déjà transformé la chambre d'amis en nursery, elles l'installèrent dans une autre pièce. Se retrouver dans cette maison, où elle avait été si heureuse, lui fut pénible.

Sa mère, Gabriel et sa fille étaient arrivés dans l'après-midi et s'étaient installés au Ritz-Carlton. Ils n'avaient pas amené de nounou avec eux, car Gabriel comptait s'occuper lui-même de sa fille. Florence avait avoué à

Jane que cette perspective la rendait un peu anxieuse, car cela faisait longtemps qu'elle n'avait pas été en rapport avec des enfants.

— Voilà ce que c'est que d'avoir un petit copain de cet âge, maman ! avait plaisanté Jane.

Elle en rit avec Coco, quand celle-ci arriva. Comme chaque année, ils devaient réveillonner et passer le jour de Noël ensemble. Ensuite, chacun rentrerait chez soi. Florence et Gabriel partiraient pour Aspen le lendemain de Noël et Coco retournerait à Bolinas. Mais pendant vingt-quatre heures, ils seraient ensemble. Ils formaient une famille pas très orthodoxe avec Jane et Liz qui allaient avoir un bébé et Florence qui avait un petit ami assez jeune pour être son fils et dont la fille aurait pu être sa petite-fille.

— Nous ne sommes pas exactement ce qu'on peut appeler une famille standard, remarqua Jane en conduisant Coco dans sa chambre. Peut-être ne l'avons-nous jamais été. J'étais très jalouse de toi, à l'époque, poursuivit-elle doucement. Papa était dingue de toi. Dès que tu es née, j'ai eu l'impression que je ne faisais pas le poids. Même maman s'est intéressée à toi. Elle avait si peu de temps à nous accorder qu'elle ne pouvait pas le partager entre nous deux. J'espère que mes enfants ne penseront jamais ça de moi.

— Et moi, j'ai toujours cru que tu étais la vedette et qu'il n'y avait pas de place pour moi, avoua Coco.

— C'est peut-être pour cela que j'étais si dure avec toi, expliqua Jane sur un ton d'excuse. Avant ta naissance, je trouvais déjà qu'on ne s'occupait pas assez de moi.

— Ils avaient tous les deux une carrière importante et étaient très pris. Ils n'ont jamais eu le temps d'être parents.

— Et nous n'avons pas pu être des enfants. Nous devions nécessairement devenir des stars. Je m'y suis efforcée, mais pas toi. Tu les as envoyés balader, alors que toute ma vie, je me suis efforcée de les impressionner. Et pourquoi, finalement ? Cet enfant est bien plus important, conclut Jane en caressant son ventre.

— On dirait que tu es sur la bonne voie, murmura gentiment Coco avant de l'embrasser.

Elle ne pouvait pas en dire autant d'elle-même. Elle se retrouvait seule après s'être volontairement éloignée de l'homme qu'elle aimait.

— Tu penses avoir d'autres enfants ? demanda-t-elle, ayant remarqué que Jane avait parlé de « ses enfants ».

— Peut-être, répondit Jane avec un sourire. A condition que celui-ci soit mignon. S'il est aussi pénible que je l'étais, il se peut que je le renvoie d'où il vient. Je me souviens que tu étais adorable et je ne t'en détestais que plus.

Leslie avait donc vu juste : sa sœur avait été jalouse d'elle. Ses paroles éclairaient tout. Elle pouvait tourner la page, désormais. Elles n'avaient plus à se faire concurrence pour obtenir l'attention de leur mère, et leur père n'était plus là.

Ces derniers temps, celle-ci s'intéressait d'ailleurs davantage à Gabriel qu'à elles. Elle avait déjà prévenu Jane qu'ils seraient aux Bahamas au moment de la naissance du bébé. Ils feraient sa connaissance à leur retour. Cela ressemblait bien à leur mère. Elle restait la même et il y avait peu de chance qu'elle change. Les deux sœurs en avaient pris leur parti.

— Liz et moi envisageons déjà d'avoir un autre bébé, admit Jane. La prochaine fois, nous utiliserons mes ovules et le sperme d'un donneur, et c'est Liz qui le portera. Je ne regrette rien, mais pour être honnête, je déteste être aussi grosse. Et puis, je vais bientôt avoir quarante ans. C'est déjà suffisamment pénible pour qu'en plus je ne me retrouve pas obèse. Peut-être que je ressemble tout de même un peu à maman, finalement, ajouta-t-elle en riant.

Il n'y avait pas de femme plus futile que leur mère. Jane posa sur sa sœur un regard curieusement timide, avant de s'asseoir sur le lit. Elle ne pouvait plus rester debout très longtemps, maintenant, et avait du mal à marcher.

— Est-ce que tu accepterais d'assister à la naissance du bébé ? Liz sera là, mais j'aimerais bien que tu sois près de moi, toi aussi.

Voyant des larmes embuer les yeux de Jane, Coco s'assit à son côté et la prit dans ses bras.

— J'en serai ravie, murmura-t-elle, émue.

Elles restèrent serrées l'une contre l'autre un long moment. Coco était touchée de la demande de Jane.

— Si je m'obstine à rester célibataire, ce sera peut-être ma seule occasion d'assister à un tel événement.

— Je ne crois pas que tu doives encore t'en inquiéter, répondit Jane en lui souriant. Tu n'as pas eu de nouvelles de Leslie, n'est-ce pas ?

— Non, mais je ne l'ai pas appelé non plus. En revanche, sa fille m'a téléphoné à Thanksgiving. Et elle m'a dit que je lui manquais, mais lui aussi me manque.

— Alors appelle-le ! Ne gâche pas tout ce temps.

— Je le ferai peut-être un de ces jours, soupira Coco.

Mais Jane devina qu'elle n'en ferait rien. Non seulement sa sœur était têtue, mais elle avait peur. Elle avait envie de contacter elle-même Leslie, mais Liz pensait qu'elle ne devait pas se mêler de leurs affaires. Jane aurait pourtant bien voulu leur donner un coup de pouce.

Lorsqu'elles repartirent à la cuisine, Coco ne put s'empêcher de rire en voyant la démarche de sa sœur. Un vrai canard ! Elle était très excitée à l'idée d'assister à l'accouchement. Jane le dit à Liz lorsqu'elles la retrouvèrent. Elle était en train de préparer le dîner et la nouvelle parut la soulager.

— Dieu merci, tu seras là ! Nous avons étudié la méthode d'accouchement sans douleur, mais j'ai déjà tout oublié. Je n'ai aucune idée de ce qu'il faut faire. C'est un événement tellement important ! Nous ne serons pas trop de deux.

— C'est certain, confirma Coco, fière du rôle qu'elle allait jouer.

Elle était impressionnée par les changements survenus chez sa sœur et par l'évolution de leurs relations, ces deux derniers mois. Après des années de rancune et de jalousie, elles étaient enfin amies, ainsi que Coco l'avait espéré toute sa vie.

Elles bavardèrent un long moment autour de la table de la cuisine. Coco leur raconta comment elle avait cassé la bouteille de sirop d'érable, le jour de sa rencontre avec Leslie. En l'écoutant, Liz éclata de rire et Jane faillit s'évanouir.

— Heureusement que je n'étais pas là ! Je t'aurais tuée !

— C'est pour cela que je ne te l'ai jamais dit. Nous nagions dans le sirop.

— Rappelle-moi de ne plus jamais te demander de garder la maison.

Finalement, Liz et Jane montèrent s'habiller, pendant que Coco gagnait sa chambre. Elle était contente de ne pas avoir à aller dans celle que Leslie et elle avaient partagée. Elle irait voir la nursery, mais elle éviterait la grande chambre. Cela ferait trop mal ! Elle n'arrivait pas à se remettre de sa rupture avec Leslie. Jane et Liz le savaient bien. Quant à leur mère, elle ignorait ce qui s'était passé et n'avait donc pas posé de questions.

Gabriel et Florence arrivèrent à 19 heures, avec la fille de ce dernier. C'était une adorable enfant de deux ans. Elle portait une robe de velours rouge, avec des rubans assortis dans les cheveux. Gabriel l'avait habillée lui-même. Ils avaient apporté un lit pliant, pour qu'elle puisse se coucher lorsqu'elle serait fatiguée. C'était visiblement une petite fille très bien élevée qui rappela Chloé à Coco.

Florence portait une robe de cocktail noire très chic et Gabriel un costume bleu nuit. Tous deux formaient un couple époustouflant. Pendant que Liz préparait des cocktails, Coco se mit à jouer avec la petite Alyson.

Puis elle rejoignit Jane dans la cuisine. Celle-ci lui confia qu'elle trouvait que Gabriel s'habillait comme un homme de cinquante ans.

— Tant mieux, fit Coco, sinon ils seraient ridicules, même si maman est persuadée d'avoir toujours vingt ans.

— Dieu que le monde est compliqué ! s'exclama Jane.

— En tout cas, nous le sommes, remarqua Coco en riant. Tu vis avec une femme et maman est amoureuse d'un gamin.

Elles riaient encore, lorsqu'elles allèrent retrouver Florence, Gabriel, Liz et Alyson. La fillette était fascinée par le sapin que Liz avait installé dans le séjour. Etendue sur le canapé, Jane s'était contentée de la regarder le décorer.

— Je n'arrive pas à croire qu'il me reste cinq semaines à attendre. J'ai l'impression que je vais accoucher ce soir. En tout cas, j'aimerais bien, car sinon mon ventre va exploser ! s'écria Jane en s'effondrant sur le canapé.

Liz avait préparé un dîner de Noël raffiné. Ils commencèrent par du caviar. Puis elle apporta un filet de bœuf avec des pommes de terre, des petits pois et de la salade, et enfin, pour le dessert, le traditionnel plum-pudding. Avant même qu'ils ne passent à table, Alyson s'était déjà endormie dans son lit pliant. C'était une enfant sans problèmes. Elle partagerait la chambre de Florence et de Gabriel, au Ritz-Carlton et Florence déclara qu'elle avait apporté des boules Quies, au cas où elle pleurerait, ce qui fit rire Gabriel. Il acceptait tout de Florence et la regardait avec une adoration sans bornes.

Ils se retirèrent vers 22 heures. Une limousine les attendait devant la maison. Gabriel portait sa fille, toujours endormie. Florence était enveloppée dans sa fourrure et lui avait un très beau manteau en cachemire noir. Ils remercièrent Liz et Jane pour l'excellente soirée et le délicieux repas, et promirent de revenir le lendemain, à midi. Après leur départ, les trois jeunes femmes débarrassèrent et rangèrent la cuisine. Le lendemain, Liz avait prévu une dinde. Jane avait à peine mangé. Le dîner la tentait, mais elle disait que le bébé prenait trop de place pour qu'elle puisse avaler quoi que ce soit. De plus, elle avait des brûlures d'estomac.

— Ce n'est pas aussi facile que ça en a l'air, se plaignit-elle.

— Je te masserai le dos, quand nous nous coucherons, lui promit Liz.

Elle était vraiment parfaite et Coco l'aimait beaucoup. Jamais elle n'avait été gênée par l'homosexualité de sa sœur. L'ayant toujours su, elle s'était toujours sentie très à l'aise par rapport à cela et n'y voyait rien d'inhabituel.

Il était minuit lorsque toutes les trois gagnèrent leurs chambres respectives. Etendue sur son lit, Coco songea aux mois qu'elle avait passés dans cette maison avec Leslie. Elle aurait voulu qu'il soit là, avec Chloé. La fête aurait alors été complète, pour elle. Elle se demanda ce qu'ils faisaient, en ce moment. Elle savait qu'ils passaient Noël ensemble. Avaient-ils décoré un sapin et invité des amis ? Elle aurait aimé être avec eux, mais les paparazzis avaient brisé son rêve. Sa vie était plus simple, maintenant, mais incroyablement triste. Elle repartirait à Bolinas le lendemain, pendant que sa mère et Gabriel prendraient l'avion pour Aspen. Elle avait pris la décision qui lui avait paru la meilleure, et elle devait en supporter les conséquences. Ce n'était pas son amour pour Leslie qui était en cause. Mais elle se savait incapable de partager sa vie, avec ce qu'elle comportait d'insupportable à ses yeux.

Le lendemain, elle fut debout avant les autres. En entrant dans la cuisine pour se faire une tasse de thé, elle vit que Liz avait déjà mis la dinde en route. Elle s'était levée à 6 heures pour la mettre au four, puis elle s'était recouchée.

Coco erra dans la maison en attendant que Liz et Jane se réveillent. Se retrouver ici lui faisait une drôle d'impression. Sallie et Jack dormaient côte à côte dans la cuisine et même leur vue lui rappela Leslie. Elle se demandait comment faire pour qu'il disparaisse de ses pensées. Seul le temps ferait son œuvre.

— Tu t'es levée tôt, remarqua Liz lorsqu'elle descendit surveiller la cuisson de la dinde, à 9 heures.

Coco était assise près du sapin et Liz trouva qu'elle semblait très malheureuse. Elle ne fit aucun commentaire, mais elle savait à quoi elle pensait, c'était écrit sur son visage, et Liz en fut désolée pour elle. Elles allèrent dans la cuisine et bavardèrent, sans prononcer le nom de Leslie une seule fois. A 10 heures, Jane descendit à son tour. Elle avait encore mal à l'estomac.

— La prochaine fois, ce sera ton tour, lança-t-elle à Liz.

— J'en serai ravie, répondit celle-ci.

Coco leur proposa de préparer le petit déjeuner, mais Jane n'avait pas oublié l'épisode du sirop d'érable.

— Tu es un vrai danger, dans une cuisine, s'écria-t-elle.

— Tu as raison, répondit Coco en riant. J'ai hérité cela de maman.

— Faux. Maman ne savait même pas où se trouvait la cuisine.

— Je crois que Gabriel aime préparer de bons petits plats, dit Coco. Au moins, nous sommes certaines que maman ne mourra pas de faim sur ses vieux jours, si elle ne laisse pas partir son cuisinier.

— Tu crois vraiment que ça va durer ? demanda Jane avec une moue sceptique.

Elle avait du mal à l'imaginer. A ses yeux, ce ne pouvait être qu'une passade. Inévitablement, Gabriel recouvrerait ses esprits et trouverait une femme de son âge. Il lui fallait pourtant admettre qu'il avait l'air heureux avec sa mère et que leur différence d'âge ne semblait pas le préoccuper.

— Je crois que si elle était un homme, nous ne nous poserions même pas la question, remarqua Coco. Il est fréquent que des hommes de l'âge de maman épousent des femmes plus jeunes même que Gabriel. Et cela ne provoque aucune réaction. Soixante-deux ans et trente-neuf… Cela ne surprendrait personne, si c'était dans ce sens.

— Tu as peut-être raison, répondit Jane. Le plus bizarre, c'est qu'ils ont l'air de très bien s'entendre. Il est plutôt vieux jeu, pour un type aussi jeune.

— Je ne sortirais pas avec lui, affirma Coco.

Cette réflexion les fit rire. Gabriel paraissait plus âgé que Leslie, alors qu'il avait deux ans de moins que lui.

— Eh bien, tu sais, nous non plus, renchérit Jane, ce qui déclencha leur hilarité. Mais je comprends ce que tu veux dire. Personne ne porte des costumes comme le sien, de nos jours, sauf lui, et maman aime ça. En fait, il était déjà comme ça, la première fois que je l'ai rencontré, bien avant qu'il sorte avec maman. Je suppose qu'il a un penchant pour les femmes plus âgées.

— Apparemment ! s'exclama Coco. Ou alors, seulement pour maman. Il est en adoration devant elle. L'avantage pour nous, c'est que s'ils restent ensemble, cela nous facilitera la vie pendant un bon bout de temps. Elle sera heureuse.

Jane acquiesça. Coco avait raison.

— Que se passera-t-il, quand elle sera vieille ? Je veux dire vraiment vieille.

— La même chose que pour nous tous, intervint Liz. On espère toujours que l'autre ne mourra pas ou ne vous quittera pas. Malheureusement, cela arrive forcément un jour, conclut-elle en fixant Jane avec tendresse.

— Je te promets de ne jamais te quitter, murmura celle-ci.

Liz se pencha pour l'embrasser.

— Tu as intérêt !

Coco se leva en bâillant.

— Je vais vous laisser. Il faut que je m'habille. Maman sera là dans moins d'une heure, leur rappela-t-elle.

Elles gagnèrent toutes les trois leurs chambres pour réapparaître sur leur trente et un. Comme d'habitude, leur mère arriva à l'heure, vêtue d'un ensemble Chanel blanc et du manteau de zibeline qu'elle avait la veille. Elle arborait un collier de perles et son maquillage était parfait. Le choix de Gabriel s'était porté sur un pantalon gris, un blazer et une cravate Hermès. Ils auraient pu figurer en couverture d'un magazine de mode. Les tenues de Coco et de Liz, composées d'un pantalon et d'un pull, étaient plus décontractées. Quant à Jane, dans une robe de grossesse rouge, elle se sentit mal durant tout le déjeuner.

Ils s'offrirent leurs cadeaux avant le repas et tous les apprécièrent. Comme chaque année, Florence donna un chèque à ses deux filles et un troisième d'un montant légèrement moindre à Liz. Elle prétendait avoir peur de se tromper et préférait qu'elles s'achètent ce qu'elles voulaient. Elle avait offert à Gabriel une montre Cartier qu'il portait au poignet et elle arborait la broche de diamant qu'il avait choisie pour elle. Alyson avait reçu de la part de Florence une immense poupée qui était presque aussi grande qu'elle.

Ils se mirent à table à 14 heures et y restèrent jusqu'à 16 heures. Ils passèrent ensuite au salon, pour prendre le café tout en bavardant. Puis Florence, Gabriel et Alyson s'en allèrent. Ils partaient le soir même pour Los Angeles, où ils devaient déposer la petite fille chez sa mère, avant de prendre l'avion pour Aspen le lendemain matin.

Coco resta chez Jane et Liz jusqu'en fin d'après-midi, pour les aider à tout ranger. Quand la jeune femme les quitta, elles lui proposèrent de rester. Mais, après ces deux jours de fête, Coco estima qu'elles avaient besoin de se retrouver seules. Elle-même y aspirait. Elle fit donc monter Sallie dans la camionnette et reprit la direction de Bolinas. En arrivant, la maison lui parut vide et froide. Elle alluma un feu et le contempla, assise sur le canapé, se remémorant les deux dernières journées, et s'interdisant de songer à Leslie et à Chloé. Elle devait se contenter de la vie qu'elle avait. Ce Noël en famille avait d'ailleurs été très réussi. Elle était particulièrement heureuse de son rapprochement avec Jane. Pour les deux sœurs, c'était le plus beau des cadeaux.

Elle se coucha tôt et fut debout à 7 heures le lendemain. De la terrasse, elle regarda le soleil se lever. Une nouvelle journée, une nouvelle vie commençait et elle était en train de se répéter qu'elle avait de la chance, quand le carillon retentit. Jamais personne ne l'utilisait. La plupart des gens frappaient directement à la porte. Elle portait encore son pyjama aux petits cœurs et ne s'était pas coiffée. Toujours drapée dans la couverture dont elle s'était enveloppée pour aller sur la terrasse, elle alla voir qui la demandait.

Il faisait froid, mais le ciel était dégagé et bleu. Lorsqu'elle ouvrit la porte, elle les vit... Leslie se tenait là, une main posée sur le loquet, et leurs regards se croisèrent. Il n'était pas certain d'avoir eu raison de venir. Chloé était à son côté, dans un beau manteau bleu, avec ses longues nattes et son grand sourire. Elle portait un cadeau. Dès qu'elle vit Coco, elle lui adressa de grands signes en sautillant.

— Elle voulait te voir, expliqua Leslie.

Pieds nus, Coco vint leur ouvrir et embrassa Chloé, puis elle fixa Leslie comme s'il était le fruit de son imagination.

— Moi aussi, j'en avais envie, murmura-t-elle. Tu m'as tellement manqué.

Et avant qu'elle puisse ajouter autre chose, il la prit dans ses bras et la serra contre son cœur. Il ne voulait pas en entendre davantage, juste la tenir contre lui et respirer son parfum.

— Il fait froid, dehors, se plaignit Chloé. On peut entrer ?

— Bien sûr, s'écria Coco en la prenant par la main.

Se tournant vers Leslie, elle lui sourit, heureuse qu'il soit venu. Il constata que rien n'avait changé. En voyant la photo de Chloé et de lui, un lent sourire étira ses lèvres.

— Je t'aime, chuchota-t-elle par-dessus la tête de Chloé.

— Je t'aime aussi, répondit-il à voix haute.

— Qu'est-ce qu'il y a pour le petit déjeuner ? demanda Chloé en tendant son cadeau à la jeune femme.

Coco s'assit sur le canapé pour le déballer. C'était un petit ours en peluche. Elle embrassa la fillette et la remercia.

— Tu voudrais des gaufres ? lui proposa-t-elle.

— Oui ! s'exclama l'enfant en battant des mains.

Coco se rendit dans la cuisine, où elle brancha la bouilloire pour le thé. Elle ne cessait de jeter des coups d'œil à Leslie, comme si elle craignait qu'il ne disparaisse. Ces deux mois avaient été affreusement longs sans lui. Elle ne savait pas ce que cette visite impliquait. Elle était seulement contente qu'il soit là.

Pendant le petit déjeuner, Chloé lui raconta ce qu'ils avaient fait à Noël. Elle lui expliqua que c'était la veille qu'ils avaient décidé de venir la voir. Ils avaient pris l'avion pour San Francisco et étaient descendus à l'hôtel, parce que son père avait dit qu'il était trop tard pour aller à Bolinas, même si Chloé n'était pas du même avis. Alors, ils étaient venus ce matin. Et maintenant, ils étaient là. Radieuse, la petite fille les regardait tour à tour. Coco lui sourit d'abord, puis fixa Leslie.

— C'est une très bonne idée.

Chloé jeta un regard triomphant à son père.

— Tu vois ! Je t'avais dit qu'elle serait contente de nous voir.

Les deux adultes se sourirent.

Après le petit déjeuner, Coco s'habilla et ils sortirent se promener sur la plage. En ce lendemain de Noël, beaucoup de gens avaient eu la même idée.

— Tu m'as horriblement manqué, avoua Leslie à Coco pendant que Chloé courait devant eux pour ramasser des coquillages.

— Toi aussi.

— Je ne savais pas quelle serait ta réaction si je débarquais chez toi. Je pensais que tu ne voulais plus me voir, mais Chloé était persuadée du contraire.

— Elle m'a appelée, à Thanksgiving. Cela m'a beaucoup touchée.

— Coco, au sujet de Venise...

Secouant la tête, elle posa un doigt sur sa bouche.

— Ne dis rien... Je viens de comprendre que je me moque des paparazzis, même s'ils me terrifient... Je veux seulement être avec toi. Je t'aime trop pour que cela nous sépare.

C'était ce qu'il avait espéré entendre, sans oser y croire. Elle en avait été certaine lorsqu'elle l'avait aperçu derrière la barrière. A Thanksgiving, Jane lui avait conseillé de ne pas prendre de décision hâtive, et elle n'avait pas oublié ses paroles.

— Je t'aime, murmura-t-il. Je te promets que jamais cela ne se reproduira. Je ne le permettrai pas.

— Le plus important est que nous soyons ensemble... S'ils nous harcèlent, nous déménagerons et irons ailleurs. Nous pourrons toujours nous cacher ici.

Il la prit dans ses bras.

— J'avais perdu toute envie de vivre, sans toi, chuchota-t-il d'une voix rauque.

— Moi aussi.

— Où veux-tu habiter ?

Il irait n'importe où, pour elle...

— Avec toi.

Ils marchèrent lentement sur la plage, Chloé courant devant eux. Quand le vent forcit et qu'il fit trop froid, ils rentrèrent à la maison et allumèrent un feu.

Coco prépara le déjeuner et ensuite Leslie sortit pour une petite promenade digestive. Il rencontra Jeff, qui lui asséna une grande tape sur l'épaule, un large sourire aux lèvres.

— Je suis content de te revoir, s'exclama-t-il en lui serrant la main. J'ai appris que tu tournais un film à Venise. Tu nous as manqué. Ma fichue voiture est encore en panne. Je crois que c'est la transmission.

— J'y jetterai un coup d'œil, promit Leslie.

— Tu as manqué à tout le monde ici, poursuivit Jeff en fixant la maison de Coco de façon significative.

— C'est gentil. C'était réciproque.

Lorsque Leslie rentra, Coco et Chloé jouaient aux cartes. Après cela, ils regardèrent un film, puis Leslie alla examiner le moteur de Jeff. En guise de dîner, Coco fit chauffer une pizza, puis ils couchèrent Chloé dans le lit de Coco. Leslie et la jeune femme passèrent le reste de la soirée sur le canapé, à faire des projets d'avenir. Leslie devait passer les trois mois suivants à Los Angeles, pour terminer le film. Son locataire était parti et il vivait de nouveau dans sa maison.

— Je ne peux pas partir d'ici avant un mois, lui dit-elle, mais ensuite, j'irai te retrouver. Et si les paparazzis nous rendent dingues, nous chercherons une solution.

Dès qu'elle l'avait vu, elle ne s'était plus posé de questions. Lui seul comptait. Jane avait raison : quand on aime quelqu'un, on ne prend pas ses jambes à son cou à la moindre difficulté. Elle avait eu tellement peur à Venise qu'elle s'était laissé submerger par la terreur.

— Comment va ton poignet ? lui demanda-t-il.

A la vue de la petite cicatrice sur sa main, il eut envie de pleurer. Lorsqu'il y déposa un baiser, Coco l'embrassa.

— Mon poignet va bien, c'est mon cœur qui était brisé. Mais maintenant que tu es là, je me sens mieux !

Il l'attira dans ses bras en souriant.

— Chloé est beaucoup plus intelligente que nous. C'est elle qui m'a dit que je devais venir te voir. J'en avais envie, mais j'avais peur. Tout s'était tellement mal terminé à Venise que je ne voulais plus avoir à t'infliger ça ou te demander de prendre ce risque.

— Tu en vaux la peine, répliqua doucement Coco. Je suis désolée d'avoir mis si longtemps à le comprendre.

La serrant toujours contre lui, il hocha la tête. Peu importait le temps qu'il avait fallu, désormais ils étaient réunis.

— Pourquoi ne peux-tu pas partir avant un mois ? demanda-t-il brusquement.

— A cause du bébé de Jane. J'ai promis de l'assister pendant son accouchement, qui devrait avoir lieu dans cinq semaines. Et puis, indépendamment de cela, il faut que je règle différentes choses, ici.

— Qu'est-ce que tu vas faire, pour ton travail ?

— Je pense que je vais demander à Erin de prendre le relais. Je dois en discuter avec elle, mais je suis certaine que ça lui plaira. Elle déteste son autre emploi et elle pourra vivre correctement si elle prend ma suite.

Un sourire radieux aux lèvres, Coco ajouta :

— Je veux reprendre mes études et m'inscrire à l'université de Californie.

— En histoire de l'art ?

— Oui. Et je m'arrangerai pour t'accompagner dans tes déplacements.

Leslie sembla soulagé.

— Cela me convient tout à fait. Par chance, mes deux prochains films se passeront à Los Angeles.

Cela signifiait qu'il ne bougerait pas de toute l'année. Tous les deux espéraient que les paparazzis ne leur mèneraient pas la vie dure. Leslie avait déjà contacté une compagnie de sécurité pour veiller sur sa maison. Il

ne voulait pas que ce qui était arrivé à Venise se reproduise. Toutefois, il espérait qu'une fois qu'ils vivraient
ensemble, ils cesseraient d'intéresser la presse.

Ils finirent par aller se coucher. Leslie rejoignit à
regret sa fille dans la chambre. Il aurait voulu rester avec
Coco, mais elle avait insisté. Elle ne voulait pas que
Chloé se réveille toute seule.

— Elle risquerait de s'imaginer que nous faisons
toutes ces choses dégoûtantes dont elle nous a parlé,
plaisanta-t-elle.

— Tu vas devoir me rappeler comment on s'y prend,
rétorqua-t-il en riant. Je crois que j'ai oublié.

— Je te les rappellerai quand je viendrai te voir à Los
Angeles.

Il souffrait de devoir attendre encore tout un mois.

— Mais quand ?

— Pourquoi pas la semaine prochaine ? A moins que
tu ne préfères venir ici.

— Les deux solutions me conviennent, chuchota-t-il
en l'embrassant une dernière fois avant de la quitter
pour la nuit.

20

Pendant les quatre semaines qui suivirent, Leslie et Coco firent la navette entre Los Angeles et Bolinas. Les passages de Coco à Los Angeles furent sans histoire. Les paparazzis les attendaient devant les restaurants, parfois devant la maison de Leslie. Une fois, un photographe les suivit dans un supermarché, mais ce n'était rien comparé à ce qu'ils avaient vécu en Italie, et ni l'un ni l'autre n'y attachaient d'importance. Coco profita de l'un de ses séjours là-bas pour s'inscrire à l'université.

Leslie vint deux fois à Bolinas, et lorsqu'ils allèrent dîner chez Jane et Liz, il fut surpris de voir combien Jane avait grossi. Elle en était à un point tel qu'elle pouvait à peine bouger.

— Ne te moque pas de moi ! gronda-t-elle. Ce n'est pas drôle. Tu devrais essayer. Si les garçons devaient passer par là, aucun d'eux ne voudrait d'enfants. D'ailleurs, je ne suis pas certaine de vouloir renouveler l'expérience.

— La prochaine fois, ce sera moi, affirma Liz avec envie.

L'idée de porter un bébé l'enchantait. L'insémination aurait lieu dans les six mois à venir et Liz brûlait d'impatience. Auparavant, Jane devait d'abord accoucher. A plusieurs reprises, elle avait confié à Coco qu'elle était terrifiée par la naissance, en raison du poids du bébé.

Liz et Jane furent ravies de revoir Leslie et de constater à quel point Coco semblait heureuse. Sa tristesse leur avait fait mal au cœur, après son retour de Venise.

Leslie discuta avec Jane du tournage de son film. Ses difficultés avec Madison amusèrent Jane, qui avait travaillé avec l'actrice et savait ce qu'il endurait. Madison était enceinte de sept mois, maintenant, et ils étaient obligés d'avoir recours à des subterfuges et d'employer des doublures pour les scènes où on la voyait nue. Le réalisateur était furieux qu'elle ne l'ait pas prévenu qu'elle était enceinte dès le début du tournage. Maintenant, ils devaient s'arranger et cela leur coûtait horriblement cher.

Lors de son dernier week-end à Bolinas, avant de repartir travailler, Leslie aida Coco à emballer ses affaires. Elle envoyait une pleine camionnette de cartons à Los Angeles, mais elle conservait sa maison. Ils ne savaient pas encore où ils s'établiraient définitivement, mais cela n'avait pas d'importance. Ils étaient de nouveau ensemble et s'aimaient plus que jamais.

Erin avait repris la petite entreprise de Coco, ce qui permettait à cette dernière de passer du temps avec Jane. L'accouchement devait avoir lieu dans quelques jours. Jane en avait tellement assez qu'un soir, Liz et Coco l'emmenèrent dîner dans un restaurant mexicain, car quelqu'un avait dit à Jane qu'une nourriture épicée pouvait déclencher les contractions. Elle était prête à essayer n'importe quoi, mais tout ce qu'elle y gagna, ce furent des brûlures d'estomac. Elle faisait de longues promenades avec Coco. Un après-midi, alors qu'elles venaient tout juste de rentrer et bavardaient dans la cuisine, Jane regarda Coco avec surprise.

— Tu vas bien ? lui demanda cette dernière.

Elles commençaient à penser que le bébé n'arriverait jamais. Leur mère était en vacances aux Bahamas, mais elles lui avaient promis de la tenir au courant.

— Je crois que je viens de perdre les eaux, s'exclama Jane avec nervosité.

En effet, une flaque était en train de se former sous elle.

— C'est une bonne nouvelle, s'écria Coco en lui souriant. Nous y sommes enfin !

Elle posa une serviette sur une chaise, aida sa sœur à s'asseoir et essuya le sol.

— Je ne sais pas ce qui te rend si contente, répondit sèchement Jane. C'est moi qui vais accoucher. Liz et toi n'aurez qu'à regarder.

— Nous serons avec toi, assura Coco.

Elle l'aida ensuite à monter l'escalier pour aller dans la salle de bains. Jane retira ses vêtements, qui étaient trempés et enfila un peignoir. Après quoi, elle s'étendit sur son lit.

— On ne devrait pas appeler le médecin ? s'inquiéta Coco.

— Pas encore. Les contractions n'ont pas encore commencé. Je me demande combien de temps ça va prendre.

— Pas trop, j'espère, fit Coco sur un ton qu'elle espérait convaincant. Tu ne veux pas essayer de dormir un peu, en attendant ?

Jane hocha la tête et ferma les yeux. Coco éteignit la lumière et baissa les stores. Puis elle descendit dans la cuisine et appela Liz, qui faisait des courses. Très excitée à l'idée que le moment était enfin venu, cette dernière assura qu'elle serait de retour dans une demi-heure. Coco la rassura en lui disant que les douleurs n'avaient pas encore commencé, et qu'il n'y avait donc aucune raison de s'affoler. Cependant, Liz avait consulté de nombreux livres et était bien informée.

— Dès le moment où elle a perdu les eaux, les contractions peuvent se déclencher à tout instant. Reste avec elle.

293

Coco se fit une tasse de thé, puis elle monta tranquillement à l'étage. Là, elle découvrit sa sœur agrippée aux draps et souffrant le martyre, en proie à une contraction qui semblait ne jamais devoir s'arrêter. Jane ne put pas articuler un mot jusqu'à ce que ce soit fini.

— Quand cela a-t-il commencé ? demanda Coco avec inquiétude, craignant que Jane n'accouche à la maison.

— Il y a environ cinq minutes. C'est la troisième. Elles sont très douloureuses, très longues et elles ont débuté drôlement vite !

Peu de temps après, elle en eut une autre, que Coco chronométra. Elle dura soixante secondes et ensuite il y eut un intervalle de trois minutes.

— Ne faudrait-il pas appeler le médecin, maintenant ?

Cette fois, Jane fut d'accord et lui donna le numéro de téléphone de la clinique. Quand l'infirmière décrocha, Coco lui décrivit la situation. Son interlocutrice voulut savoir si les contractions étaient régulières. Ce n'était pas encore le cas, puisque la précédente avait eu lieu cinq minutes auparavant. L'infirmière lui expliqua qu'elles pouvaient cesser pendant un certain temps, mais que si elles revenaient à intervalles rapprochés, il fallait amener Jane à la clinique. Elle allait avertir la sage-femme que Jane risquait d'arriver rapidement.

Rien ne se produisit pendant dix minutes. Mais quand Liz rentra, Jane eut une nouvelle contraction.

— J'ai mal, murmura-t-elle.

— Je sais, ma chérie, mais ce sera bientôt fini et nous aurons notre petit garçon.

Coco sortit de la pièce pour téléphoner à Leslie. Lorsqu'elle lui apprit ce qui se passait, il lui confia qu'il aurait aimé que cet enfant soit le leur. Coco avait eu la même pensée, elle aussi.

— Comment va-t-elle ? demanda-t-il.

— Elle semble beaucoup souffrir.

Il se rappelait que cela avait été le cas de Monica lorsqu'elle avait accouché, mais elle répétait toujours que Chloé en valait la peine.

— Transmets-lui toute mon affection.

Quand Coco retourna dans la chambre, Liz aidait Jane à s'asseoir. Chaque fois qu'elle allait aux toilettes, ce qui était fréquent, elle avait encore plus mal. A présent, elle pouvait à peine marcher.

Liz tourna vers Coco un visage anxieux et ravi. Cet accouchement si longtemps attendu arrivait enfin, mais en même temps la souffrance de Jane lui faisait horreur.

— Les contractions sont encore irrégulières, confia-t-elle à Coco, mais il y en a beaucoup et elles sont très fortes. C'est sans doute parce qu'elle a perdu les eaux. Le livre dit qu'ensuite les choses se précipitent. Nous devrions peut-être l'emmener.

— Je ne veux aller nulle part, articula Jane, les dents serrées. Je veux quelque chose pour calmer la douleur.

Il était prévu qu'on lui fasse une péridurale à la clinique, mais on ne pouvait rien faire à domicile.

Elles attendirent encore une demi-heure et, quand les contractions se rapprochèrent, elles décidèrent qu'il était temps de partir. Liz aida Jane à enfiler un gilet, après quoi Coco et elle la soutinrent jusqu'à la voiture. Coco se réjouissait que la clinique soit toute proche. Jane souffrait tellement qu'elle en pleurait.

— C'est plus dur que je ne le pensais, souffla-t-elle à Liz d'une petite voix.

— Je sais. J'espère qu'on te fera tout de suite une péridurale.

— Dis-leur de me la faire dès que j'aurai franchi la porte.

Elle eut une autre contraction et s'appuya sur Liz, pendant que Coco courait chercher un fauteuil roulant. Au passage, elle prévint une infirmière de leur arrivée. Une minute plus tard, elles poussaient Jane à l'intérieur.

— Comment vous sentez-vous ? fit l'infirmière en souriant.

Tout en parlant, elle avait pris le relais et dirigeait le fauteuil vers l'ascenseur. Liz et Coco suivaient, légèrement affolées. Tout se passait plus vite qu'elles ne l'avaient prévu.

— Pas trop bien, répondit Jane. Je me sens complètement nulle.

— Tout ira mieux dans quelques minutes, assura l'infirmière d'une voix apaisante en entrant dans le service d'obstétrique.

Là, elle confia Jane à une sage-femme.

— Les contractions reviennent toutes les trois minutes, expliqua Liz.

Jane en avait justement une et agrippait la main de sa compagne.

— Très bien, nous allons jeter un coup d'œil et nous appellerons le médecin quand nous saurons où vous en êtes, expliqua la sage-femme.

Liz et Coco lui dirent que toutes les deux accompagneraient Jane en salle de travail.

— Nous attendons le papa ? s'enquit-elle avec entrain.

— Non, répliqua tranquillement Liz. C'est moi, le papa.

La sage-femme ne cilla pas. Ce n'était pas la première fois que cela se produisait. C'était même de plus en plus fréquent, ces dernières années. Mais quel que soit leur sexe, des parents restaient des parents. Toute souriante, elle les fit entrer dans la salle et aida Jane à se déshabiller. Après avoir enfilé la chemise d'hôpital, celle-ci s'étendit sur la table de travail, afin que la sage-femme l'examine. Elle eut alors une nouvelle contraction et s'agrippa au bras de Liz en pleurant, tandis que la sage-femme terminait son examen.

— La dilatation de votre col a commencé. Je vais prévenir votre médecin, ensuite je demanderai à l'anesthésiste de venir vous faire la péridurale.

— Ça fait mal ? s'enquit Jane d'une petite voix.

Elle regardait avec inquiétude la sage-femme. L'examen lui avait fait horriblement mal. Personne ne l'avait avertie. Elle n'avait jamais rien éprouvé de pire.

— Dès qu'on vous l'aura faite, vous ne souffrirez plus, affirma la sage-femme en branchant le monitoring pour surveiller le rythme cardiaque du bébé ainsi que les contractions.

— Est-ce que vous connaissez le sexe ? demanda-t-elle avant de quitter la pièce.

— C'est un garçon, répondit Liz.

Jane ferma les yeux. Coco avait horreur de la voir souffrir, mais en même temps, elle était contente pour elle. Elle n'avait jamais assisté à un accouchement, mais elle avait vu naître des chiots, ce qui lui avait paru nettement moins pénible que pour sa sœur.

— Eh bien, je pense que vous le tiendrez dans vos bras ce soir, assura la sage-femme. Tout se présente très bien.

Sur ces mots, elle disparut, au moment où Jane était en proie à une contraction très douloureuse. Elle revint peu après avec l'anesthésiste, qui leur expliqua comment il allait procéder.

— C'est affreux ! gémit Jane d'une voix affolée. Je n'y arriverai pas.

— Bien sûr que si, rétorqua Liz doucement, les yeux dans ceux de sa compagne.

— Nous sommes à six centimètres de dilatation, annonça la sage-femme.

L'anesthésiste sembla contrarié.

— Si cela va trop vite, nous ne pourrons plus faire la péridurale.

— Vous devez la faire ! sanglota Jane. Je ne pourrai pas tenir.

L'anesthésiste échangea un coup d'œil avec la sage-femme, puis il demanda à la jeune femme de se coucher sur le côté et d'arrondir le dos. Comme elle avait une autre contraction, elle n'y parvint pas. Il lui semblait qu'elle ne maîtrisait plus son corps et qu'on la torturait tout en exigeant d'elle des choses qu'elle était incapable de faire. C'était la pire expérience de sa vie.

L'anesthésiste réussit enfin à faire la péridurale. Juste après, elle eut une nouvelle contraction qui la frappa comme un raz-de-marée, suivie très vite d'une autre, sans que l'anesthésie parût faire le moindre effet. Le médecin lui expliquait que son col était peut-être déjà trop dilaté lorsque, soudain, elle cessa de souffrir. Pendant cinq minutes il ne se produisit plus rien. Puis, aussi soudainement qu'elles avaient cessé, les contractions reprirent. Dix minutes s'écoulèrent avant que la sage-femme procède à un nouvel examen.

— Arrêtez ! hurla Jane en pleurant. Vous me faites mal !

La péridurale ne semblait pas avoir calmé la douleur.

— Je vais vous administrer une dose supplémentaire, expliqua calmement le médecin. Nous verrons si elle fait de l'effet.

— Nous sommes à dix centimètres, les informa la sage-femme. Je vais appeler le médecin.

— Tu entends ça ? lança Liz à Jane. La dilatation de ton col a atteint dix centimètres. Cela veut dire que tu peux pousser. Le bébé sera bientôt sorti.

Jane acquiesça, comme hébétée. L'écran du moniteur montra qu'elle avait une autre contraction, mais elle ne réagit pas. Cette fois, l'anesthésie agissait.

L'obstétricienne arriva cinq minutes plus tard. Un grand sourire aux lèvres, elle salua Jane et Liz, qui lui présentèrent Coco.

— Je vois que le comité d'accueil est réuni, lança-t-elle gaiement. J'ai de bonnes nouvelles pour vous, Jane. A la prochaine contraction, vous pourrez pousser.

— Je ne sens plus les contractions, maintenant, constata Jane avec soulagement.

Son regard absent inquiéta Liz et Coco, qui échangèrent un coup d'œil.

— Si vous voulez, nous allons diminuer la dose d'anesthésiant, pour que vous puissiez nous aider en poussant, suggéra l'obstétricienne.

Affolée, Jane se remit à pleurer.

— Ne faites pas ça !

Le désarroi de sa grande sœur émouvait profondément Coco. Le médecin sourit à Liz et à Coco.

— Elle va bien, les rassura-t-elle.

L'écran du moniteur indiqua une nouvelle contraction. Aidée d'une infirmière, la sage-femme plaça les pieds de Jane dans les étriers, puis elles lui demandèrent de pousser. L'obstétricienne se tenait au pied du lit, guettant le moment où elle apercevrait la tête du bébé. Liz et Coco encourageaient Jane, lui répétant de respirer et de pousser, mais rien ne se passait. Au bout d'une heure, la situation n'avait pas évolué. Il régnait dans la pièce une atmosphère d'intense concentration. Une infirmière entra, tenant à la main un bassin en plastique.

— Je n'y arrive pas, murmura Jane d'une voix exténuée. Je ne peux plus pousser. Faites-le sortir.

— Non, répondit fermement l'obstétricienne. C'est votre boulot. Vous allez nous aider, maintenant.

Après lui avoir ordonné de pousser plus fort, elle demanda à Liz de prendre Jane par les épaules. Puis elle se tourna vers l'anesthésiste et lui dit de diminuer les doses, ce qu'il fit malgré les supplications de Jane de n'en rien faire. Une heure s'écoula. Cela en faisait deux que Jane poussait sans résultat. Le médecin apercevait le crâne du bébé, mais rien de plus.

Elle décida alors de procéder à une épisiotomie et d'utiliser les forceps. Jane hurla pendant une heure, tandis qu'on l'encourageait à pousser. Enfin, lentement, très lentement, la tête du bébé commença à sortir. Jane poussa encore et, dans un dernier effort, elle expulsa le bébé. Le médecin le prit et coupa le cordon ombilical.

Des cris retentirent dans la pièce, mais cette fois, ce n'étaient pas ceux de Jane. La sage-femme enveloppa le bébé dans une couverture et le posa sur Jane, qui sanglotait de douleur et de joie. Elle n'avait rien fait de plus difficile de toute sa vie et elle espérait ne jamais recommencer.

— Il est magnifique ! s'exclamèrent Liz et Coco.

La sage-femme lava le bébé et le pesa.

— Il pèse quatre kilos cinq, annonça-t-elle fièrement en remettant l'enfant à Liz.

Coco le contemplait avec ébahissement et le trouvait énorme. On la laissa le porter un instant, puis elle le rendit à Jane, qui l'installa contre son sein. Le bébé se mit alors à téter tranquillement. Tout comme elle, il avait de belles mains et de longues jambes. Au comble du bonheur, Liz embrassait Jane et chuchotait des mots doux au bébé, dont le regard allait de l'une à l'autre, comme s'il reconnaissait leurs voix.

Coco resta avec elles jusqu'à ce qu'on emmène Jane dans une chambre. Elle était épuisée. Liz devait passer la nuit à l'hôpital, aussi décida-t-elle de rentrer. Liz prit alors son téléphone pour appeler la mère de Jane et lui dire que Bernard Buzz Barrington venait de faire son entrée en scène.

De retour chez elle, Coco téléphona à Leslie et lui raconta combien sa sœur avait souffert et combien elle était heureuse, maintenant que son enfant était né.

— Le prochain sera le nôtre, assura Leslie. Félicite Jane et Liz pour moi.

Il promit de venir à San Francisco le week-end prochain. Coco repartirait ensuite à Los Angeles avec lui. Cette fois, c'était pour de bon. Une nouvelle vie allait commencer pour elle. Elle avait rencontré Leslie huit mois plus tôt… presque autant qu'une grossesse.

21

Comme promis, Leslie arriva le samedi. Jane avait quitté l'hôpital et regagné sa maison. Elle était faible, elle souffrait… mais elle était radieuse. Liz et elle ne cessaient de s'extasier sur le bébé. La nounou qu'elles avaient engagée était là et leur apprenait à s'occuper de lui.

Ce soir-là, Leslie et Coco dînèrent avec elles. Les larmes aux yeux, Coco fit ses adieux à sa sœur. Depuis l'accouchement, elle se sentait encore plus proche d'elle.

Le lendemain, Leslie et elle s'envolèrent pour Los Angeles. Pour fêter l'arrivée de Coco, Leslie avait mis des fleurs dans toute sa maison. Lorsqu'ils arrivèrent, aucun paparazzi ne les attendait. Les agents de sécurité que Leslie avait fait venir patrouillaient autour de la maison.

Ce soir-là, c'est Leslie qui prépara le dîner.

— Quelle chance j'ai de t'avoir rencontré ! s'émerveilla-t-elle, tandis qu'il l'embrassait.

— De nous deux, c'est moi le plus chanceux, affirma-t-il.

Il la contemplait avec adoration, ne parvenant pas encore à croire qu'elle était avec lui. Mais après l'épreuve de Venise et celle de leurs deux mois de séparation, ils savaient qu'ils s'appartenaient pour toujours.

Plus tard dans la soirée, ils appelèrent Chloé pour lui annoncer que Coco habitait dorénavant avec son papa. Ils lui en avaient déjà parlé quand la fillette était repartie pour New York, au nouvel an. Ravie, la petite avait hâte de venir les voir.

— Alors, vous allez avoir un bébé, maintenant ? interrogea-t-elle comme si c'était évident.

— Pas encore, répondit Leslie.

— Vous allez vous marier ? demanda l'enfant d'une voix rieuse.

— Nous n'en avons pas encore discuté, mais si nous nous décidons, nous ne nous marierons pas sans toi, je te le promets.

— Je veux être demoiselle d'honneur.

— D'accord. Tu es engagée.

Après avoir raccroché, il se tourna vers Coco, qui n'avait rien perdu de la conversation.

— Elle souhaite que nous nous mariions. Et elle a raison. Je suis un homme respectable et je ne peux pas vivre dans le péché. Ce serait mal. Et imagine ce que les journaux à scandale diraient : « Une star du cinéma vit avec une promeneuse de chiens. » Ce serait très choquant, ajouta-t-il en l'embrassant.

— Je ne promène plus les chiens, tu n'as pas besoin de t'inquiéter, s'exclama-t-elle en se retournant sur le lit avec un soupir de plaisir.

Plus que jamais, elle avait l'impression d'être Cendrillon. La pantoufle lui allait à la perfection.

— Bon, mais même si tu n'exerces plus ce métier, j'ai une réputation à préserver, n'est-ce pas ? Et j'aimerais donner à Chloé le plaisir d'être demoiselle d'honneur. C'est une excellente raison, non ? La principale étant que je t'aime à la folie, chuchota-t-il. Alors, veux-tu bien m'épouser, Coco ? demanda-t-il en la regardant avec amour, le visage grave, très ému.

Les larmes aux yeux, la jeune femme répondit doucement :

— Très volontiers.

Souriant, il l'embrassa fougueusement. C'était leur première nuit dans la maison de Leslie, celle qu'ils partageraient pour le meilleur et pour le pire.

22

Jane et Liz avaient passé la matinée à fleurir les pièces. La veille, les traiteurs avaient envahi la cuisine. La maison était magnifique, avec toutes ces roses. De temps à autre, Jane cessait de donner des ordres aux employés qui s'activaient, pour nourrir le bébé, qui, à quatre mois, en paraissait douze. Elles attendaient une centaine d'invités à 18 heures et Jane voulait que tout soit parfait.

La maison bourdonnait d'activité. La nounou cousait des rubans blancs sur les couronnes de fleurs que le fleuriste fixait dans l'escalier. A 16 heures, Liz et Jane montèrent s'habiller, pendant que la nounou couchait le bébé pour sa sieste. C'était un enfant facile et elle était heureuse de travailler pour elles. Elle disait même qu'elles formaient le couple le plus sympathique qu'elle avait jamais rencontré. Jane n'avait pas encore recommencé à travailler. Quant à Liz, elle envisageait une insémination artificielle en juillet en utilisant les ovules de Jane.

— Nous devrions peut-être nous marier, suggéra Liz pendant qu'elles s'habillaient dans la salle de bains.

— Si c'est ce que tu veux, bien volontiers. Mais à mes yeux, je suis mariée avec toi depuis des années, répondit Jane avec un sourire.

— Moi aussi.

Liz remonta la fermeture éclair de Jane, qui portait une robe de cocktail bleu pâle. Celle de Liz était en satin gris. Elles avaient veillé au moindre détail et elles étaient fières du résultat. Elles avaient tenu à ce que l'événement ait lieu là où tout avait commencé.

A 17 heures, elles descendirent, juste à temps pour accueillir leur mère et Gabriel. Jane constata sans surprise que la robe de satin champagne de Florence était presque blanche. Elle avait parié avec Liz que sa mère ferait quelque chose de ce genre, qu'elle porterait du blanc ou une couleur approchante le jour du mariage de sa cadette. Aux yeux de Jane, un tel choix lui ressemblait bien et était absolument prévisible.

« Elle n'oserait pas ! avait protesté Liz. Elle ne ferait pas ça à Coco.

— Je te parie dix dollars qu'elle le fera », avait assuré Jane.

Aussi, quand Florence franchit le seuil de la maison, Jane se tourna vers sa compagne, un large sourire aux lèvres.

« Tu me dois dix dollars. »

Elles se mirent à rire, puis accueillirent Gabriel, qui portait un costume bleu marine tout à fait approprié à la circonstance. Il tenait dans ses bras sa fille Alyson, maintenant âgée de trois ans. Florence et lui venaient de fêter le deuxième anniversaire de leur rencontre. En juillet, ils comptaient se rendre à Paris et dans le sud de la France. Ils descendraient à l'hôtel du Cap à Antibes, avant d'embarquer à bord du yacht que Florence avait loué pour deux semaines. Ils iraient en Sardaigne et rendraient visite à des amis. Gabriel n'avait pas produit de film de toute l'année. Il était bien trop occupé à voyager avec Florence. Liz trouvait qu'elle paraissait de plus en plus heureuse et même plus épanouie que lorsqu'elle vivait avec le père de Jane. Gabriel lui faisait du bien et lui-même semblait détendu et content. Leur vie ressemblait à de longues vacances et il venait de s'installer chez Florence.

304

Les parents de Leslie, venus spécialement d'Angleterre, arrivèrent un peu plus tard. A 18 h 30, tous les invités étaient là. Coco attendait dans une chambre, pour n'être vue de personne, quand Leslie se présenta à son tour, avec Chloé. La fillette arborait une longue robe en organdi rose qui lui donnait l'air d'une princesse. Quand Liz le lui dit, elle rayonna. Elle aurait voulu jouer avec le bébé, mais Jane craignait qu'il ne bave sur sa jolie tenue, aussi lui suggéra-t-elle d'attendre un peu.

Quand les premières notes de musique retentirent dans la maison, on perçut le vrombissement d'un moteur, dans le ciel. A l'extérieur, des policiers surveillaient la maison et les alentours. Tous comprirent immédiatement que le bruit venait d'un hélicoptère affrété par des photographes qui voulaient à tout prix un scoop. Les policiers haussèrent les épaules, blasés. Dans la mesure où tout le monde se trouvait à l'intérieur, ils en seraient pour leurs frais.

Coco fit enfin son entrée. Vêtue d'une robe en satin blanc moulante très élégante, elle traversa la pièce, sa longue traîne derrière elle. Elle ne voyait que Leslie, qui se trouvait devant la fenêtre, Chloé à son côté. Un hélicoptère se profila dans le ciel, mais elle ne lui prêta aucune attention. Elle savait qu'il y en aurait sans doute d'autres à l'avenir. Seuls comptaient Leslie, Chloé et la vie qu'ils allaient partager.

Ils échangèrent leurs vœux devant l'assistance. Les larmes aux yeux, Florence pressa légèrement la main de Gabriel quand le marié affirma : « Je le veux. » Ensuite, Leslie embrassa Coco et ils furent déclarés mari et femme.

Ce fut un mariage parfait, tel que Coco l'avait souhaité. La famille était là, ainsi que tous ceux qu'ils aimaient et qui les aimaient. Les amis de Leslie étaient venus de Los Angeles et sa famille avait fait le voyage depuis l'Angleterre. Il y avait aussi Jeff et son épouse.

Tous les deux étaient très flattés d'avoir été invités. Coco et Leslie avaient choisi de se marier dans la maison de Jane, pour se préserver des journalistes. Derrière les portes closes, ils se sentaient en sécurité.

Pour leur lune de miel, ils avaient affrété un jet privé et s'envoleraient avec Chloé vers une destination secrète. Coco avait tenu à ce que la fillette les accompagne et Leslie espérait qu'elle aurait bientôt un petit frère ou une petite sœur.

Profitant de la tiédeur du soir, de nombreux convives se promenaient dans le jardin. Au-dessus de la piscine, on avait posé une piste de danse en plexiglas. C'était certainement la plus belle réception jamais vue à San Francisco.

A minuit, après que l'on eut apporté la pièce montée, Coco s'arrêta au milieu de l'escalier pour lancer son bouquet et s'arrangea pour que ce soit sa mère qui s'en saisisse. Florence le serra contre son cœur, tandis que Gabriel lui souriait. Il savait ce qu'elle avait en tête et il était tout à fait d'accord.

Leslie, Coco et Chloé partirent ensuite en limousine. Devant la porte, la police refoulait les curieux, tandis que l'hélicoptère tournoyait toujours au-dessus de leurs têtes. Précédée de deux motards, la voiture les conduisit à l'aéroport. Chloé était assise entre Coco, qui souriait, et Leslie, qui semblait l'homme le plus heureux du monde. Ils se tenaient tous les trois par la main.

— On l'a fait ! chuchota triomphalement Coco.

Les paparazzis ne les avaient pas rattrapés, personne n'avait été blessé ou terrifié. Tout allait bien et ils savaient à quel point leur amour était profond.

— Alors, demanda Chloé, vous allez les faire, maintenant ?

— Quoi donc ? demanda distraitement Leslie.

Chloé pouffa.

— Ces choses dégoûtantes.

— Chloé ! Je ne vois pas du tout à quoi tu fais allusion.

— Tu te rappelles, quand maman disait que...

— Pas du tout !

Chloé sourit à son père, puis à Coco.

— D'accord... Je vous aime tous les deux.

Et c'était vrai. Elle adorait son papa, et Coco était sa meilleure amie.

— Nous t'aimons aussi, s'écrièrent en chœur Leslie et Coco.

Ils se penchèrent pour déposer un baiser dans les cheveux de la fillette avant de s'embrasser. Et tandis qu'ils filaient vers l'aéroport, Coco adressa un sourire radieux à Leslie. Il avait eu raison. Tous leurs problèmes avaient trouvé leur solution... au jour le jour.

Vous avez aimé ce livre ?
Vous souhaitez en savoir plus sur Danielle STEEL ?
Devenez, gratuitement et sans engagement, membre du
CLUB DES AMIS DE DANIELLE STEEL
et recevez une photo en couleurs dédicacée.

Il vous suffit de renvoyer ce bon accompagné d'une
enveloppe timbrée à vos nom et adresse au *CLUB DES
AMIS DE DANIELLE STEEL – 12, avenue d'Italie –*
75627 PARIS CEDEX 13 ou de vous inscrire sur
le site www.danielle-steel.fr

CLUB DES AMIS DE DANIELLE STEEL
12, avenue d'Italie – 75627 Paris Cedex 13
Monsieur – Madame – Mademoiselle

NOM :
PRÉNOM :
ADRESSE :

CODE POSTAL :
VILLE :
Pays :

E-mail :
Téléphone :
Age :
Profession :

La liste de tous les romans de Danielle Steel publiés
aux Presses de la Cité se trouve au début de cet ouvrage.
Si un ou plusieurs titres vous manquent, commandez-les
à votre libraire. Au cas où celui-ci ne pourrait obtenir le
ou les livres que vous désirez, si vous résidez en France
métropolitaine, écrivez-nous pour le ou les acquérir par
l'intermédiaire du Club.

Composé par Nord Compo Multimédia
7, rue de Fives, 59650 Villeneuve-d'Ascq

Achevé d'imprimer au Canada
sur les presses de Imprimerie Lebonfon Inc.